Lisa Taddeo

# Three Women –
# Drei Frauen

*Aus dem Amerikanischen*
*von Maria Hummitzsch*

**PIPER**

*Mehr über unsere Autoren und Bücher:*
*www.piper.de/literatur*

Die amerikanische Originalausgabe erschien 2019
unter dem Titel *Three Women* bei Avid Reader Press,
einem Imprint von Simon & Schuster, New York.

Das Zitat auf Seite 7 stammt aus: Charles Baudelaire, *Le Spleen de Paris –*
*Der Spleen von Paris. Gedichte in Prosa und frühe Dichtungen*, »Die Fenster«,
herausgegeben und neu übersetzt von Simon Werle, Rowohlt Verlag:
Hamburg 2019, Seite 405.

ISBN 978-3-492-05982-4
2. Auflage 2020
© Lisa Taddeo, 2019
© Piper Verlag GmbH, München 2020
Satz: Satz für Satz, Wangen im Allgäu
Gesetzt aus der Whitman
Druck und Bindung: GGP Media GmbH
Printed in the EU

*Für Fox*

*Wer von außen in ein offenes Fenster hineinschaut,*
*sieht niemals so viel wie jemand, der in ein geschlossenes*
*Fenster schaut. Es gibt nichts Tieferes, Geheimnis-*
*volleres, Reichhaltigeres, Dunkleres, Strahlenderes als*
*ein von einer Kerze erhelltes Fenster. Was man im*
*Sonnenlicht sehen kann, ist immer weniger interessant*
*als das, was sich hinter einer Fensterscheibe abspielt.*
*In dieser schwarzen oder hell erleuchteten Öffnung liegt*
*das Leben, träumt das Leben, leidet das Leben.*

CHARLES BAUDELAIRE

# Prolog

Als meine Mutter jung war, folgte ihr jeden Morgen ein Mann zur Arbeit, der nur wenige Meter hinter ihr masturbierte. Meine Mutter hatte die Schule nur bis zur fünften Klasse besucht, ihre Mitgift bestand aus Leinentüchern mittlerer Qualität, aber sie war schön. Und das ist bis heute das Erste, was mir zu ihr einfällt. Ihre Haare hatten dieselbe Farbe wie Tiroler Alpenschokolade, und ihre Frisur war immer gleich: kleine, hoch aufgesteckte Locken. Ihre Haut war nicht olivfarben wie die vom Rest ihrer Familie, sondern hatte einen ganz eigenen Ton, der eher dem hellen Rosé von unreinem Gold glich. Ihre Augen waren braun, ihre Blicke mokant und kokett.

Sie arbeitete als Hauptkassiererin an einem Obst- und Gemüsestand im Zentrum von Bologna. Das war auf der Via San Felice, einer langen Hauptverkehrsstraße im Modeviertel. Dort gab es viele Schuhgeschäfte, Goldschmiede, Parfümerien, Kioske und Boutiquen für Frauen, die nicht arbeiteten. Meine Mutter kam auf dem Weg zu ihrem Stand an diesen Geschäften vorbei und bestaunte in den Schaufensterauslagen die feinen Lederstiefel und polierten Ketten.

Doch bevor sie das Einkaufsviertel erreichte, ging sie ein stilles Stück des Weges am Schlossschmied und Ziegenmetzger vorbei, durch dreckige Straßen und Gassen und einsame Säulengänge, in denen es streng nach Urin und muffig nach abgestandenem Wasser roch. Und den ganzen Weg über folgte ihr dieser Mann.

Wo hatte er sie das erste Mal gesehen? So wie ich es mir vorstelle, war es am Obststand. Diese schöne Frau inmitten all der herrlichen, frischen Waren – pralle Feigen, Berge von Esskastanien, sonnengereifte Pfirsiche, leuchtend weiße Fenchelknollen, grüne Blumenkohlköpfe, Rispentomaten, an denen noch etwas Erde klebte, Pyramiden dunkelvioletter Auberginen, kleine, aber prächtige Erdbeeren, glänzende Kirschen, Weintrauben und Dattelpflaumen, dazu eine abenteuerliche Auswahl an Getreidesorten und Broten, *taralli, friselle*, Baguettes, Blockschokolade und ein paar Kupferschüsseln, die ebenfalls zum Verkauf standen.

Er war Mitte sechzig, hatte eine große Nase, fast eine Glatze und an weißen Pfeffer erinnernde Stoppeln auf den eingefallenen Wangen. Er trug eine Ballonmütze wie all die anderen alten Männer, die auf ihrer täglichen *camminata* mit dem Spazierstock durch die Straßen zogen.

Irgendwann muss er ihr bis nach Hause gefolgt sein, denn an einem wolkenlosen Maimorgen trat meine Mutter durch die schwere Eingangstür ihres Wohnhauses, aus dem Dunkeln ins grelle Sonnenlicht – in Italien sind die Aufgänge der Wohnhäuser fast immer zappenduster, weil das Licht aus Kostengründen gedimmt und nur zu bestimmten Zeiten eingeschaltet wird und die dicken, kalten Steinwände keine Sonnenstrahlen durchlassen –, und da stand dieser alte Mann, den sie noch nie gesehen hatte, und wartete auf sie.

Er lächelte sie an, und sie lächelte zurück. Dann machte sie sich mit ihrem wadenlangen Rock und einer billigen Handtasche auf den Weg zur Arbeit. Meine Mutter hatte selbst im hohen Alter noch unfassbar feminine Beine. Ich kann mir vorstellen, wie es ist, dieser Mann zu sein und die Beine meiner Mutter zu sehen und ihnen zu folgen. Denn nach Jahrhunderten unter dem männlichen Blick ist es Teil unseres Erbes, dass heterosexuelle Frauen andere Frauen oft genauso betrachten, wie Männer es tun.

Meine Mutter spürte, wie der Mann mehrere Straßenzüge lang hinter ihr herging, vorbei an dem Olivenverkäufer und dem Händler von Portweinen und Sherrys. Aber er folgte ihr nicht nur. Als sie sich an einer bestimmten Ecke umdrehte, nahm sie aus dem Augenwinkel eine Bewegung wahr. Die kopfsteingepflasterten Gassen waren um diese Zeit, in der Morgendämmerung, menschenleer, und sie sah, dass er seinen langen, erigierten Penis aus der Hose geholt hatte und ihn mit schnellen Bewegungen bearbeitete, hoch und runter, den Blick dabei so ruhig auf sie gerichtet, als würde das, was sich unterhalb seines Hosenbunds abspielte, von einem völlig anderen Hirn gesteuert.

Damals fuhr meine Mutter erschrocken zusammen, aber Jahre später hatte sich die Angst dieses ersten Morgens in Belustigung und Spott verwandelt. In den darauffolgenden Monaten tauchte der Mann mehrmals pro Woche vor ihrem Wohnhaus auf und begleitete sie schließlich auch vom Markt zurück nach Hause. Auf dem Höhepunkt ihrer Beziehung kam er zwei Mal am Tag direkt hinter ihr.

Meine Mutter ist inzwischen verstorben, und so kann ich sie nicht mehr fragen, warum sie das zuließ, jeden Tag aufs Neue. Stattdessen habe ich meinen älteren Bruder gefragt, warum sie nichts unternommen und niemandem davon erzählt hat.

Es war Italien, es waren die Sechziger. Die Polizeibeamten hätten wahrscheinlich gesagt: »*Ma lascialo perdere, è un povero vecchio. È una meraviglia che ha il cazzo duro alla sua età.«* – »Lassen Sie die Sache auf sich beruhen, er ist ein armer alter Mann. Ist doch ein Wunder, dass er überhaupt noch einen hochkriegt.«

Meine Mutter ließ den Mann mit Blick auf ihren Körper masturbieren. Sie war nicht die Art von Frau, die Gefallen daran gefunden hätte. Aber wirklich wissen kann ich es nicht. Meine Mutter sprach nie über ihre Fantasien. Über das, was sie an- oder abturnte. Manchmal wirkte es so, als hätte sie überhaupt keine eigenen Bedürfnisse. So, als wäre ihre Sexualität nur ein schmaler Pfad im Wald, einer dieser unmarkierten, die dadurch entstehen, dass irgendjemand mit Stiefeln das Gras niedertrampelt. Und dieser Jemand war mein Vater.

Mein Vater liebte die Frauen auf eine Weise, die man früher als charmant bezeichnet hat. Er war Arzt und nannte die Krankenschwestern, die ihm gefielen, »Süße«, und die Krankenschwestern, die ihm nicht gefielen, »Schätzchen«. Aber mehr als alle anderen liebte er meine Mutter. Die Anziehung, die sie auf ihn ausübte, war so offensichtlich, dass es mir noch heute die Schamesröte ins Gesicht treibt, wenn ich mich daran erinnere.

Während ich nie Anlass hatte, mir Gedanken über das Begehren meines Vaters zu machen, packte mich doch etwas an der Heftigkeit dieses Begehrens, an der Heftigkeit männlichen Begehrens überhaupt. Bei Männern geht es nicht allein ums Wollen. Es geht ums *Brauchen*. Der Mann, der meiner Mutter jeden Tag auf dem Hin- und Rückweg zu ihrer Arbeit folgte, *brauchte* das. Präsidenten verwirken ihre Ehre für Blowjobs. Alles, was sich ein Mann im Laufe eines Lebens aufgebaut hat, setzt er vielleicht für einen einzigen Moment aufs Spiel. Ich habe nie die Theorie vertreten, mächtige Männer hätten derart aufgeblasene Egos, dass sie einfach annähmen, ihnen könne nichts passieren; vielmehr glaube ich, dass ihr Begehren in bestimmten Momenten so stark ist, dass alles andere – ihre Familie, ihr Zuhause, ihre Karriere – dahinter verblasst. Sich in nichts auflöst.

Als ich anfing, an diesem Buch zu arbeiten, einem Buch über das menschliche Begehren, reizten mich zunächst die Geschichten von Männern. Ihre Sehnsüchte. Wie sie für eine vor ihnen kniende junge Frau den Sturz eines ganzen Imperiums in Kauf nehmen. Und so führte ich anfangs Gespräche mit Männern: einem Philosophen aus Los Angeles, einem Lehrer aus New Jersey, einem Politiker aus Washington, D. C. Ihre Geschichten waren auf dieselbe Weise verlockend, wie es verlockend ist, beim Chinesen immer wieder das gleiche Gericht zu bestellen.

Die Geschichte des Philosophen, die anfangs die eines gut aussehenden Mannes war, dessen weniger gut aussehende Frau nicht mit ihm schlafen wollte – einschließlich aller schmerzhaften Begleiterscheinungen, die schwindende Liebe und Leidenschaft mit sich bringen –, wurde zur Geschichte eines Mannes, der mit der rothaarigen Masseurin schlafen wollte, die er wegen seiner Rückenschmerzen aufsuchte. »Sie sagt, sie will mit mir nach Kalifornien durchbrennen, Big Sur und so«, simste er mir an einem sonnigen Morgen. Bei unserem nächsten Treffen saß ich ihm in einem Coffeeshop gegenüber, und er beschrieb mir die Hüften der Masseurin. Seine Leidenschaft schien, obwohl er in seiner Ehe so viel verloren hatte, nicht an Würde gewonnen zu haben, sie war nur oberflächlich geworden.

Die Geschichten dieser Männer verschmolzen mehr und mehr zu einer einzigen Geschichte. In manchen Fällen gab es eine ausgedehnte Werbephase, in anderen war das Werben eher eine Art Manipulation, aber fast jede dieser Geschichten gipfelte im zuckenden Pulsen eines Orgasmus. Und während die Lust der Männer mit dem finalen Schuss erlosch, flackerte die Lust der Frauen an diesem Punkt gerade erst auf. Es lag eine Komplexität, eine Schönheit, ja auch eine gewisse Heftigkeit darin, wie Frauen denselben Vorgang erlebten. Dadurch und durch vieles mehr war es in meinen Augen plötzlich der weibliche Part dieses sexuellen Spiels, der für all das stand, was unser Begehren heute ausmacht.

Natürlich kann die weibliche Lust genauso getrieben sein wie die männliche, aber immer dann, wenn das Begehren zielgerichtet war, auf einen Endpunkt aus, auf den es zuzusteuern galt, schwand mein Interesse. In den Geschichten jedoch, in denen sich das Begehren nicht steuern ließ, in denen das begehrte Objekt das Geschehen beherrschte, fand ich den größten Zauber und den größten Schmerz. Es war ganz so, als würde jemand auf einem Fahrrad rückwärts treten, derselbe aussichtslose Kampf – an dessen Ende sich eine völlig neue Welt offenbart.

Um diese Geschichten aufzuspüren, bin ich sechs Mal durch die USA gefahren. Die einzelnen Stationen plante ich nur vage. Meistens strandete ich irgendwo, zum Beispiel in Medora, North Dakota. Dann bestellte ich einen Toast und einen Kaffee und las die Lokalzeitung. Auf diese Weise fand ich Maggie. Eine junge Frau, die von noch jüngeren Frauen als »Hure« und »fette Fotze« beschimpft wurde. Angeblich hatte Maggie eine Affäre mit ihrem verheirateten Highschool-Lehrer gehabt. Das Faszinierende an ihrer Beschreibung der Liebesbeziehung war das völlige Fehlen von Geschlechtsverkehr. Ihren Angaben zufolge hatte ihr Lehrer sie oral befriedigt, aber nicht zugelassen, dass sie ihm die Hose öffnete. Dafür hatte er ihr Lieblingsbuch *Twilight* mit lauter gelben Klebezetteln versehen. Neben Textpassagen, in denen es um zwei Liebende geht, deren Verbindung unter keinem guten Stern steht, hatte er Anmerkungen an den Rand geschrieben und Parallelen zu ihrer eigenen Beziehung gezogen. Was diese junge Frau umhaute, waren die schiere Anzahl und die Ausführlichkeit dieser Notizen. Sie konnte nicht fassen, dass der von ihr so bewunderte Lehrer das ganze Buch gelesen und sich dann auch noch die Zeit dafür genommen hatte, es derart einfühlsam zu kommentieren. Als hätte er einen Extrakurs über die Liebe zwischen Vampiren vorbereitet. Ihrem Bericht nach hatte er die Seiten außerdem mit seinem Parfüm besprüht, weil er wusste, wie sehr sie seinen Geruch liebte. Botschaften dieser Art zu erhalten, eine Beziehung dieser Art zu erleben und dann mit ihrem plötzlichen Ende konfrontiert zu sein, das musste ein gewaltiges Loch hinterlassen haben.

Als ich auf Maggies Geschichte stieß, spitzte sich die Lage gerade zu. Ich lernte sie als eine Frau kennen, der man ihre Sexualität und ihre sexuellen Erfahrungen auf schreckliche Weise absprach. Ich werde die Geschichte aus ihrer Sicht erzählen; in der Zwischenzeit ist eine andere Version vor ein Gericht gebracht worden, dessen Geschworene sie mit völlig anderen Augen beurteilt haben. Maggies Fall wirft einmal mehr die Frage auf, wann und warum und von wem die Geschichten von Frauen geglaubt werden – und wann und warum und von wem nicht.

Männer haben die Herzen von Frauen schon immer auf eine ganz bestimmte Weise gebrochen. Sie lieben sie oder lieben sie so halb und fühlen sich irgendwann ausgelaugt und ziehen sich innerlich über Wochen und Monate zurück, verschanzen sich in ihrer Höhle, verdrücken eine letzte Träne und rufen dann nie wieder an. Die Frauen aber warten. Je verliebter sie sind und je weniger andere Optionen sie haben, desto länger warten sie. Sie hoffen, ihr Liebster kommt mit einem malträtierten Handy und einem malträtierten Gesicht zurück und sagt: »Bitte verzeih mir, man hat mich lebendig begraben, ich habe immerzu nur an dich gedacht und war voller Angst, dass du glauben könntest, ich hätte dich sitzen gelassen, obwohl ich in Wahrheit nur deine Nummer nicht mehr hatte, weil sie mir von den Männern, die mich lebendig begraben haben, entrissen wurde und ich drei Jahre lang in allen Telefonbüchern nach ihr suchen musste, um dich jetzt endlich wiederzufinden. Ich war nie weg, meine Gefühle für dich haben nie nachgelassen. Du hattest recht, alles andere wäre grausam, skrupellos und unmöglich. Willst du mich heiraten?«

Maggie zufolge hat das mutmaßliche Verbrechen ihres Lehrers ihr Leben zerstört. Doch sie hat etwas, das nur die wenigsten verlassenen Frauen haben: eine gewisse Macht, begründet durch ihr Alter und den Beruf ihres Exliebhabers. Maggie glaubte, diese Macht stehe ihr durch das geltende Recht zu. Was sich letztlich als falsch herausstellte.

Manch eine Frau wartet, weil sie glaubt, ihr Leben sei zu Ende, wenn sie es nicht tue. Sie glaubt, dass *er* der einzige Mann ist, den sie je begehren wird. Das Warten kann auch ein Schutzmechanismus sein. Denn es dauert lange, bis eine Revolution an einen Ort vordringt, an dem die Menschen eher Rezepte aus der *Country Living* als Artikel über das Ende der weiblichen Unterdrückung austauschen.

Lina, eine Hausfrau in Indiana, deren Mann sie seit Jahren nicht geküsst hatte, trennte sich nicht von ihm, weil sie nicht genug Geld gehabt hätte, um auf eigenen Füßen zu stehen. Das in Indiana geltende Unterhaltsgesetz kam in ihrer Lebenswelt überhaupt nicht vor. Also wartete sie, dass ein anderer Mann seine Frau verließ. Und dann wartete sie noch ein bisschen länger.

Die Stimmung in einer Gesellschaft kann manchmal der Auslöser dafür sein, dass wir infrage stellen, wer wir in unserem eigenen Leben eigentlich sind. Die Frauen, die warten, sorgen oft dafür, dass andere Frauen sie in ihrem Warten bestätigen, damit sie sich nicht schlecht fühlen müssen.

Sloane, eine selbstbewusste Restaurantbesitzerin, lässt ihren Mann dabei zusehen, wie sie es mit anderen Männern treibt. Hin und wieder haben sie auch einen Vierer, aber meistens schaut er ihr per Videoübertragung oder live dabei zu, wie sie Sex mit einem anderen Mann hat. Sloane ist eine schöne Frau. Während ihr Mann ihr zusieht, schäumt draußen vorm Schlafzimmerfenster das so heiß geliebte Meer. Nur ein Stück die Straße runter grasen Cotswold-Schafe. Einer meiner Freunde aus Cleveland, der einen Dreier in einer Swinger-Gruppe für armselig und verachtenswert hält, fand Sloanes Geschichte aufschlussreich und unverstellt und zugänglich. Und eben diese Zugänglichkeit ermöglicht es uns, Mitgefühl zu entwickeln.

Ich denke darüber nach, dass ich eine Mutter hatte, die zuließ, dass ein Mann täglich hinter ihr masturbierte, und ich denke an all die Dinge, die ich mir von anderen habe gefallen lassen, vielleicht nicht ganz so entsetzlich, aber letztlich auch nicht so viel anders. Dann denke ich daran, wie viel ich von Männern gewollt habe. Wie viel von diesem Wollen das war, was ich von mir selbst oder auch von anderen Frauen gebraucht hätte; wie viel von dem, was ich glaubte, von einem Liebhaber zu wollen, eigentlich das war, was ich von meiner eigenen Mutter gebraucht hätte. Denn in vielen der Geschichten, die ich gehört habe, haben Frauen einen größeren Einfluss auf andere Frauen als Männer. Wir sind in der Lage, anderen Frauen das Gefühl zu geben, dass sie schäbig, nuttig, schmutzig, ungeliebt und hässlich wären. Letztlich geht es dabei immer um Angst. Mal sind es Männer, die uns Angst machen, mal sind es Frauen, und manchmal machen wir uns so viele Gedanken über alles, was uns Angst macht, dass wir mit unserem Orgasmus warten, bis wir allein sind. Wir geben vor, Dinge zu wollen, die wir nicht wollen, damit niemand sieht, dass wir nicht bekommen, was wir brauchen.

Vor Männern hatte meine Mutter keine Angst. Vor Armut schon. Sie erzählte mir noch eine andere Geschichte. Und auch wenn ich mich nicht mehr an die genauen Umstände erinnere, weiß ich, dass sie nicht sagte: »Komm, setz dich mal zu mir.« Sie erzählte mir diese Geschichte nicht bei einem Glas Rosé und ein paar Crackern. Wahrscheinlicher ist, dass es bei ein paar Marlboros am Küchentisch war, bei geschlossenem Fenster, wir den Hund zu unseren Füßen durch den Rauch nur schemenhaft erkannten und meine Mutter nebenbei die Glasplatte polierte.

Die Geschichte handelte von einem grausamen Mann, mit dem sie zusammen gewesen war, bevor sie meinen Vater kennengelernt hatte. Zum Vokabular meiner Mutter gehörten ein paar Wörter, die mich anzogen und mir gleichzeitig Angst einjagten. *Grausam* war eines von ihnen.

Meine Mutter war in großer Armut aufgewachsen, hatte

in Töpfe gepinkelt und sich Urin auf ihre Sommersprossen getupft, weil es angeblich die Pigmente aufhellt. Ihre
Eltern, ihre zwei Schwestern und sie mussten sich ein win-
ziges Zimmer teilen. Die Decke war undicht, und wenn
sie schlief, tropfte ihr Regenwasser aufs Gesicht. Fast zwei
Jahre verbrachte sie wegen Tuberkulose in einem Sana-
torium. Sie bekam nie Besuch, weil ihre Familie kein Geld
für die Reise hatte. Ihr Vater trank und arbeitete in den
Weinbergen. Ein kleiner Bruder starb noch vor seinem ersten Geburtstag.

Sie schaffte es schließlich raus in die Stadt, doch kurz
vor ihrer Abreise erkrankte ihre Mutter. An Magenkrebs.
Meine Großmutter wurde in das örtliche Krankenhaus
eingewiesen, aus dem sie nie zurückgekehrt ist. In einer
der Nächte tobte ein Schneesturm, Eisregen ging auf das
Kopfsteinpflaster nieder, und meine Mutter war gerade mit
diesem grausamen Mann zusammen, als sie die Nachricht
erhielt, dass ihre Mutter im Sterben liege und die Nacht
nicht überleben werde. Auf der Fahrt zum Krankenhaus
entbrannte ein heftiger Streit. Meine Mutter erzählte mir
keine Details, sie sagte nur, dass sie sich am Ende in der
einbrechenden Dunkelheit auf dem verschneiten Seiten-
streifen wiederfand. Sie schaute den immer schwächer werdenden Rücklichtern hinterher, andere Autos waren auf
der vereisten Straße nicht unterwegs. Sie war nicht da, als
es mit ihrer Mutter zu Ende ging.

Bis heute weiß ich nicht, was *grausam* in diesem Zusam-
menhang bedeutet. Ich weiß nicht, ob dieser Mann meine
Mutter geschlagen oder bedrängt hat. Ich bin immer davon
ausgegangen, dass *Grausamkeit* in ihrer Welt mit irgendeiner Form von sexueller Gewalt einherging. In meinen bi-
zarrsten Fantasien stelle ich mir vor, wie er sie an diesem

Abend, als ihre Mutter im Sterben lag, rumkriegen wollte. Ich male mir aus, wie er versucht, sie wie ein Vampir auszusaugen. Aber es war die Angst vor Armut, die meine Mutter ein Leben lang beschäftigt hat, nicht dieser grausame Mann. Dass sie kein Taxi hatte rufen können, um ins Krankenhaus zu kommen. Dass sie sich nicht selbst aus ihrer Lage hatte befreien können. Dass ihr die Mittel dazu fehlten.

Ungefähr ein Jahr nachdem mein Vater gestorben war, als wir die Tage gerade so, ohne zu weinen, überstanden, bat sie mich, ihr zu zeigen, wie das Internet funktioniert. Sie hatte in ihrem ganzen Leben noch nie einen Computer benutzt und brauchte quälend lange, um auch nur einen Satz zu tippen.

»Sag mir einfach, was du willst.« Nach einem gemeinsamen Tag vor dem Bildschirm waren wir beide frustriert.

»Das kann ich nicht«, antwortete sie. »Ich muss es allein machen.«

»Ja aber was denn?«, fragte ich. Ich hatte alles von ihr gesehen: sämtliche Rechnungen und Aufzeichnungen, sogar die handgeschriebenen Notizen, die sie mir für den Fall ihres plötzlichen Todes hinterlassen wollte.

»Ich muss etwas über einen bestimmten Mann herausfinden«, sagte sie leise. »Einen Mann, den ich vor deinem Vater kennengelernt habe.«

Ich war bestürzt und sogar gekränkt. Ich wollte, dass meine Mutter für immer und ewig die Frau meines verstorbenen Vaters blieb. Ich wollte, dass das Bild von meinen Eltern intakt blieb, auch über seinen Tod hinaus, auch wenn meine Mutter mit ihrem eigenen Glück dafür bezahlte. Ich wollte nichts vom Begehren meiner Mutter wissen.

Dieser dritte Mann, der Besitzer eines großen Schmuckimperiums, hatte meine Mutter so sehr geliebt, dass er sogar versucht hatte, die Hochzeit meiner Eltern zu verhindern, während die kirchliche Trauung schon in vollem Gange war. Vor langer Zeit hatte sie mir eine Halskette mit Rubinen und Diamanten geschenkt und anscheinend darüber hinwegtäuschen wollen, wie kostbar diese Kette für sie war. Ich sagte ihr, sie solle selbst herausfinden, wie der Computer funktioniere, aber ehe es dazu kam, wurde sie krank.

Ich denke über die Sinnlichkeit meiner Mutter nach und wie sie sie in bestimmten Situationen eingesetzt hat. Kleine Gesten wie ein Lächeln, das sie aufsetzte, wenn sie aus dem Haus ging oder die Tür öffnete. Mir kam es mal wie eine Stärke, mal wie eine Schwäche vor, aber nie wie etwas Echtes. Wie falsch ich doch lag.

Trotzdem frage ich mich noch heute, wie eine Frau es hat zulassen können, dass ein Mann ihr an so vielen Tagen folgte und hinter ihr masturbierte. Ich frage mich, ob sie nachts geweint hat. Vielleicht hat sie sogar um diesen einsamen alten Mann geweint. Es sind die feinen Nuancen unseres Begehrens, die offenbaren, wer wir wirklich sind. Ich bin aufgebrochen, um vom Feuer und vom Schmerz der weiblichen Lust zu erzählen, damit Männer und andere Frauen erst einmal verstehen können, bevor sie urteilen. Denn gerade die alltäglichen Momente unseres Lebens zeigen uns, wer wir waren, wer unsere Nachbarinnen und unsere Mütter waren, während wir glaubten, kein bisschen wie sie zu sein. Das sind die Geschichten von drei Frauen.

# Maggie

An diesem Morgen machst du dich zurecht, als würdest du in den Krieg ziehen. Deine Kriegsbemalung heißt Schminke. Neutrales Make-up, Smokey Eyes. Stark getuschte Wimpern. Dunkelrosa Rouge, ein farbloser Lipgloss. Dein Haar ist leicht gewellt und voll.

Du saßt früher oft vorm Spiegel und brachtest dir selbst bei, wie man sich die Haare macht und sich schminkt. Im Hintergrund liefen Linkin Park und Led Zeppelin. Du bist eins von diesen Mädchen, die einfach ein Händchen dafür haben, die immer die richtigen Accessoires auswählen und die Haarklemmen perfekt platzieren.

Du trägst Keilstiefel, Leggins und eine schlichte Kimono-Bluse. Er soll wissen, dass er kein Kind mehr vor sich hat. Schließlich bist du dreiundzwanzig.

Natürlich willst du auch, dass er dich immer noch will, dass er bereut, was er verloren hat. Du willst, dass er später am Esstisch sitzt und an nichts anderes als deine hervorblitzenden Hüftknochen denken kann.

Vor sechs Jahren warst du schmaler, und er war vernarrt in deine kleinen Finger. Damals schob er seine Finger in dich hinein. Seitdem ist viel passiert. Dein Vater ist tot. Im August hat er sich auf einem nahe gelegenen Friedhof die Pulsadern aufgeschnitten. Früher hast du *ihm* von deinem Vater erzählt, von den Problemen mit deinen Eltern.

*Er* wusste, wie sie einander aus der Kneipe holten – je nachdem, wer gerade weniger betrunken war. Und du glaubst auch heute noch, *er* würde verstehen, dass du dir Gedanken darüber machst, wie der Regen auf die Erde über deinem Vater prasselt. Wird er da unten nass und fragt sich, warum du ihn in dieser kalten, pitschnassen Dunkelheit alleingelassen hast? Überflügelt der Tod denn nicht den ganzen Kram, der sich in einem Gerichtssaal abspielt? Überflügelt der Tod denn nicht all den anderen Scheiß, selbst die Bullen und die Anwälte? Seid ihr nicht, irgendwie und irgendwo, immer noch nur zu zweit?

Du fährst mit deinem Bruder David zum Bezirksgericht des Cass County, unterwegs teilt ihr euch ein paar Zigaretten. Du riechst nach einer Mischung aus frisch geduscht und verraucht. *Er* konnte es nicht leiden, wenn du geraucht hast, darum hast du gelogen. Du hast gesagt, es sei der Rauch deiner Eltern, der sich in deinen Haaren und deinen dunkelblauen Kapuzenpullis festgesetzt hatte. Bei einem Ausflug der katholischen Gemeinde hast du dir geschworen, für ihn aufzuhören. Er hatte alles von dir verdient, auch das, was du ihm nicht geben wolltest.

Du hättest dafür sorgen können, dass er heute nicht dabei ist. Obwohl er, so die Anwälte, ein Recht darauf hat. Ein kleiner Teil von dir wollte ihn sowieso hierhaben. Man könnte sogar sagen, dass du nicht zuletzt deshalb zur Polizei gegangen bist, weil du wolltest, dass er dir wieder gegenübertreten muss. Denn die meisten Menschen würden wohl zustimmen: Wenn ein geliebter Mensch völlig dichtmacht, wenn er sich weigert, einen zu treffen, seine Zahnpasta nicht zurückwill, seine Trailschuhe nicht mehr braucht, keine Mails beantwortet, sich lieber ein neues Paar Trailschuhe kauft, statt sich deinem Schmerz zu stellen, dann fühlt es sich so an, als würde einem jemand die Organe einfrieren. Die Kälte ist so stark, dass man nicht mehr atmen kann.

Sechs Jahre hat er dich gemieden. Aber heute wird er kommen. Er wird auch zu den Verhandlungen kommen, und vielleicht machst du das alles wirklich, weil du ihn dadurch noch weitere sechs Male siehst. Was nur dann komisch wirkt, wenn man nicht weiß, wie sehr ein anderer Mensch einen zerstören kann, indem er einfach verschwindet.

Du hast Angst, dass du ihn willst. Du fragst dich, ob seine Frau sich Sorgen macht. In deiner Vorstellung ist sie zu Hause, hat sich von den Kindern abgeseilt und schaut auf die Uhr.

Du parkst das Auto, steigst aus und ziehst noch ein paarmal an deiner Zigarette, bevor du reingehst. Draußen sind minus sechzehn Grad, aber es tut gut, kurz in der Kälte zu rauchen. Fargo fühlt sich manchmal wie ein Neuanfang an. Die silbernen Trucks brettern den Highway entlang. Trucks haben immer ein festes Ziel, Koordinaten, die eingehalten werden müssen. Nur Züge findest du noch schöner, noch lässiger. Du atmest ein, eiskalte Luft füllt deine Lunge.

Du bist vor ihm im Raum. Zum Glück. Du und David und der Staatsanwalt, Jon, und der zweite Staatsanwalt, Paul. Wenn du an all diese Männer denkst, hast du ihre Vornamen im Kopf, und so sprichst du sie auch an. Sie finden, du wahrst die Grenzen nicht. Genau genommen vertreten sie nicht dich; sie vertreten den Bundesstaat North Dakota – und das ist etwas ganz anderes, als für dich einzutreten.

Ein Gerichtsstenograph kommt in den Raum.

Dann kommt *er* herein. Mit seinem Anwalt – einem aalglatten Arschgesicht namens Hoy.

Er sitzt dir gegenüber. Er trägt, was er früher in der Schule getragen hat: Slacks und ein Hemd mit Krawatte. Komisches Gefühl. So, als hättest du ihn in einem Anzug erwartet. Schicker und ernsthafter. In diesem Outfit kommt er dir vertraut vor. Du fragst dich, ob du dich in den letzten Jahren getäuscht hast. Du hast sein Schweigen als Gleichgültigkeit interpretiert, aber vielleicht hat er wie du erbärmlich gelitten. Er ist ein drittes Mal Vater geworden, hast du gehört, und plötzlich seine rotbäckige Frau neben einer Gartenschaukel vor dir gesehen, wie sie ein neues Leben in sich trug, während du zitternd im Eisbad deiner Selbstvorwürfe saßt. Du hast zugenommen, und die Make-up-Schicht in deinem Gesicht wird auch immer dicker. Wer weiß, vielleicht ist er die ganze Zeit über innerlich gestorben. Vor Sehnsucht nach dir. Hat sich wie ein unglücklicher Dichter damit abgefunden, für immer ein gebrochener Mann zu sein. Die Gartenschaukel rostet schon. Der Mittelschichtszaun ist seine Gefängnismauer. Und seine Ehefrau die Wärterin. Die Kinder, nun ja. Sie sind der Grund; ihretwegen findet er sich damit ab, unglücklich zu bleiben und ohne dich zu sein.

Einen winzigen Augenblick lang möchtest du dich über den Tisch beugen und deine kleinen Hände nach ihm ausstrecken, in die er so vernarrt war. Ob er es noch immer ist? Was geschieht mit der Vernarrtheit, wenn sie einmal erlischt? Du möchtest sein Gesicht halten und sagen: »Scheiße, es tut mir leid, dass ich dich ausgeliefert habe. Ich war schrecklich verletzt und wütend, du hast mir so viele Jahre meines Lebens geklaut. Was du getan hast, war nicht richtig, und jetzt sieh mich an. Jetzt bin ich hier. Ich habe diese Kriegsbemalung im Gesicht, aber unter all der Schminke bin ich verwundet und ängstlich und geil und erschöpft – und ich liebe dich. Ich habe dreizehn Kilo zugelegt. Ich bin ein paarmal von der Schule geflogen. Mein Vater hat sich gerade umgebracht. Ich nehme all diese Medikamente, schau in meinen Rucksack, da ist der ganze Mist drin. Ich bin ein Mädchen, das Pillen frisst wie eine alte Frau. Ich sollte Jungen treffen, die nach Pot riechen, aber stattdessen trage ich das Opferkostüm wie eine zweite Haut. Ich hänge im Party City auf einem Holzkleiderbügel. Du hast mir nie zurückgeschrieben.«

Fast streckst du die Hand nach ihm aus, fast sagst du ihm, wie leid es dir tut, und flehst ihn an, sich um dich zu kümmern. Keiner ist so für dich da, wie er es gewesen ist. Keiner hört dir zu, wie er es getan hat. All diese Stunden. Wie ein Vater, Ehemann, Lehrer und bester Freund.

Er hebt den Blick vom Tisch und sieht dich an. Seine Augen sind kalt und schwarz und tot. Kleine Achate, matt schimmernd und starr, sie wirken älter, als du sie in Erinnerung hast. Genau genommen kannst du dich an diese Augen überhaupt nicht erinnern. Früher lagen Liebe und Verlangen in seinem Blick. Früher hat er deine Zunge eingesaugt, als wollte er noch eine zweite haben.

Mittlerweile hasst er dich. Das sieht man. Du hast ihn aus seinem gemütlichen Zuhause mit seinen drei Kindern und seiner Ehefrau gezerrt, die ihm bis ins Grab folgen wird. Du hast ihn in diesen verfluchten Januarschneematsch genötigt, rein in diesen düsteren Raum, und ihn dazu gezwungen, sein gesamtes Einkommen und die gesamten Ersparnisse seiner Eltern für diesen aalglatten und freudlosen Anwalt auszugeben, und jetzt willst du sein Leben endgültig ruinieren. Alles, was er sich aufgebaut hat. Jeden Spieltisch von Fisher-Price, den er morgens um sieben im noch stickigen Kinderzimmer angeschaltet hat. Deinetwegen hat er sein Haus verscherbeln und sich ein anderes kaufen müssen.

In North Dakota ist Aaron Knodel gerade Lehrer des Jahres geworden; im ganzen Bundesstaat gilt er als der absolut Beste seines Fachs. Und hier bist du, du herumstreunende Irre, du Missgeburt zweier Alkoholiker, du Kind eines Selbstmörders, du Mädchen, das schon früher was mit älteren Männern hatte und sie in Schwierigkeiten gebracht hat, Soldaten, aufrechte Amerikaner, und hier bist du wieder, du zerstörerisches Flittchen, und willst den Lehrer des Jahres fertigmachen. Sein beißender Atem dringt dir in die Nase, er riecht nach Eiern.

Und noch eine Sache ist absolut klar: Es darf dir nichts mehr bedeuten. Ab sofort. Wenn du das nicht schaffst, kommst du vielleicht nie aus diesem Raum hier raus. Du versuchst, dein Herz zum Schweigen zu bringen, und es gelingt dir. Die Dankbarkeit, die du Gott und dir selbst gegenüber empfindest, ist schwindelerregend. An wie vielen Tagen hattest du das Gefühl, das Richtige zu tun? Heute ist so ein Tag. Vielleicht der einzige.

Du dachtest, du würdest ihn immer noch vögeln wollen. Du hast ihm im Internet nachgestellt. Mittlerweile ist es nicht mal mehr ein Nachstellen. Sobald du deinen Laptop aufklappst, fallen die Geister der Vergangenheit über dich her. Du kannst dich den schmierigen Artikeln in den Lokalzeitungen nicht entziehen. Oder bekommst bei Facebook Werbung für das Geschäft angezeigt, in dem dein Exlover seine Handschuhe gekauft hat. Die neuesten Bilder von ihm haben noch immer ein Kribbeln in dir ausgelöst, und der Gedanke an die längst vergangene Lust hat dir einen Stich versetzt. Aber jetzt, wo du hier sitzt, ist da nichts. Sein Mund ist klein und verkniffen. Seine Haut ist uneben.

Seine Lippen sind nicht sinnlich, sie sind trocken und irritieren dich. Er sieht kränklich aus, so, als hätte er zu lange in einem zugigen Hobbykeller gesessen, nichts als Muffins gegessen, AA-Kaffee und Coca-Cola getrunken und die Wände angestarrt.

»Guten Morgen«, sagt sein Anwalt Hoy, der einfach nur gruslig aussieht mit seinem gezwirbelten Hexenmeisteroberlippenbart. Man sieht, welche Haltung hinter diesen Schnurrhaaren steht: Er ist einer von den Typen, die dir das Gefühl geben, dass du ein ungebildetes Stück Scheiße mit einer Schrottkarre bist, die an Wintermorgen wie diesen nicht anspringt.

»Würden Sie für das Protokoll bitte Ihren vollständigen Namen nennen?«

Der Gerichtsstenograph fängt an zu tippen, dein Bruder David atmet mit dir zusammen ein, und du sagst laut deinen Namen. »Maggie May Wilken«, sagst du und fährst dir durch deine langen, aufwendig zurechtgemachten Haare.

Die erste Fragerunde soll dich zum Reden bringen, ohne dass du es groß merkst. Hoy befragt dich zu der Zeit, die du bei deiner Schwester Melia in Washington State verbracht hast, bei Melia und ihrem Ehemann Dane, der in der Armee dient – das sind die Verwandten, die du auch auf Hawaii besucht hast, aber fürs Erste fragt er nach der Zeit, als sie in Washington gewohnt haben. Das war nach Aaron. Weil sich dein Leben in zwei Abschnitte einteilen lässt: in die Zeit vor Aaron und die Zeit nach Aaron. Es lässt sich auch in die Zeit vor dem Selbstmord deines Vaters und in die Zeit danach einteilen, aber wenn du ehrlich bist, hat alles mit Aaron angefangen.

Hoy befragt dich zu der Dating-Website PlentyOfFish. In Washington hast du dich mit ein paar Typen von der Seite verabredet. Und jetzt tut dieser Anwalt so, als hättest du deinen Körper für eine Flasche Coors Light verkauft. Du weißt, dass Männer wie er über die Macht verfügen, die Gesetze zu machen, nach denen du lebst. Männer, die reden, als wäre eine Dating-Website dasselbe wie Sexwerbung auf Backpage. Als wärst du ein Mädchen, das sich mit dem Gesicht zwischen den eigenen Schenkeln fotografiert.

In Wirklichkeit waren die Typen von dieser Seite Loser. Jedes Mal, wenn du dich mit einem von ihnen getroffen hast, war das eine traurige Veranstaltung. Du hast mit überhaupt keinem geschlafen, und es sind noch nicht mal ein paar kostenlose Drinks für dich rausgesprungen. Du fühlst dich bloßgestellt. Das war vor den ganzen Instagram-Fotos, die die Leute posten, um andere neidisch zu machen. Das waren die frühen und langsamen Jahre des neuen Zeitalters.

Hoy befragt dich auch zu einer Website, deren Namen er gar nicht richtig aussprechen kann. Du sagst, »was soll das sein?«, und er sagt, »das weiß ich nicht, aber haben Sie die Website besucht?«, und du sagst, »nein, ich habe keine Ahnung, was das für eine Seite ist«. Und denkst dir, du definitiv auch nicht, du Arsch. Weil er aber so förmlich auftritt, hast du Angst, ihm zu widersprechen. Du bist dir sicher, dass seine Frau und seine Kinder ihn regelmäßig anlügen, um diesem krittelnden Sticheln zu entgehen, das einen völlig fertigmacht.

Er befragt dich zu den Streits mit deinem Vater. Deinem über alles geliebten Vater, der jetzt von Erde und Regen bedeckt wird. Ihr beide habt euch damals oft gestritten, und das gibst du auch zu. »Worüber?«, will Hoy wissen, und du sagst, »über alles«. Du hältst nichts zurück, was auch immer das bedeutet, was auch immer sie dadurch über dich denken.

Er befragt dich zu deinen Geschwistern und will wissen, warum sie alle so früh von zu Hause ausgezogen sind. Damals wusstest du noch nicht, dass eine einmal abgegebene eidesstattliche Erklärung genau dafür da ist: damit sie deine eigenen Worte im Prozess gegen dich einsetzen können. Sie zeigen, wie bedürftig du warst. Was für ein leichtes Mädchen du warst, wahrscheinlich. Auf all diesen Dating-Websites, mit all diesen Geschwistern; deine Eltern waren kopulierende Alkoholiker, die all diese Kinder in die Welt gesetzt haben, die sich dann über das ganze Land verteilt und Probleme gemacht haben, auf denen sie wie auf Wellen in neue Bundesstaaten gesurft sind. Du lebst nicht im schönen Teil von West Fargo, du lebst im hässlichen Teil, im Gegensatz zu Mr. Knodel, North Dakotas Lehrer des Jahres, der in einem netten, unauffällig gestrichenen Haus mit einem ordentlich aufgewickelten Gartenschlauch und einem regelmäßig gesprenkelten Rasen wohnt.

Du siehst ihn die ganze Zeit an. Und du denkst daran, wie es damals war. Was, wenn du die Zeit zurückdrehen oder einfach in ihr zurückkreisen könntest? Dahin zurück, als noch nichts beschmutzt war. Als alle noch lebten. Was, wenn deine und seine Hände sich noch immer verstehen würden? Und Hoy sagt: »Sie haben angedeutet, dass Sie schon vor der elften Klasse ein enges Verhältnis zu Mr. Knodel hatten.«

Du sagst: »Das ist richtig.«

»Wie kam es dazu?«, fragt Hoy.

Du denkst angestrengt über die Frage nach. In Gedanken schließt du die Augen. Und da bist du auf einmal. Raus aus dem ewig schwarzen Loch deiner Gegenwart und zurück im weiten Himmel deiner Vergangenheit.

Maggies Schicksal läuft ihr an einem Nachmittag, ganz ohne Vorwarnung, über den Weg. Und wie alles auf der Welt, das die Macht hat, einen Menschen zu zerstören, kommt es auf Samtpfoten daher.

Sie hat bisher nur von ihm gehört. Manche Mädchen haben darüber geredet, wie heiß er aussieht. Glatte dunkle Haare mit einer leichten Welle vorn, als hätte man sie zu einer dauerhaften Grußgeste gegelt. Bestechende dunkle Augen. Einer von diesen Lehrern, die es schaffen, dass man selbst an den eiskalten Morgen in North Dakota gern zur Schule geht. Sein Name wird auf den Gängen nur noch geflüstert, weil so viel Aufregung mit ihm verbunden ist.

*Mister Knodel.*

Maggie ist keins von den Mädchen, die etwas darauf geben, wen andere heiß finden. Und sie schließt sich auch nicht der allgemeinen Meinung an, nur um dazuzugehören. Ihre Freundinnen sagen, sie habe einen komischen Geschmack. Sie lachen darüber, aber insgeheim sind sie froh, dass Maggie Teil ihrer Clique ist. Sie sagt einem Mann, dass sie nicht mit ihm vor die Tür gehen wird, sodass er sich die Frage, ob sie nicht mal raus an die frische Luft wolle, genauso gut sparen kann.

An diesem einen Tag dann bekommt sie ihn zwischen der zweiten und dritten Stunde zu Gesicht, als er auf dem Gang an ihr vorbeiläuft. Er trägt Khakis, dazu ein Hemd und eine Krawatte. Es ist keiner dieser Momente, in denen der Blitz einschlägt. Oft ist es keine große Sache, wenn du den nächsten VIP deines Lebens zum ersten Mal siehst. Maggie sagt zu ihren Freundinnen: »Na gut, er ist süß, aber so überwältigend ist er nun auch wieder nicht.«

Doch es gibt nicht viele heiße Lehrer an der Schule. Genau genommen überhaupt keine. Da sind nur noch zwei andere junge Lehrer, Mr. Murphy und Mr. Krinke, die zusammen mit Mr. Knodel die drei Amigos genannt werden. Sie verstehen sich nicht nur gut miteinander, sondern sind auch über alle möglichen Kanäle, zum Beispiel SMS, mit ihren Schülern verbunden – besonders mit den Kids, die sie coachen. Mr. Murphy und Mr. Knodel leiten den Student Congress, Mr. Krinke und Mr. Knodel den Debattierclub. Sie hängen nach der Schule zusammen in Restaurants rum, in denen man Bierflüge bestellen kann, im *Spitfire Bar & Grill*, im *Applebee's* oder im *TGI Fridays*. Sie sehen sich Punktspiele an und trinken dabei ein paar Lager. Sie essen in Mr. Knodels Klassenzimmer, was sie ein »Männer-Mittag« nennen. Sie reden über Fantasy Football und stopfen sich schamlos ihre Club Sandwiches rein.

Nimmt man die drei Amigos, ist Mr. Knodel der Hauptgewinn. Ein Meter achtzig, fünfundachtzig Kilo. Mit einem Haken: Er ist verheiratet und hat Kinder. Doch von den U-40-Lehrern sieht er definitiv am besten aus. Und wenn man nicht nach Las Vegas fahren kann, begnügt man sich eben mit dem Foxwoods Casino.

Im zweiten Halbjahr der zehnten Klasse sitzt Maggie in Mr. Knodels Englischkurs. Sie findet den Unterricht spannend. Meistens ist sie pünktlich, sie sitzt gerade, meldet sich und lächelt. Nach dem Unterricht unterhalten sie sich noch. Er sieht ihr dabei in die Augen und hört ihr zu, wie ein guter Lehrer das eben so macht.

Dann führt eins zum anderen. Als West Fargo im Fußballhalbfinale der Mädchen gegen Fargo South spielt, stellt Mr. Knodel Maggie auf, und sie zittert plötzlich wie ein kleiner Vogel. Sie bräuchten ihre Kraft jetzt auf dem Platz, sagt er. Am Ende verlieren sie das Spiel, durch Maggies Einsatz aber immerhin nur knapp. Es ist knackig kalt, die

Sonne scheint, und Maggie weiß bis heute, wie sie damals dachte: Ich habe noch mein ganzes Leben, um genau das hier zu machen, und auch sonst alles, was ich will.

An den Wänden ihres Zimmers hängen Poster von Mia Hamm und Abby Wambach. Ihre Mutter hat ihr ein Netz an die Wand gemalt, als Kopfteil für ihr Bett. Maggie ist in David Beckham verknallt. Tief im Verborgenen ist sie zuversichtlich, dass sie ein Vollstipendium fürs College ergattern kann. Sie beamt sich an Jungs und Proms und dem neuesten Klatsch vorbei in eine Zukunft, in der das Publikum allein deshalb in die großen Stadien kommt, um die Mädchen spielen zu sehen. Sie steht an diesem Scheideweg, hat noch immer die Träume eines Kindes, ist aber in der Lage, sie mit der Kraft einer Erwachsenen aus der Tiefe ans Licht zu holen.

Als sie in der zehnten Klasse sind, schmuggeln Maggie und ein paar Freunde am Homecoming-Abend Alkohol mit zum Spiel, in Cola-Flaschen, und ziehen danach weiter zu einem der Kids, dessen Eltern verreist sind, um dort noch ein bisschen mehr zu trinken. Sie bekommen eine dieser typischen Heißhungerattacken und fahren raus nach Moorhead ins *Perkins*, das aussieht wie eine Suppenküche. Der Laden ist trist, die Gäste haben rote Gesichter und die Kellnerinnen einen Raucherhusten, aber für einen jungen Menschen mit etwas Alkohol im Blut ist er perfekt für einen Mitternachtssnack. Als junger Mensch kann man fast alles machen, ohne dass es trist ist.

In der Ferne rattert ein Zug. Maggie denkt sofort an künftige Zugreisen, immer nur mit einer Hinfahrkarte, Hauptsache, raus aus Fargo und rein in Karrieren und schicke Apartments in Städten aus Glas. Sie sieht ihr ganzes Leben vor sich, und der Weg ist nicht vorgezeichnet. So viele Möglichkeiten stehen ihr offen. Sie könnte Astronautin werden, Rap-Star oder Steuerberaterin. Sie könnte glücklich werden.

Hoy befragt dich zu anderen Schülern aus deinem Englischkurs und anschließend zu deinem festen Freundeskreis. Du nennst Melani und Sammy und Tessa und Liz und Snokla.

»Snokla«, sagt er, als wäre sie ein tiefgekühltes Dessert. »Ist das ein Mädchen?«

»Ja, das ist ein Mädchen«, sagst du.

»Und das ist die, von der Sie glauben, ihr Nachname wäre Solomon?«

Hoy klingt herablassend, als er das sagt. Dann meldet sich Aaron das erste Mal zu Wort. Der Mann, der dich mit Küssen bedeckt und dann irgendwann nicht nur damit aufgehört, sondern so getan hat, als hätte es dich nie gegeben, richtet das erste Mal seit sechs Jahren das Wort an dich.

»Das ist falsch«, sagt er und schüttelt den Kopf. Er meint: Solomon, der Nachname, ist falsch. So wie er es sagt und den Kopf schüttelt, weißt du, dass er recht hat. Es geht um mehr als Intelligenz. Er ist der Typ Mann, der sich nie eine Geschlechtskrankheit einfängt, ganz egal, mit wie vielen versifften Frauen er schläft, der einen Jahrmarkt nie ohne einen Berg billig produzierter Kuscheltiere auf dem Arm verlässt, diesem Zeichen von Erfolg in Pink und Blau.

Hoy fragt: »Und das ist die, von der Sie glauben, ihr Nachname wäre Solomon?«

»Offenbar ja nicht«, antwortest du. Deine Wangen glühen. Er war dein Lehrer, dein Liebhaber, aber eben immer eine Autoritätsperson, und das ist er weiterhin. Einmal

sagte er, für dich würde er auch mal Bodygrooming ausprobieren, und du kamst dir so dumm vor, weil du keine
Ahnung hattest, was das ist.

»Das verstehe ich nicht«, konstatiert Hoy.

»Ich habe deutlich gesagt, dass ihr Klient sagt, dass sie
nicht so heißt, also …«

Wenn du wütend bist und dich in die Ecke gedrängt
fühlst, wirst du bissig. Hoy lenkt ein: »Okay, Sie brauchen
das jetzt nicht auszudiskutieren. Beantworten Sie einfach
meine Fragen.«

Später wirst du dich fragen, warum niemand es seltsam
fand, dass Hoy sich nicht wie der Anwalt eines unschuldi-
gen Mannes, sondern vielmehr wie der Freund eines sich
streitenden Liebespaars benahm.

Doch nicht Hoy ist hier verrückt, sondern du. Du bist
die Verrückte. Du willst Geld, denken die Leute, und diesen Mann für etwas bezahlen lassen, das er nicht getan hat.
Du bist verrückt, einfach hinüber, genau wie dein Wagen
und deine geistige Gesundheit. Und wie immer gewinnen
die Bösen. Aaron ist auch heute noch stärker als du. Aber
nicht das löst den Schmerz aus, sondern etwas, das tief in
dir wuchert und nach deiner Mutter schreit. Du zuckst mit
den Schultern.

»Dann weiß ich es nicht«, sagst du.


Maggie erinnert sich, dass in der Zehnten ein Mädchen namens Tabitha in ihrem Englischkurs saß. Sie erinnert sich
deshalb daran, weil Mr. Knodel in einer der Stunden raus-
rutschte, dass er Hodenkrebs habe. Es ist komisch und nett,
aber auch ein bisschen unheimlich, wenn Lehrer etwas aus
ihrem Privatleben mit einem teilen. Sie wirken dann weniger lehrerhaft. Man identifiziert sich eher mit ihnen, wenn

sie sich als Menschen zeigen, die Erkältungen kriegen und Sachen haben wollen, die sie sich nicht leisten können, oder wenn sie sich auch mal unattraktiv fühlen.

Tabitha fragte daraufhin, ob das heiße, dass er nur noch einen Hoden habe. Nur dass sie nicht ganz so freundlich klang. Sie sagte: »Soll das heißen, Sie haben nur noch ein Ei?«

Mr. Knodel fand das nicht besonders witzig. Er antwortete sehr ernst: »Darüber können wir nach dem Unterricht sprechen.«

Maggie hatte Mitleid mit Mr. Knodel, weil sie verstand, dass Tabitha ihn bloßgestellt hatte. Was für eine schreckliche Frage. Wie konnte man nur so was sagen! Maggie ist frech und laut, aber sie ist nicht gemein oder gedankenlos.

Kurze Zeit später – fast wie ein Streich, um zu zeigen, dass der fehlende Hoden ihn nicht einschränkt – nimmt Mr. Knodel Vaterschaftsurlaub. Seine Frau hat gerade ihr zweites Kind zur Welt gebracht. Mr. Murphy vertritt ihn. Als Mr. Knodel aus dem Vaterschaftsurlaub zurückkommt, wirkt er offener. Er hat aufgetankt und ist zugänglicher als früher – strahlender, onkelhafter.

Maggie erinnert sich nicht mehr genau, wie es anfing, dass sie ihm in diesen Sitzungen nach dem Unterricht aus ihrem Leben erzählte. Mal trödelte sie extra lange nach seinem Kurs, mal fragte er sie irgendwas, wenn sie schon auf dem Weg nach draußen war. »Maggie«, sagte er dann mit unglaublich innigem Blick, und sie blieb doch noch. Nach und nach erzählte sie von sich. Von ihrem Dad, der sich in der Bar so sehr betrank, dass er nicht mehr nach Hause fahren konnte. Von dem Streit am Abend zuvor, als sie nicht auf ihn hören wollte – wie auch, wenn der Vater einen bittet, dass man ihm einen Sechserpack kauft.

Wenn sie Mr. Knodel eine Weile lang nichts mehr erzählt hatte, hakte er manchmal nach. »Hey, ist bei dir zu Hause alles okay?« Und dann blieb Maggie wieder da und erzählte ihm, was so los gewesen war. Er war ein guter Lehrer, er sorgte sich. Manchmal gibt es nichts Besseres auf der Welt als jemanden, der dir durch eine Frage zeigt, dass er sich für dich interessiert.

# Lina

Lina weiß, dass es zwei Arten von Fünfzehnjährigen gibt, und sie gehört eher zu denen, die Aufkleber sammeln, als zu denen, die rumknutschen. Allein in ihrem Zimmer, schließt sie die Augen und stellt sich vor, wie es wäre, sich zu verlieben. Das wünscht sie sich mehr als alles andere auf der Welt. Sie glaubt, dass Mädchen, denen beruflicher Erfolg angeblich wichtiger ist, auf jeden Fall lügen. Unten im Erdgeschoss hat ihre Mutter einen Hackbraten im Ofen. Lina findet das eklig. Sie findet vor allem den Geruch eklig, der durch die Luft wabert. Im ganzen Haus riecht es jetzt nach Hackbraten, und der nervige Gestank wird noch tagelang im Staub auf den Mülleimern festsitzen.

Auf ihrer Stirn prangt ein Pickel, der zur Mitte hin die Farbe einer Blutorange hat. Es ist Freitag, was aber nichts heißt, weil Freitage für Lina nicht viel anders als Donnerstage sind, und wenn überhaupt, dann sind Dienstage besser als Freitage, weil man an Dienstagen wenigstens sicher sein kann, dass alle anderen auch nichts machen, genau wie man selbst. Manche Kids hocken in Containerhäusern oder Trailern und machen dann dort nichts. Lina wohnt wenigstens in einem richtigen Haus. Schlimmer geht immer, aber besser natürlich auch.

Dieser Freitag ist anders. Sie weiß es noch nicht, doch dieser Freitag wird ihr Leben für immer verändern.

Seit ein paar Wochen ist Linas Freundin Jennifer, die ziemlich viel rummacht, mit diesem Typen namens Rod zusammen. Rod ist mit Aidan befreundet, und Lina ist in ihn verknallt, so wie die weniger beliebten Mädchen nun mal in die beliebten Jungen verknallt sind. Er ist stark und heiß und extrem ruhig, sodass Lina jedes Mal aufgeregt ist, wenn er den Mund aufmacht. Sie ist nur ein bisschen verknallt, nicht mehr, weil sie Aidan fast nie sieht. Die beiden sitzen zwar zusammen in einem Kurs, aber sie haben noch nie miteinander geredet. Die Mädchen, mit denen er ausgeht, haben Blowjob-Lippen, große Brüste und glatte, weiche Haare. Kurz: Sie sehen heiß aus.

Linas Körperbild ist nicht gestört. Sie findet sich nicht hässlich. Wenn sie in den Spiegel schaut, sieht sie genau, was es da zu sehen gibt: schulterlange blonde Haare mit leichten Wellen, graublaue Augen und rötliche Haut, am Haaransatz eine Reihe kleiner Pickel. Mit ihren eins dreiundsechzig ist sie weder groß noch klein. Ihre Figur ist normal bis gut: Die Oberschenkel berühren sich nicht zu sehr, und wenn sie das Abendessen auslässt, findet sie ihren Bauch zumindest annehmbar.

Aber schön ist sie nicht. Wenn sie plötzlich doch mit Aidan zusammenkäme, würde bestimmt kein anderer Junge sagen: »Mann, Aidans Schnecke ist echt *heiß*.«

Und langsam versteht sie, dass es nichts Wichtigeres auf der Welt gibt. Alles andere zählt nicht. Beziehungsweise würde es dann eben zählen, weil man sich, wenn man heiß aussieht, frei und ungezwungen auf den Rest des Lebens konzentrieren kann. Wenn man heiß ist, muss man sich nicht eine ganze Stunde vor den Spiegel stellen, um einigermaßen okay auszusehen. Wenn man heiß ist, muss man andere nicht dazu kriegen, dass sie einen lieben. Wenn man heiß ist, muss man nie weinen, und wenn doch, dann nur, weil jemand gestorben ist, und selbst dabei sieht man heiß aus.

Sie ist nicht nur nicht heiß, sie bekommt nicht mal die Art von Aufmerksamkeit, von der sie weiß, dass man sie leicht bekommen kann. Wie die von den Typen, die im *7-Eleven* und im *Tastee Freez* arbeiten. Typen mit gelben Pickeln und Portemonnaies, die an Ketten an ihren Gürtelschlaufen hängen. Nicht mal von diesen Typen.

Doch jetzt, da Jennifer regelmäßig mit Rod ausgeht, gibt es plötzlich Hoffnung. Es ist fast, als würde Lina auf dem Weg zu einem beliebten Freund nur noch das letzte bisschen Strategie fehlen. Und für eine gute Strategie braucht es eine gewisse Besessenheit.

Darum findet Lina innerhalb weniger Wochen alles über Aidan heraus. »O Mann«, sagt sie witzelnd zu Jennifer, »wenn Jungs wüssten, wie viele Gedanken wir uns über sie machen.« Lina ist immer ehrlich, wenn es um solche Sachen geht. Jennifer will dagegen auf keinen Fall zugeben, dass sie schon mal etwas Ähnliches gemacht hat. Zum Beispiel alles über jemanden herauszufinden, mit dem man noch nie geredet hat.

Die Adresse.

Die Telefonnummer, die du auswendig lernst. Und von der du innerhalb von zwei Wochen ungefähr tausendmal die ersten sechs Ziffern wählst, bis dein Herz vor der siebten Ziffer explodiert, dein Finger schon auf der nächsten Taste liegt, du sie aber nie drückst. Und dabei dieselben Muskeln anspannst, wie wenn man Heroin nimmt.

Die Eltern – wie sie heißen, was und wo sie arbeiten.

Der Hund – wie er heißt und wann er mit ihm rausgeht. Welche Straßen er dann nimmt, sodass du mit deinem

Walkman da langgehen und dir dafür jeden Tag was Schönes anziehen kannst und vor jeder Kurve dieses Kribbeln im Bauch hast.

Die Trikotnummer.

Das Mädchen, mit dem er seinen ersten Kuss hatte. Dazu erfindest du eine Geschichte, warum das Mädchen doof ist. Unter der Dusche denkst du dir aus, weshalb er nicht mal über sie reden will: weil sie die Zeit nicht wert ist, die er dafür bräuchte. Weil er ihren Namen schon so gut wie vergessen hat, auch wenn du ihn nie vergessen wirst.

Lieblingsbands, Lieblingsfilme, alles Sachen, die man, wie Lina zugibt, erst wissen sollte, wenn man die Person kennt.

Seinen Stundenplan und wo du dich in dem Kurs, den ihr zusammen habt, hinsetzt und wie du vor ihm im Klassenzimmer sein kannst, damit er nicht denkt, du würdest versuchen, an ihn ranzukommen.

Das alles wird für Lina wichtiger als die Luft, die sie atmet. Weil sie weiß, dass auch alles andere gut wird, wenn sie nur diesen einen Jungen kriegt, der so perfekt ist. Obwohl sie nicht heiß aussieht. Dann wird alles gut, und all der andere Mist ist dann unwichtig.

Linas Mutter zum Beispiel, die ihr das Gefühl gibt, dass sie eine Idiotin ist, weil sie mehr will, als sie hat. Die Sachen sagt wie: »Was für eine dumme Idee, Lina.« Oder: »Wer hat dir denn den Floh ins Ohr gesetzt?«

Linas Dad, der auf Entenjagd geht und den sie so gern mal begleiten würde, nur dass ihre Mutter sich dagegen sperrt, weil sie will, dass Lina und ihre Schwestern sich wie Mädchen verhalten. Wie echte Ladys.

Außerdem stellt Linas Mutter zu viele Fragen. Geht ihr ständig auf den Keks. Schwirrt immer um sie herum. Lina denkt: Hast du denn kein Leben? Hast du denn keine eigenen Probleme, um die du dich kümmern kannst? Nie habe ich das beschissene Haus für mich allein, wenn ich aus der Schule komme.

Solche Sachen wären ihr egal, oder sie würde sie zumindest tolerieren, wenn sie zu ihrem Freund Aidan Hart gehen und in seinem Partykeller im Dunkeln einen Film sehen und wild, aber leise mit ihm rumknutschen könnte, zusammengekuschelt unter der kratzigen Colts-Decke. Vor lauter Verliebtheit würden sie alles um sich herum vergessen. O Mann, allein »mein Freund« zu sagen. Das ist etwas, was sich Lina gar nicht vorstellen kann. Es ist diese eine, unerreichbar scheinende Sache, und sie weiß, selbst wenn es einmal so käme, würde sie sich nie daran gewöhnen. Jeden Tag würde sie aufwachen und sich sagen: Nicht zu fassen, ich habe einen Freund.

Wenn er doch nur wüsste, wie gut sie zu ihm passt. Er würde ihr über die Wange streichen und sagen: »Süße, ich hasse es, dass wir schon so viel Zeit vergeudet haben. Das müssen wir alles nachholen. Von jetzt an will ich mich jede Minute meines Lebens nur noch mit deinem Körper befassen.«

Und sie würde ihm einfach einen Finger auf die Lippen legen, so wie sie es mal bei einem heiß aussehenden Mädchen in einem Film gesehen hat, da bedeutete es so viel wie »Schh, Baby«, und dann würde sie ihn küssen.

Das ist genau, was sie an diesem Freitag tun wird. In ihrem Zimmer ist es dunkel, und sie liegt in einem weißen Slip unter der Decke und reibt die Beine aneinander und malt sich ihr Leben in Filmszenen aus: Wie sie ihn im Regen küsst, bei seinem Football-Training, im Kino, auf der weißen Bank vorm Eisladen. Er liegt neben ihr im Bett, sie nur in BH und Slip, und hat seine starken Arme um ihre Taille geschlungen und den Daumen in ihrem Bauchnabel. Sie knutschen wild. Ihre Zungen sind feucht. Sie spürt jede einzelne Geschmacksknospe.

Dann klingelt das Telefon. Ihre Mutter steht unten an der Treppe und schreit »Lina!«. Es ist achtzehn Uhr, und Lina nimmt oben den Hörer ab.

Jennifer ist dran.

Und als Jennifer sagt: »Hey, Lina, Aidan findet dich süß, wir gehen heute Abend zu viert aus«, ist diese ganze Welt voller Freitage, die sich wie Dienstage anfühlen, und der Hackbraten und der ganze andere Scheiß wie weggeblasen. Da beginnt ein völlig neues Leben.

An dem, was an diesem Abend passiert, wird sie für immer festhalten. An dem Gefühl, endlich zu kriegen, was sie will. An dem Gedanken, dass das hier wirklich passiert und dass Träume wahr werden können.

Sie treffen sich an diesem milden und windstillen Septemberabend im Kino. Jennifers Eltern setzen sie dort ab. Linas rasierte Beine zittern während der Fahrt. Sie trägt eine Jeansshorts und ein rosa T-Shirt, und ausnahmsweise fallen ihre blonden Haare mal perfekt über die Schultern.

Der Wagen hält vor dem Kino, und da stehen die zwei Jungs. Lina kann nicht glauben, dass das alles wirklich passiert. Als sie aussteigt, schaut sie auf ihre Füße, weil sie Angst vor seinem Gesichtsausdruck hat. Sie hat Angst, dass er sie ansieht und sie nicht hübsch genug findet. Doch dann lässt etwas sie aufblicken und die Angst vergessen.

Aidan.

Da steht er und sieht aus wie der Mann, zu dem er viel schneller als alle anderen Jungen werden wird.

Sie verliebt sich sofort in ihn. Und diesmal ist es echt.

Da ist ein Knistern. Er zieht sie an wie ein Magnet. Aus der Nähe wirkt er schüchtern.

»Schön, dich zu sehen, Lina«, sagt er.

»Ja, finde ich auch«, sagt sie.

Aidan streckt die Hand nach ihrer aus. Sie wird fast ohnmächtig, als sie es sieht.

Plötzlich ist das alles kein unerreichbarer Traum mehr. Sie hat es nicht einmal herbeigeführt. Sie hätte es nicht herbeiführen können, und dadurch ist es umso schöner. Später erinnert sie sich daran, wie sie gedacht hat: Mir war gar nicht klar, dass ich tatsächlich ein glückliches Leben haben kann. Lina greift nach seiner Hand. Sie tut es mit dem Selbstbewusstsein eines Mädchens, das plötzlich weiß, dass auch die eigene Hand gut genug ist. Er lächelt und atmet aus.

Rod und Jennifer, die schon rumgeknutscht haben und wahrscheinlich noch viel mehr als das, machen nicht so einen auf romantisch. Lina dachte immer, Jennifer wäre schöner als sie, aber heute Abend denkt sie das nicht.

Weil die Jungen schon Karten gekauft haben, gehen sie gleich rein. Die beiden Mädchen sitzen nebeneinander, Rod setzt sich neben Jennifer, und Aidan setzt sich neben Lina. Sie spürt die Wärme seines Körpers und muss sich sehr beherrschen, um ganz normal zu tun. Sie ist froh, dass sie spät dran sind, dass das Saallicht schon gedimmt worden ist, weil er so ihre glühenden Wangen nicht sehen kann, ihre Pickel und ihre überbordende Freude.

*Sieben* ist nicht Linas Art von Film. Überall Blut und Fleisch, und als die Szene kommt, in der der Mann, dessen Sünde die Wollust ist, gezwungen wird, mit einem Umschnalldildo eine Frau zu vergewaltigen, die es dabei völlig zerreißt, hält Lina es nicht mehr aus. Ihre Abscheu ist größer als ihr Wunsch, neben Aidan zu sitzen. Darum steht sie auf, und auch er erhebt sich wortlos.

Mit dem siegreichen Gefühl, dass dieser Junge ihr folgt, verlässt Lina das Kino. Das hat es noch nie gegeben. Sie war die kleine graue Maus, die sich in ihrem Zimmer versteckt hat. Jetzt geht sie schneller und hört, wie auch er seine Schritte beschleunigt. Und dann benutzt er dieses Wort, das sie bis in ihre Träume verfolgen wird.

»Hey, Kid, warte. Geht es dir gut?«

Lina dreht sich um. Als sie da im Eingang des Kinos stehen, unter der großen Leuchtschrift, fühlt es sich plötzlich an wie 1957. Packards fahren vor, und Cary Grant sagt: »Hallo, meine Schöne!« Und Bette Davis sagt: »Juhu, junge Lady. Hier drüben.« Er fasst sie am Arm. Sie dreht sich zu ihm um.

»Hast du gerade *Kid* zu mir gesagt?«

»Ja.«

»Wir sind im selben Jahrgang.«

»Ja.«

»Und …«

»Und du magst es nicht?«

»Doch«, sagt sie mit einem breiten Grinsen. »Ich mag es. Ich mag es sogar sehr.«

Und da passiert es, der romantischste Kuss aller Zeiten. Er legt ihr die Hand auf die Wange, langsam und unsicher, wie der Junge, der er noch ist, obwohl er von allen, die sie kennt, schon am meisten Mann ist, und ihr Gesicht glüht. Alle möglichen Bilder schießen ihr in den Kopf, so wie es angeblich sein soll, kurz bevor man stirbt, aber doch nicht beim ersten Kuss. Sie sieht ihre Mutter vor sich, die am Fuß der Treppe steht und sie als faul beschimpft. Sie sieht ihren Vater vor sich, der zur Tür hinausgeht, immer und immer wieder, und sie sieht, wie die Tür hinter ihm zufällt. Sie hört, wie ihre Mutter sagt: »Lina, räum diesen Saustall auf, Lina, was redest du denn da, Lina, was machst du da oben? Bist du etwa immer noch im Bad?« Und sie sieht ihre Schwestern vor sich, die sie mit zusammengekniffenen Augen anschauen. Sie sieht ihr Kaninchen, das in der Nacht gestorben war, und wie ihre Mutter wollte, dass sie es gleich am Morgen aus dem Haus schaffte. Wie sie selbst es begraben wollte, aber der fest zugeschnürte Müllbeutel schon vor der Tür stand. Sie sieht ihren Vater zur Tür hinausgehen. Und auf einmal spürt sie die Lippen dieses schönen Mannes auf ihren, spürt seine Zunge in ihrem Mund. Das kennt sie nur aus ihren Träumen und aus einem Buch, das sie mit einer Freundin zusammen gelesen hat und das *Küssen leicht gemacht* heißt und in dem von Zungen die Rede ist, die sich wie Goldfische bewegen. Aber ihre und seine Zunge sind nicht wie Goldfische, sie sind überhaupt keine Zungen, sondern echte Seelen, die an ihren glatten Zähnen entlanggleiten. Lina hätte kein Problem damit, jetzt auf der Stelle tot umzufallen, denn ihr Leben wäre vollkommen.

»Aidan«, haucht sie in seinen Mund.

»Was ist, *Kid*?«

Manchen Frauen sind die Stunden, in denen sie einem Treffen mit einem Liebhaber entgegenfiebern, genauso heilig wie das Treffen selbst. Manchmal ist die Vorfreude sogar besser, denn ein Liebhaber kann einen verlassen oder man verliert selbst das Interesse, diese zärtlichen Momente allein aber kann einem niemand nehmen. Auch Lina erinnert sich eher daran, wie schön die Schneeflocken fielen, als an den grauen Matsch, der danach in den Straßen zurückblieb.

Lina steht unter der Dusche und lässt das Wasser über ihren offenen Mund laufen, streicht sich die nassen Haare zurück, wie sie es bei Frauen in Filmen gesehen hat – einen Daumen auf jedem Ohr und beide Handflächen auf dem Kopf. Sie rasiert sich die Beine und die Scham und spart nur das aus, was die älteren Mädchen »Landing Strip« nennen. Sie seift sich mit Camay ein und achtet darauf, die Stellen, die er womöglich küsst, besonders gründlich zu waschen. Vielleicht gründlicher, als sie müsste.

Lina hat es zeitlich so abgepasst, dass ihre Schwester direkt nach ihr ins Bad geht. So hat sie das gemeinsame Zimmer für sich. Sie liegt nackt auf dem Bett, ein Handtuch unter sich, und cremt sich mit rosafarbener Lotion ein, ohne auch nur die kleinste Stelle zu vergessen. Dann trägt sie Make-up auf, allerdings nicht zu viel, weil er einmal über aufgedonnerte Mädchen gesagt hat, dass sie versuchen würden, älter auszusehen, aber letztlich nur nuttig rüberkämen.

Sie föhnt die einzelnen Haarpartien, sodass ihre Haare glatt, aber mit viel Volumen über die Schultern fallen und beim Laufen leicht auf und ab wippen. Sie tupft sich Parfüm hinter die Ohren, in die Kniekehlen und auf die Handgelenke. Es ist ein blumiger Duft mit einer leichten Zitrusnote, der Strandhausabende, Eistee mit Minzblättern und frische Meeresbrisen heraufbeschwört.

Das Parfüm trägt sie als Letztes auf, damit es hält. Sie wird sich im Stillen schrecklich ärgern, falls sie unterwegs an einem Raucher vorbeikommt. Aidan ist auch Raucher, und trotzdem will sie frisch riechen, wenn sie ihn begrüßt, nicht nach Zigaretten, obwohl er wahrscheinlich selbst gerade rauchen wird.

Sie hat ein flattriges, schwereloses Gefühl im Magen, als

hätte sie seit Tagen nichts gegessen. Sie hat auch wirklich weniger gegessen, weil Liebe genau das macht, wie Lina langsam begreift. Liebe nährt dich und zehrt dich auf, sodass du voll, aber zugleich auch leer bist. Du willst nichts essen und niemanden sonst sehen. Willst nur den, den du liebst, und die Gedanken, die mit ihm verbunden sind. Alles andere wäre eine Vergeudung von Energie, Geld und Lebenszeit.

Der geheime Ort ist ein Fluss, aber eigentlich viel mehr als das. Selbst heute noch, fast zwei Jahrzehnte später, denkt Lina an das Wort *Fluss*, wenn sie an den geheimen Ort denkt, obwohl es nicht passt. Es gibt nun mal kein besseres Wort. Wie andere perfekte Dinge im Leben ist der Ort eben das, was er ist.

Sie hatten ihn auch nie als *geheimen Ort* bezeichnet. Jedenfalls nicht laut. Nur Lina hatte den Ausdruck in Gedanken benutzt. Eigentlich gab es einen noch viel einfacheren Namen, einfacher noch als *Fluss*.

*Da.*

»Wir treffen uns *da*.«

»Dann sehen wir uns *da* um zehn.«

Wenn sie aus dem Bus ausstieg, hatte sie es fast geschafft, nur noch vierhundert Meter, nicht zu weit rein in den Wald, abseits der Schnellstraße, die durchs Flachland führte.

Eine Art Weg ging in den Wald hinein, kein richtiger Weg, aber doch gut genug zu erkennen, ein schmaler Pfad, auf dem Keds und Timberlands die Zweige und Blätter platt getrampelt hatten.

Lina mit ihren weißen Sneakers fragte sich, wie viel sie selbst zu dem Pfad beigetragen hatte, und dachte an all diejenigen, die vor ihr hier entlanggegangen waren.

Da war es. Da auf einer Lichtung voll mit Weizengras

schlängelte sich im leichten Nebeldunst ein Fluss dahin. Endlich entdeckte sie seinen Pick-up, alt und runtergerockt und so grau, dass er fast unsichtbar war, und ihr Herz hüpfte auf und ab wie ein Flummi.

Als sie anfingen, sich am Fluss zu treffen, war es Herbst. Bald würde der Winter kommen, und so schlug er vor, in Decken zu investieren, weil es zu teuer sei, den Wagen immer laufen zu lassen. Dass er das im September sagte, als der Winter noch so viele Wochen entfernt war, trieb Lina Tränen in die Augen. Er sah sie als Teil seiner Zukunft. Lange Zeit reichte es ihr, dass das Objekt ihrer Liebe sie als schlagendes Herz, als lebendiges Wesen in seinem Universum wahrnahm.

Dass sein Wagen schon dastand, die Vögel zwitscherten und die Zweige unter ihren Füßen knackten. Sie den Geruch der feuchten Erde in der Nase hatte und die Auspuffgase. Sie sich in einem Nebelhologramm verirrte und sich die Haare hinter die Ohren klemmte, wie sie es vor dem Spiegel geübt hatte, genau so, wie es ihr am besten stand. All diese Geräusche, Gerüche und Routinen. Es war ihr Vorspiel.

Und dort im Wagen, den Blick geradeaus auf die Bäume gerichtet und umgeben von einem Heiligenschein aus Zigarettenrauch, saß dieser geheimnisvolle junge Mann, der ihr gehören würde und gerade auf sie wartete und sie damit in ihrem ganzen Sein bestätigte. Er war der eigentliche Grund ihrer Existenz. Ihre Mutter und ihre Schwestern und die Rückseite ihres Vaters konnten ihr gestohlen bleiben. Da war er.

*Da.*

Aidan wird später zu viel trinken, Kinder haben und einen Job, der nicht genug einbringt, um für die Geburtstagspartys im Sommer das Propan für den Gasgrill zu kaufen. Er wird einen dicken Bauch haben und den Kopf voll mit Dingen, die er bereut. Er wird weder Marinesoldat noch Astronaut oder Profispieler sein. Er wird nicht in einer Band singen oder im Pazifik schwimmen. Abgesehen von seinen Kindern und seiner Frau und dem, was er für sie getan haben wird (was einerseits zählt, andererseits aber auch nicht, weil ein Mann etwas außerhalb seiner vier Wände geschaffen haben muss), wird er nichts getan haben, woran sich irgendwer mal erinnert. Bis auf das, was er einer bestimmten Frau bedeutet hat. Nämlich alles.

*Liebes Tagebuch,*
*ich bin in Aidan Hart verliebt, und er ist in mich verliebt!*
*Ich schwöre, dass das stimmt. Kein Mensch war je so*
*glücklich wie ich. Wenn ich morgens aufwache, habe ich*
*das Gefühl zu platzen. Ich könnte sterben vor Glück.*
*Endlich weiß ich, was es heißt, wenn die Leute das sagen.*
*Ich könnte sterben.*

Je näher der Winter kommt, desto mehr verliert ihre rasante Liebesgeschichte an Fahrt. Lina hasst diese Jahreszeit dafür. Wie sie allmählich von ihrer Liebe getrennt wird, fühlt sich genauso schmerzhaft an, als würde man ihr einen Arm oder ein Bein ausreißen.

Die Schule und die mit ihr verbundenen Pflichten belasten sie. Die Bemerkungen ihrer Mutter fallen immer schärfer und gemeiner aus. Lina mag die Winterjacke nicht, die sie tragen muss, und sie hat keine Lust, ihre Nase in Bücher zu stecken und irgendetwas Neues zu lernen.

Ungefähr zu dieser Zeit erfährt sie, dass ein Freund ihrer älteren Schwester auf sie steht. Einerseits überrascht es sie, andererseits auch nicht. Es ist, als hätte Aidan sie plötzlich für alle anderen sichtbar gemacht. Sie ist *beliebt*. Sie hat gewusst, dass es so kommen könnte. Sie hat es immer gewusst. Aber das macht es nicht weniger aufregend, im Gegenteil.

Dieser Freund ihrer Schwester sieht nicht besonders gut aus, aber er ist älter und hat viele Freunde und geht zu allen Partys. Er kommt auf sie zu, als sie gerade ihren Spind abschließt. Sie spürt seinen heißen Atem an der Nase. Wie er sie anschaut, fühlt sich nicht an, als würde er auf sie stehen. Es fühlt sich nicht einmal so an, als würde er sie besonders mögen.

Er erzählt ihr von einer Party am Wochenende. Fragt sie, ob das nach was klingt, worauf sie Lust hätte. Sie merkt, wie sie nickt. Sie hat Angst, Nein zu sagen. Sie hält die Sache nicht für ein Date, doch ihr gefällt der Gedanke, dass da jemand ist, der sie hübsch findet. Als wäre sie eine Lampe in einem Schaufenster, die die ganze Zeit nicht eingesteckt war, es jetzt aber ist, und plötzlich bleiben die Kunden stehen, und Ehepaare sagen zueinander: »Hey, Liebling, wie wäre es mit *dieser* da?«

Sie ist in Aidan verliebt. Trotzdem könnte es ein lustiger Abend werden, denkt sie, und vielleicht geht Aidan ja auch aus. Eigentlich ist das das Problem. Sie weiß in letzter Zeit nicht mehr, wie seine Abende aussehen. Im Grunde hat sie es nie gewusst, aber auf einmal wird ihr klar, dass sich daran nie etwas geändert hat. Sie haben sich nicht in ein echtes Paar verwandelt, das ständig zusammenklebt, so wie Jennifer und Rod.

Lina sagt sich, dass es bestimmt schön wird, mit auf diese Party zu gehen. Mal rauszukommen. Doch wenn sie ganz ehrlich zu sich ist, geht sie mit, weil Aidan sie schon seit ein paar Tagen nicht mehr angerufen und ihr in der Schule auf dem Gang zwar zugelächelt hat, sonst aber distanziert gewesen ist und sie noch nicht genauer darüber nachdenken will. Trotzdem sitzt da diese Vorahnung in ihrem Unterbewusstsein, genauso wie der Wille ihrer Mutter.

Sie erinnert sich nur vage. Der Typ, der sie abholt und angeblich auf sie steht, ist es nicht gewesen. So viel weiß sie. Er fährt mit ihr zum Haus eines Freundes, wo keine richtige Party stattfindet, sondern vier Typen einfach nur zusammen rumhängen und trinken. Später erinnert sie sich, wie sie dachte: Wann fahren wir denn weiter zu der Party? Dann ist der Freund ihrer Schwester plötzlich verschwunden, oder zumindest aus ihrem Gedächtnis verschwunden. Da sind nur noch drei angetrunkene Typen – und Lina.

Einer der drei Typen, *der Erste*, wie sie ihn später nennen wird, reicht ihr einen roten Plastikbecher mit einem Getränk. Sie ist sich nicht sicher, ob Alkohol drin ist. Der Becherinhalt sieht lila aus, fast schon ozeanblau. Was sie trinkt, schmeckt nicht wirklich nach Alkohol. Es schmeckt dunkel und eklig und warm. Lina hat aber auch noch nie Alkohol getrunken, könnte es also, selbst wenn es Schnaps wäre, nicht mit Sicherheit sagen.

»An ihn kann ich mich am besten erinnern«, wird sie sagen, wenn sie älter ist. »Ich weiß, dass er der Erste war. An den Ersten erinnere ich mich am besten. Wir haben es getan. Ich habe nicht richtig mitbekommen, was genau da unten passiert ist, sondern nur gespürt, dass jemand auf mir liegt, und gewusst, dass es Sex ist. Dann erinnere ich mich daran, wie er mich auf den Bauch gedreht hat. Als Nächstes hat sich einer der beiden anderen Typen auf mich draufgelegt, und ich habe gehört, wie er gesagt hat:

›Scheiße, Mann, das ist Abbys kleine Schwester, ich kann das nicht.‹ Und er hat aufgehört. Dann war da noch der dritte Typ, aber ab dem Punkt setzt mein Gedächtnis aus. Ich habe mich nicht gewehrt, so viel weiß ich noch. Ich war einfach nur ganz ruhig. Ich glaube, ich habe gedacht, dass ich zu keinem Nein sagen will, damit sie mich mögen. Damit sie keinen Grund haben, es nicht zu tun – also das mit dem Mögen.«

Am nächsten Tag und an allen darauffolgenden Tagen kursiert das Gerücht, dass Lina es in einer Nacht mit drei Typen getrieben hat.

# Sloane

Sloane Ford hat sehr lange und sehr schöne haselnuss-
braune Haare. Der Braunton ist unwirklich, obwohl sie
ihre Haare noch nicht färbt. Sie ist schlank und Anfang
vierzig, hat aber das Gesicht einer Studentin aus einer Verbindung – es schreit förmlich nach Rummachen. Sie geht
häufiger ins Fitnessstudio als zu Mittagsverabredungen mit
anderen Müttern. Einerseits sieht sie aus wie eine Frau,
über die man redet, andererseits auch nicht. Sie wirkt un-
gekünstelt und doch gerissen, sagt Sachen wie: »Ich bin
fasziniert von der Diplomatie des Bedienens.« Und meint
damit, dass ein Essen in einem Restaurant eine Art Mikro-
kosmos sein kann, sobald dort Bekannte und Fremde auf-
einandertreffen, sobald eine der beiden Seiten – und sei es
nur für ein paar Stunden – von der anderen abhängig ist.

Wenn man Sloane sieht, könnte man meinen, sie wisse
nicht, dass sie angeschaut wird. Unter bestimmten Umständen wirkt sie so selbstsicher, dass es einem Angst machen kann und man zweimal überlegt, ob man sich mit ihr
anlegen möchte. In anderen Momenten ist sie sehr warm-
herzig, kommt einem dabei fast schon zerbrechlich vor,
sodass ihre Freunde bemüht sind, sie auf keinen Fall zu
verletzen. Es ist genau diese Mischung, die so besonders ist
und bewirkt, dass man sich von ihr angezogen fühlt.

Sloane ist mit Richard verheiratet, der nicht ganz so gut

aussieht wie sie. Sie haben zwei gemeinsame Töchter, strahlend und stolz wie ihre Mutter, und Richards Tochter Lila, die er aus einer früheren Beziehung mit in die Ehe gebracht hat. Als Familie sind sie eng miteinander verbunden, und trotzdem besteht eine Durchlässigkeit, eine Art höflicher Distanz, die es jedem Mitglied der Familie erlaubt, ein selbstbestimmtes Leben zu führen.

Sie wohnen in Newport, in der Narragansett Bay von Rhode Island, wo sich an der Felsenküste prächtige Häuser im georgianischen Stil aneinanderreihen, in einer belebten, aber hübschen Straße, wo Sommerurlauber auf dem Fischmarkt Blaubarschpastete und Carr's-Produkte und Hummer kaufen. Richard und Sloane betreiben ein Restaurant im Stadtzentrum, wenige Straßenzüge von den Booten entfernt, die sanft im Hafen schaukeln. Er schmeißt die Küche, sie schmeißt vorn den Laden. Und füllt diese Rolle perfekt aus, weil sie zu den Frauen gehört, die ein knöchellanges Kleid tragen können, ohne sich darin zu verheddern.

Im Sommer kommen die beiden kaum zur Ruhe, so wie alle auf der Insel. Da müssen sie so viel Geld erwirtschaften wie nur möglich, weil die kalten Monate nichts einbringen. Im Januar und Februar bleibt den Inselbewohnern dann nichts anderes übrig, als die Schotten dicht zu machen, mit ihren Familien und ihren Ersparnissen im Haus zu bleiben und ihr eingekochtes Grünkohlpesto zu essen.

Während der kalten Monate können sie sich auch besser auf ihre Kinder konzentrieren, auf deren tägliches Programm aus Schule und Auftritten und Punktspielen. Sloane aber spricht nicht über ihre Kinder, zumindest nicht so wie andere Frauen, deren Leben sich einzig und allein nach dem Familienkalender richtet.

Die Leute reden hinter Sloanes Rücken über sie. In einer Kleinstadt reicht es eigentlich schon, dass sie lieber ins Fitnessstudio geht, als zum Klatschen vor dem Regal mit den eingeschweißten Salatherzen stehen zu bleiben. Aber das ist nicht der Grund, weshalb die Leute reden.

Dass sie sich das Maul zerreißen, liegt daran, dass Sloane vor ihrem Ehemann mit anderen Männern schläft. Manchmal tut sie es auch ein Stück die Straße runter oder auf einer anderen Insel. Dann filmt sie es und zeigt ihrem Mann später das Video. Wenn er nicht bei ihr ist, simst sie ihm währenddessen und gibt ihm durch, wie es läuft. Hin und wieder schläft sie auch mit einem anderen Pärchen.

Wie sie dazu gekommen ist, lässt sich auf den ersten Blick nicht nachvollziehen. Sie wohnt das ganze Jahr an diesem Ort, was für sich genommen schon merkwürdig ist. Familien wie ihre machen auf Rhode Island eigentlich nur zwei Wochen Sommerurlaub. Wenn man dagegen das ganze Jahr hier verbringt, kann man im Winter schon mal durchdrehen. Es gibt keine Malls oder größeren Läden, in denen sich die Zeit totschlagen ließe. Und wenn man mal für einen Tag von der Insel runterfährt, schreibt man gleich eine Liste mit all den Dingen, die man in der Welt da draußen erledigen muss.

Sloanes Weg ins Erwachsenenleben begann mit einer Weihnachtsparty beim Chef ihres Vaters. Einem der reichsten Männer von New York. Das Haus, das in einem Vorort im Westchester County lag, war voller persischer Teppiche, Säulen und goldumrandeter Tafelservice. Und voller Frauen mit flachen Absätzen.

Eis überzog die Äste der Bäume, die Straßen glitzerten. An diesem Abend begleitete Sloane ihren Vater, und ein junger Mann namens Bobby begleitete sie. Er war attraktiv – wie alle Männer, mit denen sie ausging. Sloane war zweiundzwanzig und nahm sich gerade eine Auszeit vom Restaurantgeschäft. Sie interessierte sich für Theater. Ging fast jeden Abend aus, und die Liste ihrer Verabredungen reichte von stickigen Konzerten mit warmem Bier bis hin zu gut gekühlten Martinis in Häusern wie diesem.

Die Frau des Chefs, eine in Silber gekleidete, affektierte Frau namens Selma sagte: »Wir sollten Keith und Sloane miteinander bekannt machen.«

Sie sagte es so halb vor Sloanes Begleiter Bobby. Und es war wie eine Offenbarung: ihr Sohn Keith und Sloane, die Tochter der rechten Hand ihres Mannes. Sie war wunderschön, wohlerzogen und schlank. Einfach göttlich. Und die beiden wohnten gerade einmal zwei Straßen voneinander entfernt. Warum waren sie nicht schon früher darauf gekommen?

Sloane war nicht übermäßig an Geld interessiert, aber dieser junge Keith hatte in jedem Fall reichlich davon. Seine Familie gehörte zu den größten Mäzenen der New Yorker Kunst- und Kulturszene.

Ein paar Wochen später ging Sloane mit Keith aus. Diesen Gefallen tat sie ihrem Vater gern. Dass ihre erotische Ausstrahlung ihm bei seinen Geschäften zugutekam, gab ihr ein Gefühl von Macht.

Keith fragte sie, ob es ein Restaurant gebe, in das sie gern gehen würde, und Sloane nannte das *Spice Store*. Sie wusste immer sofort, wo sie hingehen wollte.

»Lustiger Zufall«, sagte Keith, »mein bester Freund ist der Manager dort.«

Sloane trug einen olivfarbenen Rollkragenpullover, samtige Röhrenhosen und Stiefel. Sie bekamen den besten Tisch zugewiesen, zwei Sitzbänke in einer Nische. Der

Tisch war für sechs ausgelegt, doch an diesem Abend hatten sie ihn für sich allein. Sloane war Sonderbehandlungen gewöhnt. Sie trug kleine Ohrringe. Das Restaurant vibrierte förmlich, so spürbar war die Energie, gerade der angesagteste Schuppen der Stadt zu sein. Die Kellner huschten umher, schlängelten sich aneinander vorbei, als wäre mindestens die Hälfte von ihnen Geister. Die Teller waren kunstvoll arrangiert – weiße und graue Fischfilets auf Gemüse, zu Pyramiden aufgeschichtet und mit etwas Glänzendem, Süßem und raffiniert Aussehendem überzogen. Die Heizung war voll aufgedreht, ohne Rücksicht auf die Kosten.

Der Manager, Keiths bester Freund, begrüßte sie an ihrem Tisch und verkündete, dass der Koch extra für sie ein ganz besonderes Menü zubereiten werde. Vor dem Essen hatten Sloane und Keith noch Gras geraucht. Sloane nahm von jeder Droge immer die perfekte Menge. Manchmal hieß perfekt, dass man etwas zu viel nahm, und daran hielt sie sich. Bei Alkohol, zum Beispiel. Denn manchmal war es angebracht, ein bisschen mehr als nur angetrunken zu sein.

Ihnen wurden fünf Gänge serviert, einer interessanter als der andere. Aber es war der letzte Gang vor dem Dessert, der Sloane am meisten beeindruckte. Ein ganzer schwarzer Sägebarsch mit Spargelbohnen in einer seimigen Sauce aus dunklen Bohnen. Immer wieder sagte sie zu Keith: »Das ist einfach nur der Hammer.« Und Keith grinste und schaute zwischen dem vorbeieilenden Personal und ihr hin und her. Der Flow der Welt um ihn herum schien ihn zu amüsieren. Sloane wusste, dass junge Männer wie er in Gedanken nur einen weiteren netten Restaurantbesuch mit einem weiteren schönen Mädchen verbuchten. Später einmal würde er in einem Zimmer im Souterrain einen Billardtisch haben, Zigarrenrauch um sich und seine Söhne. Der Sägebarsch würde dann ein Heilbutt oder scharf angebratener Thunfisch sein. Und Sloane eine Christina oder Caitlin. Doch in diesem Augenblick, in den meisten Augenblicken war Sloane nicht wie das Wasser, das sie umgab. »Dieser Barsch«, sagte sie und berührte Keiths Handgelenk, »dieser hammer Barsch!« Aus irgendeinem Grund hatte Essen etwas an sich – und das war schon immer so gewesen –, das Sloane mit einer anderen Welt verband, einer Welt, in der sie nicht schön und selbstsicher sein musste. Einer Welt, in der ihr der Saft übers Kinn laufen durfte.

Als Sloane und Keith den Barsch fast aufgegessen hatten, kam der Koch noch zu ihnen heraus. Die Gräten lagen fein säuberlich auf dem Teller. Sie waren pappsatt und kicherten herum. Sloane bedankte sich bei dem Koch für das herrliche Essen, war allerdings nicht weiter in Plauderlaune. Vor allem war sie immer noch bekifft. Erzählte ihm aber nicht, wie der Fisch sie von innen gewärmt hatte. Ihre Augen funkelten, als sie ihn ansah, doch sie flirtete nicht mit ihm, wie sie es gekonnt hätte.

Er machte keinen großen Eindruck auf sie mit seiner weißen Kochmütze. Aber er lächelte und war freundlich, und sie hatte sein Essen genossen. Der ganze Abend war perfekt, und mit Keith zusammen zu sein fühlte sich genau so an, wie ihr Leben sein sollte.

Wieder in der Küche, machte der Koch ein Dessert für sie fertig. Mousse au Chocolat mit Ingwerkeksen und Sake-Beeren-Sauce. Keith und Sloane tranken Kaffee, danach einen Schnaps. Und Sloane war sich bewusst, dass sie gerade in den Genuss von Speisen gekommen war, die den meisten jungen Frauen verwehrt blieben, bis sie sich mit Ende zwanzig oder Anfang dreißig verlobten.

Auf ihrem Weg nach draußen wandte sich Sloane ihrem Begleiter zu und sagte: »Sollte ich je wieder in einem Restaurant arbeiten, dann in so einem hier.«

Keith hatte eben erst beim Essen von Sloanes Restaurantvergangenheit erfahren. Das Wort *Vergangenheit* war natürlich albern; dieses Wort zu benutzen, als wäre es ein Kuriosum, dass eine so junge Frau wie Sloane schon in einem Restaurant gearbeitet hatte. Sie kam aus der Upperclass, war in einem Vorort von New York aufgewachsen und hatte die Horace Mann School besucht, auf der künftige Gouverneure und Generalstaatsanwälte heranwuchsen. Obwohl sie kein Geld für Dinge wie Kleidung oder Lipgloss brauchte, hatte sie sich mit fünfzehn einen Job als Kellnerin gesucht. Sie hatte den Bewerbungsbogen von einer Seite ausgefüllt und als bisherige Arbeitserfahrung die Stunden aufgelistet, die sie im Büro ihres Vaters ausgeholfen und auf die Nachbarskinder aufgepasst hatte.

Die Atmosphäre in Restaurants hatte sie schon immer magisch angezogen. Sie bediente gern. Sie trug gern schwarze Hosen und weiße Oxfords und war gern dafür zuständig, dass ihre Gäste einen guten Abend hatten. Sie sah, wie andere junge Frauen und Männer gelangweilt, nervös oder genervt von Tisch zu Tisch gingen. Meistens waren sie nicht mit dem Herzen dabei, das wusste Sloane. Sie füllten die ihnen angedachte Rolle nicht aus. Denn es *war* eine Rolle; als Kellner war man der Moderator. Man war der Lakai des Tisches und der Vertreter der Küche beim Gast. Natürlich gefiel ihr das Geld, all die Zahlen mit einer Prise Extra dazu, süße runde Zahlen, die die mathematischen Komplimente für die Qualität ihrer Darbietung waren. Oder das – meist von reinen Männertischen – in bar hinterlegte Trinkgeld, mehrere zusammengefaltete Zwanziger lasziv unter ein Whiskeyglas geklemmt.

Sloane hatte zunächst versucht, den korrekten Weg einzuschlagen. Sie hatte sich am Hampshire College beworben und einen Studienplatz bekommen, in einem Gemeinschaftszimmer im Studentenwohnheim gewohnt und Reitstiefel getragen, wenn sie auf den kleinen Brücken die zugefrorenen Teiche überquert hatte und an den akkurat geschnittenen Hecken der New England Academy vorbeigegangen war. Sie hatte sich mit Männern verabredet und war einer Studentinnenverbindung beigetreten.

Irgendwann brach sie das Studium in Hampshire ab, nahm es kurz darauf wieder auf, nur um es wenig später erneut abzubrechen. Keiner dieser Schritte war gründlich durchdacht. Sie war jung und unsicher. Ihrem Bruder Gabe ging es genauso, und immer wenn einer von ihnen das Richtige tat, tat der andere womöglich gerade das Falsche. Und auch wenn sich ihre Eltern besänftigen ließen, waren sie besorgt.

Sloane kellnerte in Restaurants und besuchte nebenbei ein paar Seminare, aber sie fühlte sich immer rastlos. Sie sah die anderen Studenten – dieses ernsthafte und konzentrierte Zuhören war ihr fremd. Sie fand keinen Zugang zu dieser verkopften Welt. Sie fühlte sich wohler, wenn sie auf den Beinen war. Und so war sie dann doch immer wieder zum Vibrieren der Restaurantböden und zum Klirren der Gläser zurückgekehrt.

Und trotzdem fühlte sich dieser Abend anders an. Sie fühlte sich angezogen wie von einem Magneten. Es war einige Jahre her, dass sie zuletzt gekellnert hatte. Mittlerweile studierte sie wieder und sah sich die Theater downtown an, weil sie überlegte, vielleicht Bühnenshows auf die Beine zu stellen. Sie wusste, wie man mit Leuten redet, wie man die Reichen und die Langweiler dazu bekommt, sich für etwas Neues zu interessieren. Zum Beispiel die Freunde ihres Vaters. Sie schaute ihnen in die Augen und sagte ihnen, dass es ein Fehler sei, wenn sie nicht in die Show dieses oder die Golfkleidung jenes Menschen investierten. Sie setzte ihre Haare ein, ihr Lächeln und ihre Verbindungen. Man überging sie nicht, so viel war klar.

Jetzt war sie also mit Keith zusammen, dem Sohn des Chefs. Und es war ganz genau das, was ihr Vater sich immer für sie gewünscht hatte. Ihre Mutter auch. Mit Monogramm versehene Bettwäsche. Picknickkörbe im Kofferraum eines Range Rovers. Zwillinge mit Bubikragen. Das Wort *ecru*. Saint John. Weihnachten in Aspen. Skifahren in Telluride.

*Sollte ich je wieder in einem Restaurant arbeiten, dann in so einem hier.*

Vielleicht hatte sie es ja tatsächlich so laut gesagt, dass der Manager es hörte.

In der Woche darauf rief der Manager Sloane an, um ihr einen Job anzubieten, den sie sofort begeistert annahm. Bis zu diesem Zeitpunkt hatte sie gar nicht gemerkt, wie sehr ihr die Welt der Restaurants gefehlt hatte, die Geschwindigkeit und der Lärm und das Geschäftige. Es war fast wie Politik.

Obwohl sie vorn im Service arbeitete, gehörte zur Einarbeitung auch ein Tag in der Küche. Denn das Restaurantkonzept sah vor, dass sich alle Mitarbeiter überall auskannten, sodass auch die Tischeinweiserin darüber Auskunft geben konnte, wie der Sägebarsch zubereitet war.

Normalerweise war vorgesehen, dass der Koch den neuen Mitarbeitern beim Küchentraining jede einzelne Station zeigte – für die kalten Speisen, für die warmen Speisen, die Dessertzubereitung und so weiter. Aber diesmal hatte Richard, der Koch, kein Interesse daran, sich an den üblichen Ablauf zu halten.

Er kam ihr aus der Küche entgegen und wischte sich die Hände an einem feuchten Lappen ab. Sie schaute in ein kantiges Gesicht, in diese Art von hellen Augen, die warm oder herausfordernd sein konnten.

Richard lächelte und sagte: »Was hältst du davon, wenn wir Matzeknödel machen?«

Sloane lachte. »Matzeknödel?« Sie sah sich um. Im Hintergrund lief leise Musik. Sie schaute auf den Lappen, sein Muster und seine Farben. Sie musste an Pyramiden in Ländern mit viel Sand denken, in denen sie nie gewesen war. Manchmal hatte sie das Gefühl, ein Nirgendwo-Mädchen zu sein. Denn es war ihr immer so vorgekommen, als wären die Orte austauschbar, als wäre es eigentlich egal, wo sie lebte. Dass sie zu Hause oder an der Uni keiner vermissen würde. Und trotzdem wusste sie, dass sie oft der Mittelpunkt einer Party war. Sie wusste, dass die Leute fragen würden, »wo ist Sloane?«, wenn sie bis zehn Uhr nicht dort aufgetaucht war, wo sie hätte sein sollen. Sie ahnte, dass andere Kinder irgendwann sagen würden, »ich will, dass Sloane meine Mommy ist«, wenn sie für den Geburtstag ihres Drittklässlers eine aufwendige Party auf die Beine gestellt haben würde. Und trotzdem war sie jetzt hier in diesem Restaurant und hatte das Gefühl, den Körper eines Menschen zu bewohnen, den sie nicht ganz verstand. Zum Teil hatte sie Angst, keine Identität zu haben. Da sie nie gewusst hatte, wer sie war, hatte sie sich immer darauf konzentriert, wenigstens nicht langweilig zu sein. Manchmal hatte sie deswegen aufregende Sachen gemacht, die eigentlich nicht ihrem Wesen entsprachen. Und hin und wieder fühlte sie sich durch diese Dinge herzlos, verdorben und kalt.

Hier war also Richard, der Chefkoch des Restaurants, älter als sie, aber nicht auf diese Alte-Männer-Art. Er war weder reich noch verrückt. Er hatte keinen Privatjet und nichts Korruptes an sich. Er war völlig anders als die Männer, mit denen Sloane sich sonst herumtrieb. Vor allem in dieser Phase, als sie nur auf harte Jungs stand, Bassisten und finstere chaotische Typen, die Motorrad fuhren. Richard war anders, ein frisch rasierter Chefkoch mit weißer Mütze, mit diesem festen Job, den er auch brauchte. Schließlich hatte er zu Hause eine kleine Tochter.

Er führte sie in die Küche. Dort stand ein langer glänzender Edelstahltisch, in dem sich ihr markantes Kinn spiegelte. Sie hatte beim Blick in den Spiegel nie ein schlechtes Gefühl gehabt und war sich durchaus bewusst, wie glücklich sie sich schätzen konnte. Manche ihrer Freundinnen waren nicht sehr zufrieden, wenn sie in den Spiegel sahen, und vermieden es eher – oder sie waren wie besessen davon. Für Sloane galt weder das eine noch das andere. Wenn sie ihr Spiegelbild in einem Schaufenster sah, verstärkte das nur, was sie schon wusste. Denn sie hatte ihr Leben lang gesagt bekommen, wie schön sie sei. Schon als Kind. Von Tanten, von Fremden. Von Leuten, die ihr gedankenverloren übers Haar strichen, als wäre sie ein auf dem Rasen drapierter Golden Retriever im Märchenschlossgarten.

Richard holte ein paar Packungen mit Matze-Crackern von Streit's hervor. Noch so eine Sache, die Sloane an Restaurants liebte: die schiere Zahl der Zutaten. Packungen über Packungen mit Zutaten, sauber und anonym gestapelt, direkt zur Verwertung bestimmt. Tomatensauce, vor allem. Es gefiel ihr, wie man sämtliche Wände eines Zimmers mit der gleichen Dose Tomatensauce auskleiden konnte, immer und immer wieder die gleiche.

Sie zerkleinerten die Matzen zu Mehl. Er hatte schon den Knoblauch, das Salz und das Backpulver bereitgestellt. In einer zweiten Schüssel vermischte er jetzt die Eier und das Schmalz. Den Dill hatte er auch klein geschnitten. Ihr fiel auf, dass er fest davon ausgegangen war, dass sie Ja zu den Matzeknödeln sagen würde, und das gefiel ihr. Sloane hatte ganz allgemein Achtung vor Leuten, die Dinge in die Hand nahmen. Sie mochte es, wenn man Entscheidungen für sie traf. Sie trug eine Schürze, die er ihr gegeben hatte, eher unauffällig, aber schön.

Er schüttete die klebrige Mischung in die Schüssel mit dem Mehl und bat sie, die restlichen Zutaten mit einer Gabel unterzuheben, ohne alles zu stark zu verrühren. Im nächsten Schritt zeigte er ihr, wie man mit einem kalten Löffel die Knödel formte. Ihre Hände und Arme berührten sich flüchtig. Sloane spürte die Anziehungskraft, die er auf sie ausübte. Doch da war auch etwas Neues. Sie kannte das Gefühl explosiver Lust. Sie war auf Betten geschmissen worden und hatte sich zur gleichen Zeit in der Kirche und in der Hölle geglaubt. Dieses Gefühl aber war neu.

Sie legten die Knödel auf ein Tablett und stellten sie in den Kühlschrank. Während sie warteten, unterhielten sie sich. Sie streiften durch die Küche und erzählten einander ihre Geschichten. Es gab nur sie. Andere Mitarbeiter betraten die Küche zwar und verließen sie wieder, doch keiner der beiden beachtete sie. Richard erzählte ihr von seiner jüdischen Herkunft. Und Sloane ahnte, dass die Matzeknödel seine Art waren, ihr zu sagen: *Das bin ich, da komme ich her.* Er erzählte ihr von seiner Tochter Lila. Wie die meisten Frauen in ihrem Alter konnte sich Sloane damals nicht vorstellen, ein Kind zu haben. Jedes Mal, wenn sie Angst hatte, schwanger zu sein, sah sie sich in dem Raum um, in dem sie sich gerade befand, im Wohnheim oder in der Wohnung, die sie mit einer Freundin oder ihrem Freund teilte, und versuchte, sich vorzustellen, wo das Babybett stehen würde. Sie starrte dann finster über die aus Frankreich mitgebrachten Flaschen Grey-Goose-Wodka und die Stapel der letzten *Vogue*-Ausgaben hinweg und fühlte sich wie abgetrennt von allem. Sie war noch nicht einmal Tante.

Als die Matzeknödel so weit waren, holten sie sie aus dem Kühlschrank und gaben sie in kochende Brühe. Die Brühe wurde trüb und roch nach Brot. Sloane gefiel das. Es roch nach Zuhause. Einem Zuhause, das sie nie gekannt hatte – so also fühlte es sich an.

Sie spürte, wie Richard sie ansah, sie durch das Knäuel aus Armen über dem Topf beäugte. Er würde ganz bestimmt nicht zulassen, dass sie sich verbrannte, würde den Topf, sollte er plötzlich umkippen, wie ein Ninja in eine andere Richtung schleudern und in Kauf nehmen, dass die Brühe seine dünne schwarze Hose durchnässte, seine Beine verbrühte und rot glühen ließe, rot wie rohes Schweinefleisch.

Als die Matzeknödel fertig waren, gaben sie sie in die Suppe, und alle Mitarbeiter setzten sich zusammen und aßen gemeinsam wie eine große Familie. Sloane sah sich die Kellnerinnen, die Tischanweiser und den Manager an, alle offenbar weniger erfahren als sie, was die Höhen und Tiefen des Lebens betraf. Oder zumindest empfand sie es so in diesem Moment. Sie fühlte sich wie eine kleine Göttin. Einzigartig und undurchschaubar. Gütig und grausam zugleich. Wunderschön und schäbig. Arm und reich, vom Glauben erfüllt und doch gottlos. All diese Widersprüche hob sie in sich auf, wie so viele subversive Mädchen mit reichen, coolen Vätern und resoluten, tücherbehangenen Müttern. Wenn Sloane irgendwo auftauchte, brauchte sie eigentlich keiner, und trotzdem wollte jeder sie überall dabeihaben. Fast ihr ganzes Leben lang war sie ein Geist in hellem Leinen gewesen, hatte an schick gedeckten Tischen Orangensaft getrunken und sich an Ostern aufgebrezelt. Doch erst jetzt hatte sie zum ersten Mal das Gefühl, man würde sie vermissen, wenn sie gehen würde. Das hier war, wo sie sein sollte, das spürte sie mit jeder Faser ihres Körpers. Sie aß die Suppe, die sie von innen wärmte.

Nach diesem Tag mit den Matzeknödeln hatte Sloane sich im Restaurant eingelebt. Sie war eins geworden mit ihrem Job. Er bestimmte ihr ganzes Leben. Das machen alle Jobs in einem gewissen Maß, aber wenn man in einem Restaurant arbeitet, ersetzt dieser Job, allein wegen der Arbeitszeiten, wegen der verschlungenen Abende und Wochenenden, jedes andere Sozialleben. Sloanes Arbeit wurde zum Dreh- und Angelpunkt, an dem sich alles ausrichtete. An den Tagen, an denen sie im Restaurant die längste Schicht hatte, verwendete sie die meiste Zeit auf ihre Haare, damit sie zehn Stunden am Stück seidig und glatt aussahen.

Eines Abends, als die Sonne gerade unterging, spürte sie, dass sie beobachtet wurde. Sie schaute auf und sah Richard in der Küche stehen. Sie trug modische karierte Hosen, die schön knackig saßen. Sie fühlte sich groß und schön und nützlich. Langsam durchquerte sie den Raum, um draußen am Außengeländer die Kerzen auszutauschen. Denn sie wusste, dass Richard so die beste Sicht auf ihren Hintern haben würde. Sie beugte sich extra weit über das Geländer. Und obwohl sie sich nicht zu ihm umdrehte, spürte sie, wie seine heißen Blicke auf ihrer Haut prickelten.

Am Vormittag arbeitete Sloane außerdem in einem Coffeeshop – dem *Housing Works Bookstore Cafe*. Sie brauchte das Geld nicht, fühlte sich aber potenter, wenn sie ihre Energie auf mehrere Orte verteilen konnte. Sie fand es toll, verschiedene Geschäftsmodelle kennenzulernen, und streckte ihre Fühler gern in alle Richtungen aus. College-Kids schauten zwischen ihren Seminaren an der NYU vorbei. Sie aßen Müsli mit Joghurt oder gefülltes Maisfladenbrot. Mal waren sie verkatert und mürrisch, mal aufgeweckt. Und immer bekam Sloane mit, was sie sich erzählten, beobachtete sie und den ganzen Raum. Es fühlte sich besser an, ihnen hier im Café eine gute Zeit zu verschaffen, als in den Kursen neben ihnen zu sitzen und sich zu fragen, wie sie nur all diese Informationen aufnehmen konnten.

Irgendwann wollte Sloane etwas Eigenes haben. Im Buchcafé gab es einen Kollegen, mit dem sie darüber redete, Räumlichkeiten zu finden, die sie in ein Restaurant und einen Club verwandeln könnten. Damals träumte sie davon, einen angesagten Laden hochzuziehen, der gutes Essen und Musik kombinierte. Einen Laden, in dem Gruppen ihren ganzen Abend verbringen konnten. Nach einem Steak mit Pommes und gefüllten Artischocken würde ein ganzer Tisch von Freunden einfach zu Drinks übergehen und tanzen und einer Liveband zuhören.

Sie schaute sich auf der West Broadway Street unterhalb der Canal um, die damals von Parkplätzen, Tabakläden, fetten Milchshakes und Rollerblades dominiert wurde. Heute sieht man in diesem Teil der Stadt bewachte Hochhäuser mit begrünten Dachterrassen, alternative Kreativmärkte, auf denen man in Hydrokulturen gezüchtete Salate kaufen kann, und junge Typen mit Ray-Ban-Sonnenbrillen, die vor dem Hook & Ladder Company 8 Firehouse Selfies machen. Es passte zu Sloane, dass sie das Potenzial einer Sache sah, bevor es alle anderen entdeckten.

In den wenigen Stunden, in denen sie nicht arbeitete, traf sich Sloane mit einem Ex namens Judd oder mit einer jungen Frau namens Erika. Judd hatte dunkle Augen, helle Haut und ein Motorrad. Sloane mochte es, wie schmutzig sich ihre Haare am Morgen nach einer Nacht mit ihm anfühlten. Er rief sie nicht immer so schnell zurück, wie sie es sich gewünscht hätte. Mit Erika war es etwas vorhersehbarer. Selbst wenn es mit Frauen mal stressig wird, bleibt da immer eine gewisse verlässliche Basis. Sie rufen häufiger an, antworten schneller.

Erika war nicht die erste Frau für Sloane. Am Hampshire hatte es schon ein Mädchen namens Lia gegeben. Sie waren ein Paar gewesen, so sehr man im College eben ein Paar sein kann. An einem Winterabend sagte Lia dann, sie brauche einen Penis. Sie riefen einen Typen an, mit dem sie früher beide unabhängig voneinander etwas gehabt hatten. Während des Dreiers lachten sie mehr als alles andere. Ein einziges Knäuel aus Körperteilen. Die verschiedenen Speichelpfade auf ihren Schenkeln machten Sloane scharf. Mit Erika in New York war es später ernster; außerdem stand Erika überhaupt nicht auf Männer. Sloane hatte bemerkt, dass es manchmal ein Ungleichgewicht in die Beziehung zwischen zwei Frauen bringt, wenn eine auch gern mit Männern schläft und die andere nicht. Dann hat die Frau, die das nicht will, vielleicht das Gefühl, von der anderen betrogen zu werden. Sie macht sich Sorgen, dass die andere Frau mehr will, nicht nur den Penis, nichts, was nicht auch ein Dildo ersetzen könnte, sondern die Vorstellung eines Mannes, die Vorstellung von jemandem, der stärker ist, die Vorstellung davon, durch männliche Kraft bezwungen zu werden, ganz außer sich zu sein.

Sloane wollte oder brauchte einen Mann nicht auf diese Art. Doch sie wollte mehr vom Leben als das, was eine einzelne Person ihr geben konnte. Sie wollte Erfahrungen machen, die größer waren. Schon immer hatte sie gewollt, dass sich ein Abend zu einer komplexeren Sache entwickelte. Und sie hatte ihre Welten schon immer vermischt. So half sie Erika dabei, einen Job als Kellnerin im *Spice Store* zu bekommen. Die Angst, etwas zu verderben, war Sloane fremd; wenn überhaupt, empfand sie das potenzielle Chaos als aufregend. Nach der Arbeit saßen sie alle noch zusammen, tranken ein letztes Glas und gingen durch, was gut und was weniger gut gelaufen war. Weil die Stimmung im Restaurant in ihrer Hand lag, besprachen sie, was sie am nächsten Abend für die Gäste noch besser machen konnten. Das Ganze hatte eine erotische Komponente. Sobald sie beim Eindecken der Tische eine ganze Welt erschuf, fühlte Sloane sich lebendig.

Wenn sich der Kosmos des Restaurants einmal zu klein und erdrückend anfühlte, wenn sie das Gefühl hatte, dass Erika zu viele Ansprüche erhob, verschwand Sloane für ein paar Nächte zu Judd. Mit Judd kamen immer viel Alkohol und Drogen ins Spiel und schnelle Nummern im Dunkeln. Judd war wie eine Loftwohnung, rau und kühl. Dieses ganze Sid-und-Nancy-Ding reizte Sloane. Sie wusste nie, ob er ihr Freund war, wusste nie, ob sie das überhaupt wollte, aber ihr gefiel, dass sie sich den Kopf darüber zerbrach, ob er sie anrufen würde oder nicht. Es gefiel ihr, sich für ein Treffen mit ihm zurechtzumachen. Mascara, Strohhalme in klaren Flüssigkeiten. Mehrere Monate lang hatten sie eine stürmische Affäre: Sie trennten sich und kamen wieder zusammen, lebten zusammen und verließen einander und gingen wieder zum anderen zurück. Er war verrückt, und sie verhielt sich verrückt, wenn sie in seiner Nähe war.

Dann folgte eine dritte Beziehung mit Richard, dem Koch, obwohl es sich am Anfang nicht wie eine anfühlte. Es gab keinen großen ersten Fick, keine Nacht mit Befremden und Scotch, die alles in Gang brachte. Die Stimmung zwischen Sloane und Richard war aufgeladen, aber sie war auch eindeutig. Er war kein Kind. Er hatte eine acht Monate alte Tochter mit einer Frau, zu der er noch immer eine enge, wenn auch nicht erotische Beziehung pflegte. Obwohl er Vater war, sah Sloane ihn nicht wirklich als solchen. Sie sah ihn als einen Mann, der ihr guttun würde. Und hatte das Gefühl, erwachsen werden zu müssen. Beziehungsweise wusste sie, dass sie erwachsen werden musste. Auch wenn ihr nicht ganz klar war, wer sie sein wollte, war ihr doch immer klar gewesen, welche Maßstäbe es zu erfüllen galt. Das bekam man einfach mit, wenn man aus einer Familie wie der ihren stammte.

Sie sagte Judd nie richtig, dass es vorbei war. Stattdessen entfernten sie sich in winzigen Schritten voneinander. Der Trick, so hatte sie gelernt, bestand darin, nie ehrlich zu sein und auch nie richtig zu lügen. Sie fing an, länger im Restaurant zu bleiben und an der Bar noch etwas zu trinken, während Richard ihr und den verbliebenen Kellnerinnen ausgefallene Gerichte brachte. Crêpetaschen mit pikantem Schweinefleisch, zugebunden mit Lauchzwiebelblättern. Irgendwann kam die Nacht, da sie gar nicht mehr zu Judd ging, und er rief immer wieder an – so oft, wie sie es sich früher immer gewünscht hatte, und noch häufiger. Dann kam die Nacht darauf, in der sie mit dem Chefkoch mitging.

Am Morgen danach öffnete Sloane die Augen, und Richard war schon wach und hatte den Blick auf sie geheftet, und es fühlte sich natürlich und geborgen an. Darum sagte sie, nur halb im Scherz: »Findest du, wir sollten exklusiv füreinander sein?«

Hier und da stand Spielzeug, hübsch angeordnet auf den Bücherregalen. Im Küchenschrank stand Reisgetreidebrei, und auf dem Abtropfgitter trockneten Babyflaschen und schnullerähnliche Sauger.

Richard hatte den Kopf in die Hand gestützt. Ein breiter Streifen Sonnenlicht fiel auf den staubigen Boden.

»Ich dachte, das wären wir schon.«

Der Anfang ihrer Beziehung war unverkrampft, anders als Sloane es aus fast allen ihrer früheren Beziehungen kannte. Es fühlte sich sofort so an, als hätte sie die Sache unter Kontrolle. Sie musste dem Teil in Richard nicht nachjagen, der in Männern wie Judd so tief vergraben zu sein schien. Dieser Teil war nicht Liebe, doch er war ein Innehalten. Ein Reglos-Bleiben, lang genug, damit sie zum Kern des anderen durchdringen und sich auf ihn einstellen konnte. Richard war selbstsicher und stark und mächtig. Er war nie eifersüchtig oder gemein. Er war talentiert, selbstbewusst, und er gab seinen Mitarbeitern Anweisungen, die freundlich und bestimmt zugleich klangen. Hinzu kam, dass er sie wie ein Wahnsinniger begehrte, er wollte sie ständig. Sie wollte ihn natürlich auch, aber seine fast schon karnickelhafte Unersättlichkeit gab ihr das Gefühl, die begehrteste Frau der Welt zu sein.

Sie hatten die gleichen Lebensziele. Sie wollten beide ein Restaurant eröffnen, und – was noch viel besser war –

er wollte die Küche schmeißen und sie den Laden vorn. Es war zu gut, um wahr zu sein. Sieben Monate später, im Juli, nahm Sloane Richard mit in das Sommerhaus ihrer Eltern direkt am Wasser. Richard war beeindruckt – wie alle, die zum ersten Mal nach Newport kamen. Die Menschenmassen in der Stadt und an den Stränden waren vergessen, sobald man die Kieseinfahrt zu einem der strahlend weißen Häuser hinauffuhr, die auf dem Felsenufer standen. An kleinen Ständen konnte man Eier und Farnspitzen kaufen und das Geld in eine Kasse des Vertrauens legen. Und doch war die Insel auch abschreckend, wie heiß begehrte Orte es an sich haben. Es war Hochsaison, und so wurden sie an einem Restaurant nach dem anderen abgewiesen. Die Köche und Kellnerinnen arbeiteten am Limit, während sich die Touristen in den besten Lokalen am Wasser drängten.

Als sie endlich doch noch einen Tisch bekamen, war das Tischtuch fleckig, weil es zwischendurch nicht ausgewechselt worden war. Über eine Schüssel Linguine gebeugt, die in einer dünnen, an Badewasser erinnernden Muschelsauce schwammen, sahen sie sich an und fällten eine Entscheidung.

Im September hatten sie den Kaufvertrag für ein hübsches minzfarbenes Haus im Stadtzentrum unterschrieben, samt dazugehörigem Restaurant. Gut möglich, dass es leichtsinnig war, stimmte Sloane einigen Freunden zu, aber dumm war es nicht, darauf bestand sie. Sie wusste, dass es keinen besseren Koch als Richard gab. Und hatte es gewusst, seit er an diesem ersten Abend den schwarzen Sägebarsch zubereitet hatte. Ob es keinen besseren Partner gab, da war Sloane sich nicht ganz sicher. Doch sie war bereit, es herauszufinden.

So kommst du damit klar, deinem Mann beim Sex mit einer anderen Frau zuzusehen: Du musst beschwipst, aber darfst nicht betrunken sein. Wenn du betrunken bist, wirst du auf unberechenbare Weise eifersüchtig. Dann denkst du nicht mehr rational. Du kannst nicht mehr auf den Teil deines Gehirns zugreifen, der sagt: »Nein, er liebt dich, er macht das nur zum Spaß.«

Dein Mann muss sich auf dich konzentrieren. Ja, da passiert gerade etwas bei ihm, aber das ist nur ein körperlicher Reiz. Er muss es fühlen, erleben, genießen, aber im Kopf muss er sich darauf konzentrieren, wo du bist. Wo im Raum und wo in deinem Kopf du gerade bist.

Was die andere Frau angeht: Die kann machen, was sie will. Du hast keine Kontrolle über sie. Sie muss sehr gut aussehen – aber weder in deinen Augen noch in den Augen deines Mannes darf sie besser aussehen als du.

Es darf keine Pornoszene sein. Was gerade passiert, das wollt ihr als ein Leib eurer liebevollen Beziehung miteinander erleben. Ihr müsst gut aufeinander achten, ihr müsst achtsam sein.

Achtsamkeit. Du glaubst vielleicht, du würdest verstehen, was das Wort bedeutet, aber du musst es ganz in dich aufnehmen. Dein Ehemann muss sich deiner so bewusst sein, als wäre er in deinem Kopf. Hier geht es darum, *dich* scharf zu machen, und nicht die andere Frau. Selbst wenn er diese andere Frau fickt, muss er in Gedanken dich ficken. Jeder Stoß geht durch diese Frau hindurch und in dich hinein.

Swinging gibt es schon eine ganze Weile, wenn man es so nennen will, denn eigentlich ist es kein Swinging. *Swinging* ist ein Wort, das in eine andere Zeit gehört, zu Menschen, die nicht Sloane sind. Sloane ist edel, genau wie ihre Welt, ihre Bettwäsche, ihr Geist.

Es handelt sich eher um eine Sexualität ohne Grenzen, aber nicht auf diese hedonistische Hipster-Art. Wenn man das Sexleben von Sloane und Richard mit einem gedeckten Tisch vergleichen würde, dann wäre dieser lang und massiv, mit Geweihen und anderen Knochen und Blumen geschmückt. Zu trinken gäbe es Wein und Portwein, und die Gäste würden den Nachtisch und den Salat gleichzeitig essen. Es gäbe Stühle mit Samtbezug und einfache Barhocker aus Holz. Die Gäste könnten aber auch auf dem Tisch sitzen, nackt oder in pompösen Kleidern.

Alles begann an ihrem siebenundzwanzigsten Geburtstag. In der ersten Juliwoche, vor mehr als zehn Jahren. Das Restaurant lief seit zwei Jahren. Weiße Gesimse, Sonnenschein. Sie war zufrieden mit dem, was sie aufgebaut hatte. Sie fand, dass alles, was sie bisher getan hatte, Sinn ergab.

Es war heiß, und Newport wimmelte von Menschen, die das lange Feiertagswochenende dort verbrachten. Mit dem Unabhängigkeitstag kommt das erste lukrative Wochenende der Saison. Die Sommergäste kaufen die Blumenstände auf dem Markt leer. Sie kehren mit tropfenden Stängeln zurück zu ihren klimatisierten Inselautos, grünen Kombis und alten zinnoberroten Cabrios. Der Rost am Unterboden ist ein Statement. Langhaarige Frauen Anfang zwanzig tragen Bikinitops und Jogginghosen. Jedes Jahr ist ein anderes Sandalenmodell in Mode.

Am Morgen ging Sloane ins Restaurant, um Papierkram zu erledigen. Sie strich mit der Hand über den rostfreien Stahl in der Küche und warf einen zufriedenen Blick in den Kühlschrank, der voll war mit Sommergemüse. All die Geräte, die Gastro-Standmixer. Diese Dinge gehörten ihr. Sie konnte Hunderte von Gästen pro Abend bekochen.

Ein Geräusch am anderen Ende des Raums erschreckte

sie. Sie blickte auf und sah Karin, eine Kellnerin, die auch für die Abrechnungen zuständig war. Sloane kannte sie kaum, hatte eigentlich nur gehört, dass sie kürzlich ihr Studium beendet hatte. Wie viele junge Frauen, die nicht wissen, was sie als Nächstes machen oder wo sie leben wollen, hatte Karin sich einen Job auf der Insel gesucht, wo die Eltern ihrer Freunde immer ihren Urlaub verbracht hatten. Als kleines Mädchen war sie mehrmals mitgefahren und hatte Gefallen am Luxus gefunden. Sie hatte tiefdunkles Haar und dunkle Lippen. Fast vampirhaft wirkten sie.

Sloane, die jeder als schlank und sexy bezeichnet hätte, begann auf der Stelle, sich mit Karin zu vergleichen. Sloane war schlanker, Karin war jünger. Sloane gehörte das Restaurant, Karin arbeitete bloß hier. Aber das musste nichts heißen. Womöglich war es ein Pluspunkt, dass Karin angestellt war, ein hübsches junges Ding, das tat, was man ihm sagte. War das nicht, fragte sich Sloane, der Traum aller Männer? Sie dagegen war selbstsicher, ein Alphatier, charmant und doch reserviert. Sie wusste, wie man ordentlich feiert, ging aber immer so früh nach Hause, dass man sie vermisste. Karin war noch ein Kind, vermutlich eine langweilige Gesprächspartnerin, gut für Konzertbesuche und die erste Viertelstunde im Bett, bevor man die Lust daran verlor, ständig die Stellung zu wechseln. Denn dieses Mädchen, das ahnte Sloane, bewegte sich gern und zeigte siegesgewiss, was es hatte. Das aber würde sich schnell erschöpfen, schneller, als ein Mann sich vorstellen konnte. Sloane hatte – langhaarig, yogaerfahren, einschüchternd – weitaus mehr Facetten zu bieten. Jeder Mann würde am Ende sie wählen – und bleiben.

»Hi«, sagte Karin. Die Begrüßung klang eigenartig warm und spitz zugleich.

»Hi«, sagte Sloane. So wie sie es sagte, klang es oft neugierig, voreingenommen und ein kleines bisschen sinnlich.

»Hast du nicht heute Geburtstag?«

Sloane nickte. Sie musste schmunzeln. Und dachte: So einfach ist das also? Jemand erwähnt deinen Geburtstag, und schon lässt du die Deckung sinken. Als wärst du sieben und würdest dein neues getüpfeltes Tüllkleid tragen.

Allerdings wusste Sloane da noch nichts von dem Vorschlag, den Karin ein paar Tage zuvor Richard gemacht hatte. Sie hatte gesagt: »Wie wäre es, wenn ich dir und deiner Frau im Bett Gesellschaft leiste?« Natürlich war das nicht der genaue Wortlaut gewesen. Wenn das Gespräch nicht aufgezeichnet wird, kann man später nie sicher sein, wie die Frage tatsächlich gelautet hat. Und wer später von einer solchen Frage erzählt, darf nicht ehrlich sein, was die genaue Formulierung angeht. Schonungslose Ehrlichkeit, das wusste Sloane, war bei einem Dreier fehl am Platz – wie eigentlich immer beim Sex.

Später stellte Sloane sich vor, wie Richard die Stirn gerunzelt hatte, wie er schüchtern und nervös gewesen war. Seine Frau war nicht da. Er war ein treuer Ehemann. Und deswegen sagte er: »Frag doch Sloane, wenn du willst.« Dann ging er zurück an die Arbeit und bereitete das Essen für Hunderte von Gästen zu.

Karin schlug Sloane vor, den Rest des Tages freizumachen. Eigentlich kannte sie Sloane nicht gut genug, um so etwas vorzuschlagen, aber genau deshalb konnte sie es. »Komm, wir nehmen eine Flasche Champagner mit und fahren an den Strand«, sagte sie und nahm Sloane bei der Hand.

Sie fuhren mit dem Champagner und Sloanes Hund zum

Napatree Point. Karin hatte Handtücher mitgebracht, die sie auf dem warmen Sand ausbreiteten. Sie hatten lackierte Zehennägel, ihre Beine und Füße waren gebräunt. Die See war rau, aber still; wie Schnee die Welt verhüllt, so tut es das Meer mit seinem weißen Rauschen. Aus einem kleinen lädierten Ghettoblaster ertönte Musik. Sie tranken den Champagner, aßen Trauben, und Sloane fühlte sich wie ein kleines Mädchen. Irgendetwas an Karin bewirkte, dass sie sich nicht nur jung, sondern wie ein Kind fühlte. Es war ein bisschen so, als hätte Karin die Kontrolle. Vielleicht weil Sloane es erlaubte? Wie auch immer, sie genoss es, mal einen Schritt zurückzutreten und jemand anderen das Ruder übernehmen zu lassen.

Als die Sonne unterging, fuhren sie zum Haus von Sloane und Richard. Jetzt, da sie einen Tag zusammen verbracht hatten, am Strand und mit Champagner, kam es ihr merkwürdig vor, diese Fremde in ihr Haus zu führen. Es roch säuerlich, nach verwelkenden Rosen. Sloane hatte einen aschigen Geschmack auf der Zunge. Ihre Haut brannte vom Sand und von der Sonne und fühlte sich zugleich rau und feucht an. Alles schien drin zu sein in dieser Nacht, aber natürlich war bereits absehbar, wie sie sich entwickeln würde. Tatsächlich stand es bereits fest.

Die beiden Frauen waren zunächst allein im Haus. Sloane dachte darüber nach, Karin wegzuschicken, bevor Richard eintraf. Aber irgendetwas hielt sie davon ab. Der Alkohol, zum einen. Und die Tatsache, dass es sich manchmal belebend anfühlen kann, etwas Schlechtes zu tun.

Nach einer knappen Stunde hörten sie ein Auto vorfahren, und Richard setzte sich zu ihnen auf die Terrasse. Er kam ohne Kuchen. Auch im Haus war keiner. Sloane hatte kurz nach dem 4. Juli Geburtstag, und sie besaß ein Saisonrestaurant an einem Ort, an dem der 4. Juli der wichtigste Feiertag des Jahres war. Sie hatte schon häufiger keinen Geburtstagskuchen bekommen.

Die drei tranken Cocktails und Wein. Alkohol war wichtig bei so einer Begegnung, das wusste Sloane. Er war fast wichtiger als die Leute, die einander begegneten. Sie wusste, dass sie den perfekten Grad von Berauschtheit brauchte. Wein war gut, besonders dieser, ein süffiger weißer. Neben dem Alkohol gab es Sloanes Meinung nach noch eine weitere Komponente, die nötig war, um einen Dreier anzufangen. Es waren diese Worte.

Eins führte zum anderen.

Die Beteiligten können selten sagen, wann genau es passiert. Weil das unmöglich ist. Man müsste zugeben, dass man auf der Suche nach etwas ist, das sich moralisch zweifelhaft anfühlt, fremd und bedrohlich. Ein Ehemann, der sich danach sehnt, in einen anderen Körper einzudringen, eine andere Brust zu umfassen. Eine Ehefrau, die sehen will, wie ihr Mann eine andere begehrt, um ihn nur noch stärker zu begehren. Eine Dritte, die nicht allzu begehrenswert ist und die, wenn sie ins Zimmer kommt, nicht mehr als eine Nummer in einem Tanktop ist. Ein Ehemann, der den ersten Schritt macht. Eine Dritte, die den ganzen Tag nichts gegessen hat. Jemand macht Musik an. Jemand gießt einen Drink ein. Jemand zieht seinen Lippenstift nach. Eine Frau nimmt eine bestimmte Haltung ein. Ein Mann ist weniger verletzt, als er sein sollte. Eine Frau hat Angst vor ihrer Lust. Jemand macht sich Sorgen, dass er nicht erregbar genug ist. Jemand zündet eine Kerze an. Jemand schließt die Terrassentür. Jemand hat ein komisches Gefühl. Was passiert, ist rein körperlich und doch alles andere als das.

Eins führte zum anderen, und Sloane machte mit Karin rum. *Rummachen* heißt knutschen, fummeln, mit jemandem körperlich werden, mit dem man keine Beziehung hat. Man konnotiert damit etwas Saloppes, nichts, was eine heilige Bedeutung hat. Auch etwas Schlampiges, Irriges schwingt darin mit. Das Wort hat sich, aus gutem Grund, in Sloanes Gedächtnis eingebrannt.

Eins führte zum anderen, Sloane machte mit Karin rum, und dann kam Richard dazu, küsste Sloanes Schultern, während sie mit Karin knutschte.

Sloane hatte es immer gereizt, mit Frauen rumzumachen. Es war nicht nur verlockend, es war auch leicht. Nie hatte sie gedacht: O mein Gott, ich küsse ein Mädchen. Nicht einmal auf dem College, beim ersten Mal mit Lia. Für Sloane hatte es sich immer irgendwie reif angefühlt, keine harte Grenze zwischen den Geschlechtern zu ziehen und keine klare Vorliebe für die eine oder andere Seite zu zeigen.

Jetzt aber war sie verheiratet. Es ging nicht um die Frau, sondern um ihren Ehemann und eine andere Frau.

Sie betrachtete es rational. Sie sagte sich: Diese Frau hat mich angegraben. Es war nicht so, dass Richard gesagt hätte: »Ich will, dass du mit dieser Frau rumknutschst.« Am Strand waren nur sie und ich. Außerdem kommen er und ich an erster Stelle, diese Frau ist nur ein Zusatz. Sie ist nur zu unserem Vergnügen dabei.

Zwei Jahre zuvor, als Sloane beschlossen hatte, dauerhaft nach Newport zu ziehen – und damit nicht wie ihre Mutter zu werden –, war sie rüber nach Block Island gefahren, einer Insel in der Nähe. Sie hatte den Wagen im Bauch der Fähre abgestellt und war aufs Oberdeck gestiegen, um auf das graublaue Wasser zu schauen. Der kalte und salzige

Wind peitschte ihr die Haare um den Kopf und in die Augen, während sie darüber nachdachte, was für eine Art Frau sie sein wollte. Eine ziemlich weitreichende Frage, die sie schon ihr ganzes Leben lang begleitete. Audrey Hepburn in *Frühstück bei Tiffany*. Kim Novak in *Vertigo*. Diese Frauen umgab stets ein Schleier aus Rauch und Intrige. Am meisten fesselte Sloane, dass sie sich nicht für das entschuldigten, was sie waren. Sogar Holly Golightly schien – trotz ihrer Zerstreutheit und Unentschlossenheit – jeden Morgen in ihrem winzigen Badezimmer einen Pakt mit sich selbst zu schließen: sie gegen den Rest der Welt.

An diesem Tag und auf dieser Fähre beschloss Sloane, dass sie unerschütterlich sein wollte. Sie würde jeder Strömung standhalten, egal, wie sie sich drehte. Sie würde ihr Leben nicht aus den Händen geben. Natürlich würde es schwierige Momente geben, aber sie würde jeden dieser Momente als Chance begreifen. Und dies war ein solcher Moment. Hier war diese sinnliche junge Frau, die mit einem Glas Wein in der Hand auf ihrer Terrasse saß.

Damals kannte Sloane ihren Mann noch nicht ganz. Sie waren erst seit wenigen Jahren verheiratet, die Hälfte der Zeit lebte seine Tochter bei ihnen, und den Rest der Zeit ging es um das Restaurant, darum, es bekannt zu machen, um Speisekarten, um Personalfragen. Immer weiter und weiter und weiter. Sloane war sich nie ganz sicher, dass Richard nur auf sie stand, dass er von allen Menschen wirklich nur sie wollte. Schließlich fragte sie sich selbst, ob man so etwas tatsächlich für einen anderen Menschen empfinden konnte.

Immerhin war sie fest davon überzeugt, dass Richard noch nie etwas in der Art getan hatte. Am Anfang wirkte er unsicher, sogar verstört, aber dann sagte jemand etwas

Flapsiges und Entwaffnendes, alle entspannten sich, und eins führte zum anderen.

Es geschah langsam. Die beiden Frauen küssten sich, dann lösten sie Richards Gürtel und streiften seine Hose nach unten. Sie wechselten sich ab, es ihm mit dem Mund zu machen, lächelnd, höflich, und alles fühlte sich zunächst ganz unbeschwert an. Ihre Augen glänzten, weil die ganze Sache so absurd, so aufregend war. Eins führte zum anderen: Plötzlich stellte sich Sloanes Mann hinter diese andere Frau und fickte sie, und irgendetwas in Sloane kam zum Stillstand. Nicht ihr Herz, aber doch etwas, das ihren Körper am Laufen hielt. Sie spürte, wie ihre Seele sie verließ und aus dem Zimmer huschte. Dann erschlaffte ihr Körper, und sie wich zurück.

Richard bemerkte es gleich. Sofort zog er sich aus der anderen Frau zurück, ging zu Sloane und fragte: »Was ist los?«

»Es fällt mir sehr schwer, dabei zuzusehen«, sagte Sloane. Sie schaute an ihm vorbei, in die Kerze auf ihrem Nachttisch. Im Zimmer roch es nach Feigen. »Wahrscheinlich war ich noch nicht bereit.«

Wie albern, dachte sie, das Wort *bereit* zu benutzen. Wann ist man je für etwas bereit? Ist das Leben in Wahrheit ein Kontinuum von Dingen, auf die man sich vorbereiten muss, und erst dann, nach der perfekten Vorbereitung, kann man in der Gegenwart existieren?

Sloane hatte keine Ahnung, was das Mädchen gerade tat. Es war ihr egal. Es gab nur sie und ihren Mann in diesem stickigen Zimmer. Sie fand es erstaunlich, dass Karin so jung war, deutlich jünger als sie, und es für sie trotzdem nicht das erste Mal war, dass sie so etwas tat. Etwas so *Erwachsenes*. Karin wartete auf dem Bett, vielleicht kannte sie solche Szenen bereits. Und wusste, dass sie vorbeigingen.

Sloane war verwirrt. Sie hatte sich vorgestellt, dabei zuzusehen, wie ihr Mann eine andere Frau vögelte, eine Fantasie, die sie nie offen geäußert hatte, zu der sie aber immer wieder zurückgekehrt war, in allzu naheliegenden Momenten. Jetzt fühlte es sich auf einmal schrecklich falsch an. Bald schon würde sie sich wieder vorstellen, wie Richard das Mädchen vögelte, und es würde sie antörnen. Doch gerade fiel sie innerlich auseinander. Verdammt, ihr Mann tröstete sie, nachdem sein immer noch erigierter Penis in einer anderen Frau gesteckt hatte, die tagsüber in ihrem Restaurant arbeitete.

Eins führte zum anderen, und irgendwie retteten sie die Sache. Sloane entschied, dass sie weitermachen konnte. Passiert war es ja sowieso schon. Ihr Ehemann hatte seinen Penis vor ihren Augen in eine andere Frau gesteckt. Sie hatte seinen Rücken gesehen, jeden Stoß. Es gab kein Zurück. Selbst im komplexesten aller verzauberten Königreiche konnte sich Sloane keine Zeitmaschine vorstellen, die sie hätte zurückbringen können.

# Maggie

In der zehnten Klasse wird Maggie Tante, ihre kleine Nichte heißt Emily. Maggie ist stolz darauf, wie schön und glücklich das Baby ist. Manchmal macht es ihr Angst, wie lieb dieses kleine Wesen sie hat. Wenn sie auch nur kurz weggeht, weint es.

Sie verliert ihren Platz in der ersten Mannschaft und muss in die zweite. Es gibt zwei neue Fußballtrainer, einen Mann und eine Frau, die den alten Cheftrainer abgelöst haben. Die neuen Trainer nehmen sie nach dem Auswahlspiel zur Seite. In einem dunklen Personalraum stehen sie dicht nebeneinander und sagen: »Hör zu, du spielst ab jetzt in der zweiten Mannschaft. Du bist zwar gut darin, auf dem Feld die Übersicht zu behalten, aber der Ball kommt bei dir nicht dahin, wo er hinmuss.«

Sie versteht nicht, wie beides stimmen kann. Andere Zehntklässler und frisch dazugekommene Neuntklässler schaffen es in die erste Mannschaft. Sie ist abwechselnd wütend und beschämt.

Maggie hört auf. Das ist ihre Art, mit Rückschlägen umzugehen. Wenn sie kritisiert wird, ohne dass der andere sich die Mühe macht, ihr zu sagen, dass sie trotzdem wertvoll ist, versucht sie nicht, es besser zu machen. Dann sagt sie sich: Drauf geschissen, du kannst mich mal. Sie verzichtet auf das, was sie liebt. Und sie hat niemanden, der ihr zur

Seite steht und ihr sagt, sie solle sich erst einmal zurück-
lehnen und in Ruhe darüber nachdenken. Sich in der zweiten Mannschaft reinknien und den Trainern beweisen,
dass sie sich geirrt haben. Ihr Dad ist stark, aber ständig
betrunken. Seit er den Job verloren hat, in dem er sein ganzes Leben gearbeitet hat, sucht er zwar einen neuen, unternimmt jedoch nicht die richtigen Schritte.

Sie weiß, die beiden Trainer halten sie für hochnäsig. Sie
finden, Maggie kenne ihren Platz nicht. Denn wer in Fargo
lebt, tanzt nicht aus der Reihe. Amerika will, dass du deinen Beitrag leistest. Und Maggie sieht darin, sieht überall
nur die Ungerechtigkeit. Dann kommt ein Lehrer wie
Mr. Knodel, der weiß, wie man mit ihr reden muss. Es gibt
Leute da draußen, die für uns wie die Züge in der Ferne
sind, erhaben, entschlossen, unbeirrbar, und Maggie will
einer dieser Menschen sein. Doch manchmal stehen ihr
ihre eigenen Bedürfnisse im Weg. Dann fällt sie darüber
und liegt am Boden, bereut zu spät und irgendwie auf die
falsche Art, sodass sie niemand mehr retten will.

»Haben Sie sich Mr. Knodel während Ihrer Zeit an der
Highschool weiter anvertraut, nachdem Sie ihn in der
neunten Klasse als Englischlehrer hatten und dann den
Debattierclub und das Service-Learning und diese anderen
Zusatzkurse besucht haben?«

Du findest, Hoys buschiger Oberlippenbart lässt ihn
senil aussehen. Bei dürren alten Menschen kriegst du sowieso die Krise. Sie erinnern dich an die Mutter deines Vaters. Als du noch ein Kind warst, schien sie dir immer dann
um die Ecke zu kommen, wenn du gerade etwas Sündhaf-
tes getan hattest. Genau so erwischt auch Hoy dich oft un-
vorbereitet. Er sieht dich an, als wärst du eine Niete. Weil

du seit der Highschool so viel zugenommen hast. Vielleicht weiß er, dass sein Mandant schuldig ist. Wahrscheinlich. Jedenfalls schaut er dich an, als würde es ihn überraschen, dass Aaron mal auf dich gestanden hat. Manchmal möchtest du am liebsten alte Fotos von dir rausholen. Den Leuten dein Lächeln zeigen, deinen schmalen Körper. Du würdest Hoy gern sagen, dass er ein alter Widerling ist. Um dem Sex mit ihm zu entgehen, hat seine Frau bestimmt so oft Kopfschmerzen wie keine andere in der Geschichte des versandenden Verlangens.

»Entschuldigung, ob ich …«

»Haben Sie sich ihm auch in der elften Klasse anvertraut und von Ihren Erfahrungen mit einem erwachsenen Mann auf Hawaii …«

Der Staatsanwalt Jon Byers unterbricht ihn: »Hier werde ich Einspruch wegen Irrelevanz erheben. Außerdem verstößt die Frage gegen das *Rape shield law.*«

Es fühlt sich schrecklich an, wenn man dankbar dafür ist, dass jemand, der die Aufgabe hat, einen zu verteidigen, das dann auch endlich tut. *Rape shield* heißt, dass man ein vermeintliches Vergewaltigungsopfer nicht zu anderen sexuellen Aktivitäten befragen darf. Es heißt, man darf nicht versuchen zu beweisen, dass die Frau im Grunde eine *Schlampe* ist.

Das Flugticket hatte ihr Schwager bezahlt. Es war das erste Mal, dass Maggie übers Meer flog. Fünfzehn Stunden. Allein die Länge des Flugs war exotisch.

Dane und Melia lebten in Oahu. Dane war auf dem Stützpunkt Schofield Barracks stationiert. Melia war sonnengebräunt und hatte eine kleine Tochter. Manchmal machte es Maggie zu schaffen, dass Melia inzwischen zu

*Dane und Melia* geworden war. In ihrer Kindheit in Fargo, wo der Winter alles beherrscht hatte, waren Maggie und Melia unzertrennlich gewesen. Schlimm genug, dass ihre große Schwester ihr nun nicht mehr gehörte. Dass sie auch noch in einer tropischen Traumwelt lebte, setzte dem Ganzen die Krone auf.

Für die Trauung war Melia nach Hause gekommen. Sie hatte im Sommer in Wild Rice, in der Nähe von Fargo, stattgefunden. Maggies Brautjungfernkleid war aufwendig gearbeitet, schulterlos und bronzefarben, mit vielen Raffungen und Rüschen und Lagen. Es erinnerte sie an das Kleid von Belle in *Die Schöne und das Biest*.

Nach der Hochzeit flogen die Schwestern mit der kleinen Emily nach Hawaii, wo Dane sie schon erwartete. So war das offenbar beim Militär: Die Männer gingen voraus, um irgendwo einen Pfahl in die Erde zu rammen oder eine kaputte Wasserleitung zu reparieren.

Vor dem Abflug gehen Melia und Maggie noch shoppen. Melia erklärt ihrer Schwester, dass sich auf Hawaii niemand groß stylt. Dass sie keine hochhackigen Schuhe, sondern nur schöne Sandalen und bequeme bunte Kleidung braucht. Maggie kauft sich daraufhin weite Oberteile und Röcke. Ein Oberteil gefällt ihr besonders gut, ein langes türkisfarbenes Schlauchtop, das an der Brust ganz eng sitzt, dann aber weit fällt. Sie kann es als Kleid oder zu einer Jeans anziehen. Am Ende des Einkaufsbummels hält Maggie ihre Einkaufstüten wie zwei nach unten zeigende Blumensträuße. Dankbar drückt sie sie an sich, als wären es schon Erfahrungen, noch verpackt, aber folgenschwer.

Von dem Moment an, da das Flugzeug landet, ist Maggie völlig verzaubert von Hawaii. Von den smaragdgrünen Bäumen, den leuchtenden Blumen. Schon der Flughafen ist eine Pracht. Zum ersten Mal sieht sie ihr Weißsein durch die Linse des anderen. Und plötzlich kommt ihr Fargo wie ein Vakuum vor. Vielleicht war es auch zu kalt, als dass sie hätte stehen bleiben und etwas sehen können.

Sie verbringen die sonnigen, warmen Tage am Strand und schauen der kleinen Emily dabei zu, wie sie die Welt um sich herum erkundet. Sand durch ihre kleinen pummligen Finger rieseln lässt, das salzige Meerwasser kostet. Maggie fühlt sich zeitweilig wie ein Neugeborenes. Alles ist neu und fremd. Die Vögel singen, als kämen sie von einem anderen Planeten. Diese Art von Hitze hat sie noch nie erlebt. Und das Meer erst! Maggie ist schon immer leidenschaftlich gern geschwommen, aber noch nie in solchem Wasser. Dieses paradiesische Blau, diese Schwärme leuchtender Fische. Sie denkt an das bleifarbene North Dakota, an seine schieferschwarzen, eiskalten Gewässer.

Einmal wandert sie allein zu einem versteckten Wasserfall. An einem grünen Berg sprudelt zwischen zwei Felsen das wilde dunkle Wasser wie aus einem schillernden Trüffel hervor. Auf Hawaii hat Maggie ständig das Gefühl, einen Badeanzug tragen zu müssen, weil sich selbst an der größten Straße noch die Möglichkeit ergeben kann, kurz ins Wasser zu springen.

Manche Leute, denkt Maggie, leben ihr Leben, als wären sie sich ganz sicher, noch ein anderes zu bekommen. Noch eine Chance, um cool und beliebt oder klug und reich zu sein und immerzu Sex zu haben. Sie tun, als wäre es okay, sich in diesem Leben hängen zu lassen, sich dieses Leben nur anzusehen, als wäre es ein Film. Maggie ist streng katholisch und glaubt nicht an mehrere Leben. Und so ist sie fest entschlossen, das Beste aus diesem einen zu machen. Sie will alles erleben, will aber auch den Geboten ihrer

Religion folgen. Darum hat es sie aufgebracht, als Melia ihr von der Schwangerschaft erzählte. Es ist nicht richtig, Sex vor der Ehe zu haben. Doch die kleine Emily ist frei von Sünde, so rein und strahlend wie ein Stern. Maggie kann sich nicht vorstellen, dass allein durch ihre Geburt schon Sünde an ihr haften soll. Vor allem jetzt, wo Dane und Melia denselben Nachnamen tragen. Außerdem haben sie einen Mixer. Nichts ist so katholisch und so verbindlich wie ein sauberer, weißer Mixer.

Dass es Schwarze und Weiße gibt, war für Maggie früher ganz entscheidend. Auf Hawaii aber kommt ihr diese Eindeutigkeit auf einmal unklug vor. Die Insel führt Maggie ihre eigenen Widersprüche vor Augen. Sie verbringt lange laue Nächte damit, in sich hineinzuhorchen. Sie unternimmt ausgiebige Strandspaziergänge. Beobachtet, wie sich ihre Zehen in den Sand graben, und denkt an die vielen Leute zu Hause, die nach ihrer Rückkehr überrascht sein werden, wie sehr sie sich verändert hat.

Ein paarmal bleibt Melia – am Abend, wenn sechzehnjährige Mädchen die Entscheidung, so lange bei frischgebackenen Eltern zu bleiben, am meisten bereuen – mit Emily zu Hause, und Dane nimmt Maggie mit zu Freunden. Sie sind groß und laut, und Maggie trinkt und lacht gern. Sie weiß, dass das der Schlüssel ist, wenn man dazugehören und zum Abendessen eingeladen werden will.

An einem der Abende geht Maggie auf die Party eines Typen, den sie über Dane kennengelernt hat. Melia schärft ihrem Mann ein, sich an Maggie dranzuheften und sie nicht aus den Augen zu lassen. Maggie und Dane kommen in normalen Klamotten an und sehen, dass alle anderen Togen tragen. Rote Plastikbecher leuchten zwischen den vielen weißen Gewändern wie kleine Lämpchen auf.

»Scheiße«, sagt Maggie zu ihrem Schwager. »Wusstest du nicht, dass das eine Toga-Party ist?«

»Hab ich vergessen.«

Der Typ, der die Party schmeißt, kommt auf sie zu, klopft Dane auf die Schulter und stellt sich Maggie vor. Er ist Kubaner, hat breite Schultern und ein charmantes Lächeln.

»Ihr seid ja gar nicht verkleidet!«, ruft Mateo.

»Das ist seine Schuld«, antwortet Maggie und zeigt auf Dane.

Die beiden folgen Mateo in sein dunkles, karg möbliertes Haus, wo er aus einem winzigen Wäscheschrank zwei halbwegs weiße Laken hervorholt. Maggie zieht sich im Badezimmer um, drapiert sich das Laken über die nackte Schulter und verknotet es am Rücken. Falls es im Bad irgendwelche antimykotischen Salben oder irgendwelche Mittelchen gegen Haarausfall gibt, sieht sie sie nicht. In der eher mickrigen Dusche steht eins von diesen riesigen Shampoo-Dingern. Es riecht nach sauberen Männern.

Danach mischt sie sich unter das Partyvolk und trinkt Malibu, der sanft ihre Kehle hinabgleitet. Sie lacht viel und hat das Gefühl, viel beeindruckender als eine normale Sechzehnjährige zu sein.

Mateo sagt zu Maggie, dass er ihre witzige, freche Art mag. Sie lachen zusammen, und er sieht ihr in die Augen, wenn sie miteinander reden. Er vertraut ihr an, dass er sich gerade erst von seiner Frau getrennt hat, dass sein Herz noch gebrochen ist. Entweder er hat das Wort *gebrochen* benutzt, oder es war ihre Schwester. Er ist einunddreißig, was auf Maggie aber wie siebenundfünfzig wirkt, weil sie selbst noch so jung ist und er Zeit hatte, um zu heiraten und sich wieder scheiden zu lassen, während es ihr schon zu viel ist, wenn sie neben den Hausaufgaben auch noch zum Vergnügen lesen soll.

Sie trinkt so viel, dass sie sich übergeben muss. Sie tut es hinter einem geparkten Auto und hält sich selbst die Haare aus dem Gesicht. Ihr Schwager kommt mit einem seiner Freunde nach draußen. Sie sehen sie und lachen. Maggie hebt den Kopf. Ihr Spott macht ihr nichts aus, weil sie weiß, wie man damit umgeht. Sie ist froh, dass es nicht Mateo ist, der sie hat brechen sehen. Alle anderen sind wie Brüder für sie.

Melia und Dane wundern sich nicht weiter, als Mateo ein paar Tage später abends bei ihnen aufkreuzt, schicker als sonst, und Maggie zum Essen ausführen will.

Maggie ihrerseits ist schwer beeindruckt. Sie findet, dass er toll aussieht. Sein Duft erinnert sie an das dunkle Grün eines Waldes. Und sein Wagen ist der Wagen eines *Mannes*. Im Inneren riecht es nach Lufterfrischer und noch mehr Parfüm. Sie denkt an die Jungen in Fargo, die ihr nie auch nur die Zigarette anzünden. Mateo hält ihr die Wagentür auf. Sie fahren zu *Applebee's*. Maggie bestellt ihr Lieblingsgericht, geschwärztes Huhn. Als ihr Teller fast leer ist, erkundigt er sich, ob sie auch wirklich satt ist. Will genau wissen, ob sie nicht nur so tut, als hätte sie genug.

»Bist du sicher, dass du nichts mehr willst?«, fragt er. »Für mich musst du nicht die Prinzessin geben. Außerdem esse ich so verdammt schnell.«

Sie nickt und schluckt schnell den letzten Bissen hinunter. Dann lächelt sie.

Mateo bezahlt alles. Sie ist daran gewöhnt, an einem kalten, grauen Ort zu leben und Zeit mit Jungen zu verbringen, die sich nicht dafür interessieren, ob sie glücklich ist oder hungrig. Und jetzt sitzt sie hier auf Hawaii und hat eine richtige Verabredung mit einem richtigen Mann. In der Ferne braust das Meer. Die Luft ist mild, und alles riecht nach Ananas, genau wie ihr Lipgloss.

Nach dem Essen machen sie einen Spaziergang am Strand. Der Sand ist kühl und weich unter ihren Füßen. Irgendwann wird sie lernen, dass es viele Männer gibt, die einen wie er jetzt im Gehen anschauen. Aber Maggie ist sechzehn. Für sie ist Mateo der einzige. Ihr Körper glüht von dem Rum, den sie getrunken haben. Sie hat das Gefühl, dass es in ihr brodelt, aber auch, dass sie alles unter Kontrolle hat.

Er schlägt vor, dass sie sich hinsetzen und aufs Meer schauen. Das machen sie, mit angezogenen Knien starren sie hinaus aufs Wasser wie die Menschen am Ufer der Seine auf einem Bild von Seurat. Maggie versucht, sich auf das Zurückziehen der Wellen zu konzentrieren. Mateo rückt näher an sie heran. Er grinst, doch sein Mund bleibt geschlossen. Wie so viele Mädchen in ihrem Alter ist Maggie noch offen für die Welt, frei von Angst, unbesiedelt. Männer drängen hinein und verwandeln ein Mädchen in eine Stadt. Wenn sie wieder gehen, hinterlassen sie entfärbte Stellen auf dem Holz, auf das über lange Zeit die Sonne gefallen ist, bis sie es eines Tages nicht mehr tat.

»Warum grinst du so?«, fragt Maggie.

»Weil ich dich küssen will«, sagt Mateo.

An einem dieser strahlenden Morgen auf Hawaii holt er Maggie mit seinem Motorrad ab. Er nimmt sie zu einem Motorradclub-Treffen mit, dessen Auftakt ein Frühstück im Grünen ist, zu dem jeder etwas mitbringt. Maggie sieht keine anderen Mädchen in ihrem Alter. Die anderen Frauen sind Biker-Tussen mit staubiger schwarzer Lederkluft und strähnigen Haaren. Sie fühlt sich fehl am Platz, aber irgendwie auch großartig.

Das türkisfarbene Oberteil trägt sie als Kleid. Ihre braun gebrannten Beine vibrieren, fest an seine gedrückt, mit dem Surren des Motors. Die ersten Kurven haben ihr noch Angst gemacht, aber schon bald denkt sie nicht mehr an die Gefahr. Jede Kurve wird zu einer Möglichkeit, sich mit dem ganzen Körper gegen die Fliehkraft zu lehnen und zu wachsen.

Mateo ist muskulös und hat kleine, sich auffächernde Falten an den Seiten der Augen. Sie genießt es, sich während der Fahrt an seinen Rücken zu schmiegen. Zu Hause in Fargo betrinken sich ihre Eltern wahrscheinlich gerade. Wenn sie dort ist, hat Maggie immer das Gefühl, verantwortlich zu sein für das, was sie gerade tun. Hier auf Hawaii aber ist sie frei. Sie macht Urlaub von der Angst und der Ungerechtigkeit.

Den ganzen Tag fahren sie so herum. An einem bestimmten Punkt verspürt Maggie einen scharfen Schmerz und glaubt, eine Biene habe sie gestochen. Doch dann merkt sie, dass es ein Stein war, den es von der Straße hochgeschleudert und der ihr den Arm aufgeritzt hat. Sie jammert nicht. Sie möchte die Stimmung nicht kaputtmachen.

Nachdem Mateo in seine Einfahrt eingebogen ist, kommt die Maschine leise stotternd unter einem Vordach zum Stehen. Alle Holzhäuser ringsum sind auf Pfählen gebaut, wie verwunschene Baumhäuser für Hippie-Surfer.

Mateo hat einen Mitbewohner, der an diesem Abend nicht zu Hause ist. Maggie sieht sofort, dass Mateo noch nicht lange hier wohnt. Dunkle Laken auf dem Bett, das Zimmer ist spärlich eingerichtet. Auf den Kopf gestellte

Papierkörbe dienen als Nachttische. Es wirkt so, als hätte Mateo bis auf ein Feuerzeug und einige schöne Hosen nichts aus seinem alten Leben behalten. Maggie war gerade erst auf der Hochzeit ihrer Schwester. Es kommt ihr absurd vor, dass dieser Mann schon verheiratet gewesen ist und jetzt ein einziges Zimmer mit einem an die Wand geschobenen Bett bewohnt und nichts als ein paar Päckchen Duck Sauce, Bier und einen sandigen Brita-Filter im Kühlschrank hat.

So wie Maggie es sieht, will sie es mehr als er. Er weiß nicht, dass sie noch Jungfrau ist. Er weiß nicht, dass sie ihrer Schwester erst vor ein paar Monaten die Hölle heiß gemacht hat, weil diese unverheiratet schwanger geworden war.

Maggie legt sich vor ihm aufs Bett. Sie vögeln zwanzig Minuten lang. Es ist mehr und weniger als das, was sie erwartet hat. Zum einen ist ihr jetzt klar, wie das Ganze, in einzelne Schritte zerlegt, körperlich abläuft. Das Kopulieren selbst ist obszöner, als sie gedacht hat. Aber sie gehört jetzt dazu. Sie gehört zu denen, die tief in die Matratze gestoßen werden und auf nassen Flecken liegen.

Das Immaterielle beeindruckt sie noch mehr. Für Maggie ist die Art, wie er die Verletzung an ihrem Unterarm bemerkt hat, Sex. Dass er aufgebracht war, weil sie nicht aufgeschrien und den Schmerz für sich behalten hat. Wie er seine Retroshorts abgestreift hat. Die seltsame Weichheit bestimmter Körperstellen. Das sind die Dinge, an die sie sich noch Jahre später erinnern wird.

Als es vorbei ist, bringt er sie nicht gleich nach Hause. Sie liegen noch lange in seinem Bett und reden miteinander. Er stellt ihr Fragen über Fargo und erzählt ihr von Kuba. Sie hört ihm zu, mit der Hand auf seiner Brust, die sich wie die eines Tiers hebt und senkt. Sie konzentriert sich auf ihre Hand, hofft, dass sie ihm nicht zu schwer oder unangenehm ist, sie selbst nicht zu sehr wie ein Kind rüberkommt. Sie will nicht wie eine Jungfrau wirken.

Und sie ist ja auch keine mehr.

Byers erhebt Einspruch gegen Hawaii. Der ganze Staat sei ein einziger Geschlechtsakt.

»Ich habe gefragt«, sagt Hoy, »ob Sie sich ihm anvertraut haben?«

»Ja«, antwortest du.

»Und auf welche Weise haben Sie sich ihm in dieser Sache anvertraut?«

»Ich habe ihm einen Brief geschrieben.«

»Okay. Warum an Mr. Knodel?«

»Weil ich mich wahnsinnig geschämt habe und ich ihn bis dahin als jemanden erlebt hatte, der andere nicht verurteilt.«

»Okay. Und was haben Sie sich mit diesem Brief von Mr. Knodel erhofft?«

Du denkst darüber nach. Es ist dir peinlich, manche dieser Fragen vor deinem Bruder zu beantworten, auch wenn er das meiste davon schon weiß. Bei eidesstattlichen Erklärungen stellen sich dir die Härchen an den Armen auf. Alle erfahren von dem bescheuerten, peinlichen Psychozeug, das du gemacht hast. Du erinnerst dich, wie du zu Hause den Brief geschrieben und ihn ihm dann nach dem Unterricht gegeben hast. Du erinnerst dich, wie gut es tat, dich jemandem mitzuteilen, der nicht seinen ganzen eigenen Müll auf deine Entscheidung projiziert. Alle haben dich verurteilt, nur dieser Mann nicht. Deine Freundinnen haben dich angeschaut, als würdest du ihnen die Jungen ausspannen wollen, in die sie verknallt waren. Deine Mutter hat dich angeschaut, als würdest du irgendwelche kleinen Monster in deinem Bauch heranziehen, lästige Babys mit den Köpfen alter Männer. Dein Vater hat dich angeschaut, als könnte er dich nie mehr in den Arm nehmen.

Mr. Knodel aber wollte das Beste für dich. Er hat sich nicht davon beeinflussen lassen. Nur von seinen Gefühlen als Lehrer. Und davon, wie wichtig es für dich war, dass dir endlich jemand zuhört. Dass du einfach sagen kannst: »Hey, ich hatte Sex mit diesem Typen auf Hawaii, und es hat Spaß gemacht, und das Meer war herrlich, und ich dachte, ich würde ihn lieben. Nur dass er mich nicht zurückgeliebt hat, aber ich habe mich trotzdem geliebt gefühlt, ich habe mich sexy und schön und ganz ich selbst gefühlt. So wie: Das ist Maggie! Wie kann es dieser Dreckskerl von Hoy überhaupt wagen, das infrage zu stellen? Wünscht Hoy sich denn nicht, seiner Frau sagen zu können, auf welche Art von Pornos er steht? Wünscht er sich nicht, ihr sagen zu können, dass er Brünette bevorzugt, die aussehen wie seine Mutter und ihre Monstertitten gern in flauschige blaue Pullover packen? Wäre es nicht fantastisch, wenn er sich ganz zeigen könnte?«

Aber das kannst du nicht sagen. Denn Hoy und alle anderen verleugnen diese Dinge lieber. Sie sind nicht einmal sich selbst gegenüber ehrlich, geschweige denn einem Gericht gegenüber, wo alles, was man sagt, gegen einen verwendet werden kann. Es gibt keine Menschlichkeit in den Menschen. Du streichst dir über den Arm, um die aufgestellten Härchen zu glätten. Sie wittern die Brise deines Selbsthasses.

Du antwortest: »Ich wollte ihm sagen, dass das nächste Halbjahr ein Kampf für mich werden würde und ... ja, ihm halt einfach sagen, dass das Halbjahr schwer für mich werden würde.«

Als Nächstes wollen sie wissen, welche Medikamente du nimmst. Darum öffnest du deine Handtasche – und sprichst eine fremde Sprache.

Vyvanse, 50 mg, zur Behandlung von ADHS
Ondansetron, 4 mg, gegen Übelkeit
Duloxetin, 60 mg, in Form des Antidepressivums
    Cymbalta zur Behandlung depressiver Erkrankungen
    und Angststörungen
Abilify, 2 mg, zusätzlich zum Duloxetin zur Behandlung
    depressiver Erkrankungen und Angststörungen
Klonopin, 1 mg, bei Bedarf, zur Behandlung depressiver
    Erkrankungen und Angststörungen

Die Zoologen kritzeln irgendwas auf ihre Blätter. Du schaust ihren Kulis dabei zu und hältst dich an deinem Körper fest.

Als die Schule wieder anfängt, fühlt Maggie sich so allein, dass es kaum auszuhalten ist. Sie hat diesen einen falschen Schritt gemacht, und jetzt ist sie dazu verdammt, allein in der Ecke ihre Milch zu trinken. Und was noch schlimmer ist: Sie hat ihre Freundinnen auf den Thron gehoben und ihre Familie verstoßen. An die Highschool wird sie sich als die Zeit in ihrem Leben erinnern, in der sie so leichtsinnig war, Menschen Macht über sich zu geben, denen bis auf das Klingeln bei Schulschluss nichts heilig ist.

Heather S. – unscheinbar, Brille, Tänzerin, illoyal – erzählt anderen von Maggies Hawaii-Reise. Sie sagt Sachen, die Leute sagen, wenn sie heimlich über einen tratschen.

Dumme Schlampe, Nutte, Pädophiler. Wenn Maggie das ganze widerliche Zeug hören würde, das die Leute hinter ihrem Rücken über sie sagen, wenn man diese Leute dabei filmen und es Maggie zeigen würde, würde sie sich vielleicht umbringen. Heather erzählt Reese – Reese, die seit Kindertagen Maggies beste Freundin ist – von der Sache mit Mateo. Was an sich nicht so schlimm ist, aber ein erster Vertrauensbruch. Dann erzählt sie es einem Mädchen namens Zoe, die ein Jahr älter ist und ein loses Mundwerk hat. Und sie erzählt Zoe, dass Maggie sie als dreckige Mexikanerin bezeichnet habe, was nicht stimmt.

Wie ein Flächenbrand verbreitet sich die Neuigkeit auf den Gängen, in der Turnhalle und der Cafeteria. Maggies Mitschüler kommen wie Typen von vor vierzig Jahren auf sie zu und sagen: »Hab gehört, du hast dich von 'nem Latino knallen lassen!« Mit den Mädchen ist es noch schlimmer. Die sagen es ihr nicht direkt, sondern lassen sie ihre bösen Blicke spüren. In ihnen liegt die Drohung, dass sie es ja nicht wagen soll, so zu tun, als wäre sie noch eine von ihnen. Sie geben ihr das Gefühl, schmutzig zu sein, und sagen, dass sie eine Hure ist, die sich an irgendeinen ekligen dunklen Typen verschenkt hat, der kein Stück besser ist als ein Junkie auf Crystal Meth. Und was für eine Art von Hure macht so was?

Sie kann den älteren Mädchen nichts entgegnen, denen aus der Zwölften, deren Gesichter länger und hübscher und klüger sind als ihres. Irgendwann in dieser ersten Woche nach den großen Ferien hört sie auf der Toilette, wie ein paar Zwölftklässlerinnen, die vor dem Spiegel stehen, über Mateo sagen, dass er ein echter Perversling sein muss, wenn er es mit Maggie treiben wollte. Sie reden über den Mann, der in ihr war, als würden sie ihn kennen, und bezeichnen ihn als Abschaum. Nachdem sie gegangen sind, zieht sich Maggie die Hose hoch, setzt sich auf den Klodeckel und heult eine ganze Schulstunde lang.

Als wäre es nicht genug, dass sie sich dreckig und eklig fühlt, sehnt sie sich auch noch nach dem, an den sie ihre Unschuld verloren hat. Sie kann nicht mit dem Mann reden, mit dem sie Sex hatte. Sie kann ihm keine E-Mails oder Facebook-Nachrichten schreiben oder beim Skypen sein Gesicht sehen und einen Insiderwitz reißen. Sie kann nicht mit ihren Eltern darüber reden, und sie will es auch gar nicht. Ihre Eltern – allein deren Existenz – lösen das Gefühl in ihr aus, eine Schlampe zu sein. Ihre Klassenkameraden behandeln sie wie eine Aussätzige. Die ganze Welt hat sich gegen sie verschworen.

Daheim lächelt sie nicht und isst nichts, versucht aber, sich sonst normal zu verhalten, damit ihre Familie nicht glaubt, sie würde ihren Vergewaltiger vermissen. Sie schiebt das Essen auf ihrem Teller herum und lässt es so aussehen, als wäre ein Teil davon verschwunden.

Eines Abends sitzt sie vorm Schlafengehen an ihrem Schreibtisch und fühlt sich so einsam wie noch nie, als ihr aus einer weiseren Ecke ihres Unterbewusstseins ein Gedanke zufliegt. Ihr möglicher Retter steht ihr vor Augen.

Und so fängt sie an, einen Brief zu schreiben. Sie schreibt gern mit der Hand. Dabei kann sie besser denken. Ihr Ton ist dann nicht so sarkastisch, wie er es in einer E-Mail wäre.

»Knodel«, schreibt sie (weil er inzwischen entweder *Knodel* oder *AK* für sie ist, nicht mehr *Mr. Knodel* – er ist noch immer ein Lehrer, hat aber auch etwas von einem Kumpel für sie), »ich möchte dir erzählen, warum ich dieses Semester in den Wind schießen kann.«

Und sie vertraut dem Papier den Sex mit Mateo an, erzählt Knodel, dass es ihr erstes Mal war und dass das vielleicht eine große Sache ist, es ihr darum aber nicht geht. Auch wenn sie sich seitdem definitiv nicht mehr rein fühlt. Nicht mehr als ein Kind Gottes. Ihre Reinheit musste neuen Gefühlen weichen. Wie Mateo nachgefragt hatte, ob sie von dem geschwärzten Huhn wirklich satt geworden war. Wie er ihr, ohne sie überhaupt zu kennen, eines seiner Laken als Toga gegeben hatte. Wie traurig er gewesen war, weil sie nichts gesagt hatte, als der Stein sie am Arm verletzt hatte. Wie er über ihre Witze gelacht hatte. Wie er sie angesehen hatte, als wäre sie ein Fisch, den er eben gefangen hatte und nun hochhielt. Wie er sich – anders als die Jungs auf der Highschool – nicht für seine Lust geschämt hatte. Und dann ist da noch all das, was sie jetzt an sich wahrnimmt und schätzt, weil sie es mit seinen Augen sieht. Ihre langen Haare. Ihre starken Oberschenkel und ihre weichen Brüste.

Vieles davon erzählt sie Knodel, von den Gefühlen, die durch den Sex geweckt werden – das hatte sie gehört und für ein Klischee gehalten, bis sie es selbst erlebte. Sie erklärt ihm, wie viel stärker ihre Gefühle fast unmittelbar nach dem Sex waren.

Sie erzählt ihm auch, wie es zu Ende ging.

Ein paar Tage nach dem großen Ereignis setzt Melia Maggie bei Mateo ab, der zu einem Lagerfeuer eingeladen hat. Die auf Pfählen gebauten Baumhäuser leuchten im Dunkeln. Melia fragt: »Wann soll ich dich wieder abholen?« Maggie sagt, sie würde gern über Nacht bleiben. »Ich schlafe auf dem Sofa«, erklärt sie. Als sie später im Bett liegt, platzt es aus ihr heraus: »Ich glaube, ich habe mich in dich verliebt.«

Sie weiß es sofort. Sie spürt, wie ihr die Schamesröte ins

Gesicht steigt. Sie weiß, dass er diese Worte nicht erwidern wird. Und weint.

Er sagt: »Hey.«

Sie möchte ihn nicht ansehen. Wahrscheinlich sieht er besser aus als vor zwanzig Sekunden, als sie noch in der Lage war, auch Fehler an ihm zu finden.

Er nimmt ihr Gesicht in seine Hände. Er sagt, sie bedeute ihm viel, doch er sei noch nicht wieder bereit, sein Herz von Neuem zu verschenken.

Maggies Schmerz wird dadurch nicht kleiner, aber er verändert sich. Er nimmt die Farbe eines Blutergusses an, den man überleben wird.

Sie erzählt ihrem Lehrer, dass die Wochen darauf normal verlaufen seien. Sie lernt viele von Mateos Freunden kennen. Sie ist nicht seine Freundin, sie ist aber auch nicht das Gegenteil davon. Vor jeder Verabredung hat sie ihre kleinen Rituale: Haare machen, Lotion auftragen. Oahu ist wie eine riesige Muschel. Sie lebt in ihr und erhascht, während sie an ihren keramikbeschalten Zähnen entlangwandert, einen Blick auf die weite blaue Welt.

Das Ende kommt an einem sonnigen Tag. Auf einer Grillparty im Haus ihrer Schwester küssen sie sich heimlich. Aber irgendjemand sieht sie, und Melia erfährt, dass ihre kleine Schwester sich mit dem geschiedenen Militärtypen Mateo rumgebissen hat. Melia erzählt es Dane, der ihn suchen geht, doch Mateo ist schon abgehauen. Dane sagt zu Maggie: »Du erzählst mir jetzt alles, und wenn du lügst, rede ich nie wieder mit dir.«

Es fühlt sich weniger grausam an, als es ist. Maggie hat das Gefühl, es nicht anders verdient zu haben. Die meiste Zeit weiß sie nicht, was sie fühlen soll. Als Dane aufbricht, um zu Mateo zu fahren, fragt sich Maggie, ob es Mateos

Schuld war. Sie beschließt, dass es ihre Schuld war, und dann fragt sie sich, ob überhaupt irgendjemand schuld war. Ob irgendwer irgendwas falsch gemacht hat. Sie hat nicht das Gefühl. In Hawaii ist man mit sechzehn mündig. Innerhalb der Armee ist man mit sechzehn mündig. Und sie ist sechzehn. Rechtlich haben sie nichts falsch gemacht. Nur dass man in North Dakota erst mit achtzehn mündig wird. Im Bett haben diese Zahlen keine Rolle gespielt. Auch als sie geweint hat, ging es dabei nicht um Zahlen.

Dane trifft Mateo nicht zu Hause an. Melia telefoniert mit ihren Eltern. Im Osten braut sich ein Shitstorm zusammen. Orkanartige Winde aus Dakota treffen auf die Muschel von Oahu. Ihre Mutter sorgt über Melia dafür, dass Maggie einen Schwangerschaftstest und einen Test zur Abklärung der zehn häufigsten Geschlechtskrankheiten macht. Von allen Seiten hagelt es Spott. Melia schreit Dane an: »Ich hab dir doch gesagt, dass das nicht normal ist! Dass ein Mädchen nicht mit einem älteren Mann befreundet sein kann!«

Dane sitzt mit hochrotem Kopf beim Abendessen. Jeder möchte dem anderen am liebsten eine reinhauen, um sich ja nicht damit beschäftigen zu müssen, was man selbst falsch gemacht hat. Maggie kauert in der Ecke. Nicht einmal an ihren Gott kann sie sich jetzt wenden. Am Telefon ist ihr Vater weniger harsch als ihre Mutter. Trotzdem will er die Armee in Kenntnis setzen. Alle wollen, dass die Armee die Sache klärt.

Zwei Wochen lang soll Maggie noch in Hawaii bleiben. Die Tage wollen einfach nicht enden. Das Meer ist schrecklich schön. Die Vögel sind zu drollig. Und selbst wenn Regenwolken aufziehen, scheint die ganze Zeit die Sonne.

Aber auch zu Hause ist nichts mehr, wie es vorher war.

Sogar ihre Freundinnen sind am Telefon gemein zu ihr. »Einunddreißig?«, fragt Sammy. »Bist du verrückt? Das ist doch steinalt.«

Maggie isst nicht mehr. Alle sind sich einig, dass sie sofort nach Hause geschickt werden sollte. Weil es aber zu teuer ist, den Flug umzubuchen, harrt sie bis zum Ende der zwei Wochen aus. Maggies Mutter ist jetzt freundlich, nimmt Anteil. Und trinkt weiter. Am Ende haben manche Mütter nicht das Geld, ihr Kind früher nach Hause zu holen.

Als es Zeit ist abzureisen, ringen sich alle ein paar Abschiedsworte ab. Das Baby ist noch immer unendlich süß, aber sogar der Zauber in seinen Augen liegt wie unter Glas. Etwas hat sich verändert.

Zu Hause in Fargo verbringt Maggie den Rest des Sommers mit Besuchen bei einer Psychologin und einem Psychiater. Er verschreibt ihr verschiedene Medikamente. Oft denkt sie, dass es helfen würde, mit Mateo zu reden. Alle bleiben dabei, dass die Armee über Mateos Zukunft zu entscheiden hat. Alle sehen nur noch, dass sie ihre Unschuld verloren hat – und keiner sieht, dass es nur ihre Unschuld gewesen ist.

Den Brief an Mr. Knodel unterzeichnet sie mit »Maggie«.

Sie faltet ihn zusammen und steckt ihn in ihren Rucksack. Was sie geschrieben hat, fühlt sich wie ein Teil von ihr an, ein größerer Teil, als es vielleicht ist.

In Knodels Debattierclub sitzen um die dreißig Schüler. Es ist ein begehrter Kurs, der nur Schülern der höheren Stufen offensteht, sodass die Teilnahme sich wie ein Privileg anfühlt. Manchmal hat der Kurs etwas von einem Skiwochenende.

Knodel steht vorn und führt in die Stunde ein, bevor sich die Schüler in Gruppen aufteilen, recherchieren und die jeweiligen Themen diskutieren.

Maggie ist während des gesamten Kurses nervös, aber Knodel lächelt ihr ein paarmal aufmunternd zu, und der Gedanke, dass er ihre einzige Vertrauensperson ist, legt sich wie ein warmer Mantel um ihre Schultern. Wenn sie ihm den Brief gibt, nimmt sie ihn in den Kreis ihrer engsten Vertrauten auf, auch wenn dieser Kreis im Moment eher auf einen Punkt zusammengeschrumpft scheint. Genau das braucht sie jetzt, um sich nicht länger wie eine Aussätzige zu fühlen: Sie muss ihm diesen Brief geben, sich ihm öffnen.

Als der Kurs zu Ende ist, lässt sie sich Zeit, um ihre Sachen zusammenzupacken. Nach Knodels Stunden ist es immer schwierig zu warten, bis alle anderen das Zimmer verlassen haben. Viele Schüler trödeln noch ein bisschen. Alle reden gern mit ihm. Er merkt sich bei jedem, wann ein Spiel ansteht, und man fühlt sich cool, wenn er einen aus der Masse herausgreift. Es ist nur logisch, dass er ein paar Jahre später zu North Dakotas Lehrer des Jahres ernannt werden wird. Knodel wird sich in der Turnhalle von seinem Platz erheben und unter dem tosenden Beifall von Schülern, Kollegen und Honoratioren das Podium betreten. Der Gouverneur wird ihm mit einem Strahlen im Gesicht die Hand schütteln. Der Geruch der Sportstunden wird dem Parfümgemisch applaudierender Mütter weichen. Knodel wird seinen NDSU-Pullover tragen und so wirken, als würde ihn der Grad der Verehrung völlig überraschen.

Nachdem die meisten Schüler verschwunden sind, steht Maggie von ihrem Platz auf. Im Hinausgehen gibt sie ihrem Lieblingslehrer diesen Brief. »Hier«, sagt sie. Sie errötet, weil das, was sie gerade getan hat, verrückt ist. Sie hat einem Lehrer in einem Brief gestanden, wie sie ihre Jungfräulichkeit verloren hat. Er lächelt und sieht verwirrt aus, aber etwas an seinem Lächeln lässt sie unbeirrt zurücklächeln.

Am Tag darauf hat sie wieder bei ihm Unterricht, und er sagt: »Ich habe deinen Brief gelesen, komm doch bei Gelegenheit mal zu mir, damit wir darüber reden können.«

Knodel besitzt das Talent, einzelne Personen in dem flauschigen Schülermeer so anzusprechen, dass nur sie ihn hören.

Diesmal wartet Maggie, bis alle das Klassenzimmer verlassen haben. Sie reibt die Hände aneinander. Es gibt all diese Gruppen, denen man an der Highschool zugeordnet werden kann. Es gibt die Streber, die Sportler, die heißen Mädchen, die Schlampen und so weiter. Sie gehört jetzt zu den Freaks. Sie denkt an all die Seidentücher, die sie sich in Zukunft kaufen muss, und an die schweren Kisten mit Katzenstreu, die sie aus einem Hyundai in ihre Bude hieven wird. Sie hält sich die Hand vor den Mund, um ihren Atem zu überprüfen, als ihr einfällt, dass sie sowieso keinen Kaugummi dabeihat.

»Hey«, sagt er, als der letzte Schüler hinausgegangen ist, und winkt sie zu sich. An der Art, wie er es sagt, hört sie, dass er auch darauf gewartet hat, endlich mit ihr allein zu sein. Es fühlt sich gut an, wenn du merkst, dass ein anderer dasselbe kleine Ziel hat wie du. Diese kleinen Dinge retten dich, jeden Tag aufs Neue.

»Ich habe deinen Brief gelesen«, sagt er. Das hat er schon gesagt. Maggie nickt.

»Wie geht es dir?«, fragt er. Er sitzt an seinem Lehrerpult, und sie steht daneben. Zu Hause fangen ihre Eltern –

einer oder alle beide – um diese Zeit zu trinken an. In Hawaii isst Mateo wahrscheinlich gerade auf dem Stützpunkt zu Mittag. Wahrscheinlich bekommt er es in einer Pappschachtel, die einen auf Tablett macht, in Wahrheit aber nur ein paar Aluschälchen enthält, aus denen man das Essen einzeln herauslöffelt. Ihre kleine Nichte Emily wird jetzt zum Mittagsschlaf hingelegt. Maggie ist eine von Milliarden. Wie nur soll Gott den Überblick über sie und all die behalten, die sie liebt? Darum hat sie hier in diesem Klassenzimmer das Gefühl, ihr Lehrer sei von Gott auserwählt, um sich stellvertretend um sie zu kümmern. Ein kleines bisschen mehr, als er müsste.

Zunächst einmal sagt er ihr, dass sie nichts falsch gemacht hat. Er fragt sie, warum ihre Eltern nicht Anzeige erstattet haben, und will dann wissen, was sie für eine Beziehung zu ihnen hat. Sie trägt eine Jeans und ein Oberteil, in dem sie sich hübsch findet. Ihre Familie hat kein Geld für angesagte Klamotten aus der Großstadt – Minneapolis oder St. Paul – oder für irgendwelche Sachen, die man in Zeitschriften sieht. Darum weiß Maggie, wie man es hinkriegt, dass bestimmte Teile nicht so schnell kaputtgehen.

Noch nie haben sie so lange miteinander geredet. Er gibt ihr keine Ratschläge, sondern das Gefühl, normal zu sein. Manchmal reicht schon ein Gegenüber, das einfach nickt und dir signalisiert, dass solche Dinge ständig passieren, dass du keine Sünde begangen hast und weder ein Freak noch eine Schlampe bist. Dass du keine zwanzig Katzen brauchen wirst, weil das Ganze keine große Sache ist. Alles, was du brauchst, ist eine Umarmung.

Maggies Schwester Nicole und ihr Ehemann sind vor Kurzem nach Denver gezogen, und so beschließt die gesamte

Familie, Weihnachten in diesem Jahr in Colorado zu verbringen. Es ist Ende 2008, und es geht bergauf mit der Welt. Sie mieten eine rustikale Hütte in den Bergen, wenige Stunden von Denver entfernt.

Am Abend vor der Abreise stopft Maggie noch Klamotten in die Ecken ihres rappelvollen Koffers. Thermohosen und Socken und Mützen und noch ein letztes Set Unterwäsche. Bis auf diese Last-Minute-Zugaben hat sie alles sorgfältig zusammengelegt. Sie wiegt den Koffer auch. Es ist wichtig, das Gewicht zu kennen, um am Ende nicht draufzuzahlen. Zum Glück baut ihr Bruder David in der Garage Industriewaagen. Ihr Telefon verkündet mit einem fröhlichen Piepsen das Eintreffen einer Nachricht.

Zu den Aktivitäten des Student Congress gehört auch, dass sich die Kursteilnehmer untereinander und mit Mr. Knodel, der die Gruppe anleitet, in einem Chat austauschen. An diesem Abend aber ist Maggie verwundert, weil die Nachricht, die sie bekommt, nur an sie gerichtet ist.

»Hey, wie geht es dir?«

Sie antwortet: »Alles bestens. Und selbst?«

Er fragt sie, ob sie schon alles gepackt hat, und sie antwortet: »Ja, bin nur im üblichen Last-Minute-Stress.«

Zeile für Zeile stapeln sich Gesprächsbausteine wie beim Tetris übereinander. Die meisten bieten irgendetwas an, auf das man antworten kann. Nur manche von Maggie nicht, aber Mr. Knodel findet auch in ihnen Anknüpfungspunkte, um das Gespräch am Laufen zu halten.

Sie unterhalten sich bis in die späten Abendstunden. Maggie hatte eigentlich vor, früh schlafen zu gehen, um für den Flug am Morgen fit zu sein. Gegen elf sagt Knodel, er werde jetzt ins Bett gehen. Maggie grinst, als sie tippt: »Doch schon alt, was?«

Knodel schreibt etwas, das sie leicht durcheinander-bringt, aber auch neugierig macht.

»Dass man ins Bett geht«, schreibt er, »heißt ja nicht, dass man schläft.«

Als sie in Colorado ankommt, wird sie wieder von ihrem eigenen Leben absorbiert. Die Wunden des vergangenen Jahres werden vom Winter und der feierlichen Jahreszeit überdeckt.

Die Hütte ist wie aus dem Bilderbuch, umgeben von schneeweißen Bergen, nur über eine Piste erreichbar, modern eingerichtet, aber mit reichlich Akzenten aus Holz. Die Hütte ist groß genug, um sie alle unterzubringen – Mr. und Mrs. Wilken, Maggie, ihre zwei älteren Schwestern, ihre zwei älteren Brüder und die vielen kleinen Kinder. Sie sind seit Jahren nicht mehr alle so zusammen gewesen. Maggie hat ihr eigenes Bett, aber meist kriechen entweder Emily oder Marco zu ihr unter die Decke.

Am Kamin bringen sie sich gegenseitig auf den neuesten Stand. Mr. Wilken übernimmt das Kochen und macht eine Riesenladung seiner berühmten Tomatensauce. Alle wollen das Rezept haben, aber selbst wenn man die richtigen Zutaten in der richtigen Menge verwendet, schmeckt die Sauce nie genauso gut wie bei Mark Wilken. Als Maggie noch klein war und die Familie noch weniger Geld hatte, gab ihr Vater immer Pepperonistückchen an die Sauce, aber nie viele, weil das zu teuer war. Die Stückchen wurden als Preise bezeichnet, und Maggie und ihre Geschwister stritten sich, wer die meisten bekam.

Am Nachmittag geht sie mit den Kindern Schlitten fahren. Die Sonne wirft ein warmes Licht auf die Schnee-kuppen. Da ist weder Traurigkeit noch Angst. Es ist diese besondere Mischung aus Schönheit und Leichtigkeit, die Jahre später, als Zwietracht und Tod zuschlagen, den Gedanken in ihr aufkommen lässt, dass es Zwietracht und Tod nicht bis nach Colorado schaffen. In Colorado kann man den ganzen Tag Ski laufen und die ganze Nacht über lachen und wacht jeden Morgen auf, als könnte einem nichts etwas anhaben, und trinkt Kaffee aus Campingtassen zum lauten Gejohle von Kindern. An den ruhigen Abenden, wenn die Kinder im Bett sind, schalten Maggies Brüder und Dane den Fernseher ein und machen den Rest der Familie mit dem sehr eigenen Humor von *Flight of the Conchords* bekannt. Die unschönen Erinnerungen an Hawaii werden zusammen mit den Bodyboards und all dem anderen Kram, den man neun Monate lang nicht braucht, im Keller verstaut. Maggies Strahlen ist zurück, und sie versteht sich prächtig mit allen. Sie kommt mit den Männern so gut klar wie keine der anderen Frauen. Sie lacht über YouTube-Videos und Memes.

An diesem ersten Abend in Colorado piept ihr Handy, und es ist wieder er. Ein Licht flackert in ihr auf.

Knodel erkundigt sich nach ihren Geschenken und dem Snowboarden, dem Wetter und der Anzahl ihrer Nichten und Neffen. Es gibt immer eine angemessene Pause zwischen den Nachrichten, wie es sich gehört. Sie legt ihr Handy mit dem Display nach unten auf den Tisch und beteiligt sich am Familiengespräch. Als sie ihr Handy wieder in die Hand nimmt, warten mehrere Zeilen Chatverlauf auf sie. Ihr schwirrt der Kopf, so aufregend ist das. Sie speichert die Nachrichten nicht, weil er sie bald darum bitten wird, alle zu löschen, aber sie kann sich mit schmerzhafter Klarheit an den Wortlaut jeder einzelnen erinnern, vor allem jener ganz vom Anfang.

Er fragt, ob sie gerade was am Laufen habe, und sie sagt, ja, manchmal treffe sie sich mit einem Typen von ihrer Arbeit. Es ist nichts Ernstes, aber auf einmal fühlt sich *das hier* ernst an. Ernst und verrückt. Maggie reißt an diesem Abend immer wieder die Augen auf, aus Ungläubigkeit über diese krasse Scheiße, über dieses Pingpong von Nachrichten. Sie wäre, ganz ernsthaft, weniger erstaunt, wenn der Mann, der ihr da schreibt, Brad Pitt wäre, der in den Bergen gerade einen Bären erlegt hat und jetzt Unterschlupf in ihrem Doppelstockbett sucht.

Und weil sie das Unwahrscheinliche hinterfragt, folgt der Absturz: »Ich sollte nicht mit dir reden«, schreibt er.

In der Welt außerhalb ihres Telefons lacht ihr Bruder. In der Küche fragt sich jemand, ob es eine Pfeffermühle gibt. Maggie antwortet mit »Okay«.

Knodel schreibt, er sei angetrunken und werde sonst nur Dinge sagen, die er nicht sagen sollte. Maggie antwortet wieder mit »Okay«.

Er schreibt: »Ich bin dein Lehrer, und du bist meine Schülerin, und wir sollten nicht so miteinander reden.« Und sie meint wieder nur »Okay«.

Einerseits ist Maggie nicht ganz klar, warum er nicht mit ihr reden sollte. Schließlich ist sie mit vielen Jungen befreundet, mit denen sie dauernd redet, ohne dass das irgendetwas heißen würde. Sie versteht sich mit Jungen auf gewisse Weise besser als mit Mädchen. Andererseits ist ihr klar, was er meint. Er meint: Bitte bring mich nicht dazu, warum machen wir das hier, wir dürfen das nicht, ich liebe meine Frau und meine Kinder. Aber sie spürt schon seine Hand in ihrer Hose.

Sie sagt »Okay«, weil er die Autoritätsperson ist. Er ist älter und klüger, und wenn er sagt, sie sollten nicht reden –

auch wenn er damit angefangen hat –, dann sollten sie das wahrscheinlich wirklich nicht. Maggie ist sich einer Grenze bewusst, so unscharf sie auch sein mag, und sie will nicht diejenige sein, die diese Grenze zuerst überschreitet. Es kommt ihr gar nicht in den Sinn, sie zu überschreiten. Sie ist ein Kind, ist ihm nicht ebenbürtig. Wenn er also zu ihr sagt, dass sie nicht reden sollten, fühlt es sich für sie so an, als hätte sie etwas falsch gemacht und würde nun dafür getadelt. Obwohl sie vor allem verwirrt ist. Schließlich hat sie nur auf seine Fragen geantwortet.

Und doch ist nicht von der Hand zu weisen, dass sich schon länger etwas zwischen ihnen entwickelt hat. Seit der neunten Klasse ist da etwas entstanden. Mit jedem Gespräch an seinem Pult. Mit jedem »Gut gemacht« von ihm. Mit jedem süßen Shirt, das sie, und mit jeder neuen Krawatte, die er getragen hat. Mit jedem Rat. Jedem Scherz. Jeder Nachricht im Chat ihres Debattierclubs. Jedem Mal, wenn jemand anderes etwas Dummes gesagt und sie spöttisch gegrinst und er geschmunzelt hat. Jedem Mal, wenn ihre Mutter oder ihr Vater betrunken oder seine Frau nörglig gewesen ist. Etwas ist zwischen ihnen gewachsen.

Am nächsten Tag geht Maggie Snowboard fahren. Sie begleitet die Kinder auf den meisten ihrer Abfahrten. Das Handy lässt sie in der Hütte, und weil sie selbst noch ein Kind ist, ist das, was in ihrem Handy los ist, aus den Augen, aus dem Sinn.

Als sie zurückkommt, hat sie fünfzehn neue Nachrichten, allesamt von Knodel. Wie ein verworrenes Gedicht. In jeder Nachricht steht so etwas wie: »Hey, alles okay? Bist du sauer? Was denkst du? Hallo?«

Es ist, als hätte er Angst, sie könnte wegen des Gesprächs

am Abend zuvor verärgert oder völlig durchgedreht sein. Vielleicht sogar – o bitte nicht – verängstigt.

Sie schreibt zurück: »Ich bin nicht sauer. Ich war den ganzen Tag Snowboard fahren.«

Er sagt: »Okay, cool.«

Sie antwortet nicht.

Er sagt: »Lass uns einfach weiterreden, wenn du aus dem Urlaub zurück bist.«

Maggie geht auf die Silvesterparty von Melani. Dort gibt es fast nur Pärchen und keinen Alkohol, weil Melanis Eltern irgendwann nach Mitternacht nach Hause kommen. Es ist jetzt cool, wenn man einen Freund hat. Wenn man regelmäßig Sex hat und dann mit anderen Mädchen, die auch einen Freund haben, darüber redet. Der Typ von ihrer Arbeit, mit dem sie ab und zu ausgeht, ist nicht in der Stadt. Sie sind auch nicht richtig zusammen. Er erinnert sie an ihren Bruder David, nur dass er Hockey spielt. Sie hatten noch keinen Sex.

Maggie steht an diesem Abend oft allein irgendwo herum und lässt den Blick durchs Zimmer schweifen. Sie hat das mulmige Gefühl, dass all diese Paare für immer zusammenbleiben werden. Und sie hat Angst, dass auch sie irgendwann mit einem Jungen aus Fargo ins Bett geht und fünf Jahre später mit dem dritten Kind im Bauch aufwacht und sich mit abgewetzten UGG Boots vor den Fernseher hockt.

Kurz nach Mitternacht piept ihr Handy. Es ist nicht der Typ, der nicht ihr richtiger Freund ist. Es ist Aaron Knodel, den sie seit Neuestem als »AK« eingespeichert hat. Zuerst hatte er unter »Knodel« in ihrer Kontaktliste gestanden. Noch in Colorado hatte sie den Eintrag in »AK« umgeändert, als es sich plötzlich so angefühlt hatte, als hätten sie ein Geheimnis. Ihr Herz klopft wie wild. Sie drückt ihr Handy fest an die Brust, wie einen kleinen Vogel. Sie schaut sich um, doch keiner beachtet sie.

Sie haben den ganzen Tag hin- und hergeschrieben, aber jetzt, wo doch definitiv schon Nacht ist, bekommt Maggie feuchte Hände, so groß ist das Wunder. Als sie noch in Colorado war, hatte er gesagt, sie sollten sich nicht weiter schreiben. Den ganzen Silvestertag lang hat Maggie ihn gelöchert: »Was war denn das, was du mir aus Angst nicht sagen wolltest?«

Und AK hat immer wieder geantwortet: »Nichts, frag nicht, es war nichts, vergiss es einfach.«

Und Maggie hat geschrieben: »Ich wusste, dass du's nicht machst.«

Er versprach, es ihr irgendwann zu sagen. Und jetzt war auch schon Neujahr. Maggie stellt ihn sich in einer gesetzten Runde Erwachsener vor. Seine Frau trinkt mit einer anderen, ihr ähnlichen Frau Merlot, während Mr. Knodel sich heimlich in eine Ecke des Raums zurückgezogen hat.

Er schreibt Maggie, dass er es ihr sagen werde, wenn sie sich wiedersähen. Jetzt aber solle sie nicht weiter darüber nachdenken. Er genehmigt sich einen Schnaps. »Frohes neues Jahr«, schreibt er und fragt, ob sie einen Neujahrskuss bekommen habe, worauf sie antwortet: »Ja, Melani und Sammy haben mich geküsst.«

Es folgt eine Textpause, die in ihrem Kopf immer lauter und lauter wird, und so schiebt sie hinterher: »Zum Spaß!«

Er schreibt: »Das zählt nicht.«

Die Worte sehen seltsam aus. Wieder hat Maggie das Gefühl, etwas falsch gemacht zu haben. Seine Superkraft besteht darin, dass er ihr schnell das Gefühl geben kann, dumm zu sein. Es liegt nicht nur daran, dass er älter ist und ihr Lehrer. Da ist noch etwas anderes, aber daran liegt es auch.

»Und du?«, fragt Maggie.

»Ich bin verheiratet, Maggie.«

Was auch immer das heißt. Es könnte alles Mögliche heißen. Zum Beispiel: Ich bin verheiratet, und wir machen ständig rum, und jedes Jahr schiebe ich meiner Auserwählten beim Ball Drop auf dem Times Square die Zunge tief in den Hals, selbst wenn uns die Kinder an den Hacken hängen. Oder es könnte heißen: Ich bin verheiratet, und alles Sexuelle zwischen uns ist klinisch tot. Wie das Hamburgerfleisch in dem Restaurant, in dem du arbeitest. Unsere Leidenschaft würde auch dann nicht wieder zum Leben erwachen, wenn du ihr mit deinen Prom-High-Heels auf den Schwanz trittst. Wir bezahlen die Rechnungen zusammen, und manchmal, wenn uns danach ist, sehen wir uns zusammen eine Late-Night-Show an.

»Oh«, schreibt sie. Dann lässt sie ihren Blick ziellos durchs Zimmer schweifen.

Wie jedes junge Mädchen, das für einen Älteren schwärmt, weiß sie nicht, was sie sich wünscht. Sie weiß nicht, ob sie Sex will oder nicht oder ob ihr die Vorstellung genügt, dass sie sich in ihrem Zimmer entkleidet, während er ihr vom Bürgersteig aus dabei zusieht. Eigentlich will sie nur einen Hauch von Aufregung. Einen heimlich vor die Tür gelegten Blumenstrauß.

# Lina

In der Praxis von Linas Arzt trifft sich eine Frauenge-
sprächsgruppe. Hinter den Behandlungszimmern gibt es
einen großen schönen Raum mit einem ovalen Mahagoni-
tisch, und an diesem Abend Ende November trinken dort
acht Frauen Chardonnay aus Plastikbechern, essen Cashew-
nüsse und dippen Wheat-Thins-Cracker in Hummus mit
gerösteter Paprika. Ihr Alter reicht von Anfang dreißig bis
Anfang sechzig. Eine von ihnen ist April, eine äußerst hübsche Lehrerin mit einem fünfjährigen Sohn namens Tristan; eine andere ist Cathy, mehrfach verheiratet und mit
dem übersprudelnden Temperament einer Dolly Parton
ausgestattet, als könnte nichts und niemand sie kleinhalten.

Die Frauen kommen wegen Stoffwechselbehandlungen
zu diesem Hormonspezialisten aufs Land, durch die sie
abnehmen wollen, und seit einer Weile verändert sich ihr
Körpergefühl. Sie sagen, es habe damit zu tun, wie ihre
Hosen jetzt säßen, damit, wie der Stoff auf Höhe ihrer
Beckenknochen schlackere. Das verlorene Gewicht schafft
Raum zwischen ihnen und der Welt. Die Hormone füllen
diesen Raum mit neuen Bedürfnissen oder mit alten, die
umcodiert worden sind.

April hat einen äußerst gut aussehenden Freund. Sie
zeigt den Frauen ein Foto von ihm, und alle sind der Meinung, dass er sehr attraktiv ist. Sie schauen April danach

anders an, mustern sie von oben bis unten. April sagt, sie seien schon seit einigen Jahren zusammen, und das sehr glücklich.

»Aber ich hatte ein Leben vor ihm«, fügt sie grinsend hinzu, »und meine Schwiegermutter weiß das und erinnert mich ständig daran. Kleinstadt eben.«

In der Vergangenheit habe es immer mal wieder Flauten im Bett gegeben, doch kurioserweise gehe es, seit sie bei ihm eingezogen sei, viel heißer zu als zuvor. Ihr Freund stehe auf Betrugsfantasien, erzählt sie der Gruppe, anfangs schüchtern, aber durch die Sicherheit, die ihr das ermunternde Kopfnicken der anderen Frauen vermittelt, gleich schon viel mutiger. Beim Sex soll sie ihm von den großen Penissen erzählen, die sie schon geritten hat.

Sie wisse, fährt April fort, dass sie eine bestimmte Linie nicht überschreiten dürfe. Auf keinen Fall dürfe es so klingen, als wäre einer der Penisse größer gewesen als seiner. Sie weiß, dass sie keine Namen nennen darf, damit er nicht bei Facebook nachsieht, ob sie noch Kontakt zu einem von den Männern hat. Sie erzählt nicht von dem Italiener Massi und der herrlichen Woche mit ihm in San Sebastián. Sie redet nicht darüber, wie es sich angefühlt hat, aus einem grauen Steinfenster zu schauen, während er von hinten in sie eindrang. Sie redet nicht darüber, weil sie noch immer sehnsüchtig daran denkt.

Lina ist mit zweiunddreißig die Jüngste in der Gruppe und die einzige Katholikin. Zu Beginn fühlt sie sich ziemlich unwohl bei einigen Sachen, die die anderen Frauen erzählen. Dann aber trinkt sie noch ein Glas Wein.

»Und du, meine Liebe?«, fragt Cathy, die Chefglucke. »Wie sieht es bei dir aus? Mein Gefühl sagt mir, dass du etwas loswerden willst.«

»Na ja«, sagt Lina, »ich mache gerade eine spannende Zeit durch. Wenn ich ehrlich sein soll, ändert sich gerade alles für mich.«

»Was denn?«

Lina erzählt der Gruppe überlegt, aber entschlossen von ihrem Mann Ed und den drei Monaten, in denen sie darauf gewartet hat, dass er im Bett ihren Körper berührt. Nur überhaupt mal berührt. Wenn Lina das volle Gewicht ihrer Verzweiflung spürt, spricht sie meist sehr selbstsicher und unbeirrt.

»Wie kann man sich als Ehemann bezeichnen«, fragt sie, »aber seiner Frau die eine Sache verweigern, die mehr Verbindung schafft als alles andere?«

Cathy gackert und schüttelt den Kopf.

»Und du hast ihm gesagt, wie wichtig dir das ist?«, vergewissert sich April.

»Eine Zeit lang fast jeden Tag. Ich habe ihm gesagt«, und an dem Punkt fängt sie an zu weinen, »ich habe gesagt, dass ich mir so sehr wünsche, geküsst zu werden. Es mir mehr wünsche als alles andere!«

Die Frauen schauen auf ihre Plastikbecher. Nippen nervös daran. Der Wein schmeckt nach kühler Verachtung. Es folgen ein paar lahme Tipps, wie sich das Feuer wieder entfachen ließe. Lina sagt, sie habe alles probiert. Sie habe sich sexy Unterwäsche angezogen. Die Kinder zu ihren Eltern gebracht. Habe ihn liebevoll behandelt und auf sein emotionales Konto eingezahlt. Habe sich zurückgehalten. Sich rar gemacht. Sich nach einem eiskalten Glas Wasser verführerisch über die Lippe geleckt.

Irgendwann ist sie frustriert, weil es so schwer ist, anderen zu erklären, dass es einfach an ihm liegt, ihrem eigenen Ehemann. Jeder will etwas finden, das du anders machen kannst, dir den perfekten Frauenmagazintipp geben. Eine aus der Gruppe ist erst seit Kurzem geschieden und sagt, an manchen Tagen wisse sie nicht, was schlimmer sei, einen Mann zu haben, der einen nicht genug liebe, oder gar keinen Mann zu haben. Sie sagt, Geld mache vieles leichter. Man könne gehen und seine Kinder allein versorgen und habe das Selbstbewusstsein, den anderen in die Hölle zu schicken.

Lina weint lauter. »Ich habe aber kein eigenes Geld.«

»Na, na, na«, sagt Cathy. »Von allem, was ihm gehört, gehört die Hälfte dir, das weißt du doch. Außerdem steht dir in Indiana …«

Lina schaut von ihrem halb zerfetzten Taschentuch auf. »Ja«, sagt sie, »das stimmt. Aber.«

»Aber *was*, meine Liebe?« Cathy hat sich neben Lina gesetzt und drückt ihr ein frisches Taschentuch in die Hand.

»Na ja, ich habe ihn um die Trennung gebeten.«

»Na also! Das ist doch schon mal ein wichtiger Schritt!«

»Das stimmt, aber … so ist es eine Trennung und keine Scheidung, also zahlt er weiter meine Krankenversicherung.«

»Das ist er dir schuldig!«, sagt Cathy. »Verdammt, du kannst dich morgen von diesem Mann scheiden lassen und eine Krankenversicherung haben! Und die Hälfte von eurem Haus und allem anderen!«

»Aber was ist mit meinen zwei Kindern?«

»Es sind auch seine Kinder!«

»Ja, aber …« Lina schaut in die Runde, um ein Gefühl dafür zu bekommen, ob sie den anderen vertrauen kann. Doch es ist zu spät, sie ist schon zu weit gegangen. Es gibt für alles ein Richtig und ein Falsch. In Indiana gibt es vor allem eine falsche Art, seinen Mann zu verlassen. Sie knüllt die feuchten Taschentücher in ihrer Faust zusammen und schaut Cathy an.

»Ich habe eine Affäre.«

Abrupt wird es still, so still wie vor einem Golfschlag, und in dieser Stille kann man beinahe die Denkblasen über den Köpfen der Frauen sehen.

So ein kleines Flittchen.

Wie konnte ich nur Mitleid mit der haben?

Wer es wohl ist?

Für wen hält die sich?

So hübsch ist sie gar nicht.

So viel zum Thema katholisch.

Hoffentlich ist es nicht mein Mann.

Ich hatte auch eine Affäre.

Mein Mann hat eine andere.

Ich bin in meinen Physiotherapeuten verliebt.

Cathy durchbricht die Stille als Erste. Als wäre es das Intro eines Countrysongs, sagt sie: »Okay, mein Schatz. Wir sind gespannt. Erzähl uns *alles*.«

Lina schließt die Augen. Ihr Wunsch, von dem Mann zu erzählen, den sie liebt, ist stärker als die Ahnung, dass es ihrem Verhältnis schaden kann, wenn sie darüber spricht. Ein Teil von ihr erkennt, dass ihr Verhältnis an Bedeutung gewinnt, wenn sie darüber redet. Sie trinkt einen Schluck Wein.

Dann sagt sie laut seinen Namen.

»Aidan. Er heißt Aidan und ist schon immer meine große Liebe gewesen.«

In der Highschool hätten sie was miteinander gehabt, erzählt sie den Frauen. Genau genommen mehr als das. Sie seien ein Liebespaar gewesen, sagt sie. Ein echtes. Irgendwann habe er ihr einen Brief geschrieben, einen Brief, nach dem Schluss gewesen sei mit allen Briefen, und sie habe ihn jahrelang aufgehoben, bis ihre Mutter ihn irgendwann gefunden und weggeschmissen habe. Ihre Liebe sei unbeschreiblich gewesen. Habe aber auch unter einem schlechten Stern gestanden. Eine richtige Romeo-und-Julia-Geschichte eben. Schön und schrecklich zugleich, wegen der Art, wie sie zu Ende gegangen sei. Seitdem habe sie immer an ihn denken müssen.

Die Frauen reichen den Chardonnay herum. Sie trinken Wein und denken nicht daran, dass das Abendessen zu spät auf den Tisch kommen wird. Sie beugen sich vor, immer weiter hineingezogen von der Kraft der Schuld in Linas Geschichte.

»Ist gut«, sagt sie, »ich erzähle euch von ihm.«

Aidan ist groß, hat ein markantes Kinn und kobaltblaue Augen. Er hat das kompromisslose Gesicht eines Soldaten. Lina erzählt den Frauen, dass er, wenn er nicht bei ihr ist, immer an sie denkt. Wenn er nicht mit ihr zusammen ist, bringt er das Haus in Schuss, damit er es eines Tages verkaufen und sein falsches Leben hinter sich lassen kann. Die Frau, die er geheiratet hat, liebt ihn nicht. Sie betrügt ihn so halb. Knutscht mit anderen Typen, simst ihrem Ex. Aber sie hält an Aidan fest, weil sie von den Stunden, die er auf dem Bau arbeitet, ihre Downtown-Brown-Maniküren und ihre Forever-21-Frotteekleider bezahlt. Sie witzelt mit ihren Freundinnen, dass der Laden eigentlich Forever 34 heißen müsste, wenn sie sich in einer Bar treffen, die neuen Kleider an, und sich an Fremde ranschmeißen und mitten im grauen Indiana-Winter Blue Island Cocktails trinken.

Manchmal hat Aidan auch in dem Doppelcontainer auf der Baustelle zu tun. Im Hintergrund läuft leicht knisternd ein Modern-Country-Sender, aber er hört sich trotzdem ein

Lied nach dem anderen an, und es ist seltsam, wie auf einmal jedes Lied von diesem einen Menschen handelt, wenn du verliebt bist oder eine alte Liebe wieder aufflammt. Seltsam, wie das funktioniert.

»Er ist ein guter Mann«, sagt Lina. »Er hat Fehler gemacht, aber die machen alle guten Männer. Gute Männer haben ihr Schwächen, aber sie sind aufrichtig.« Es gebe zu wenige echte Männer in Amerika, und damit meine sie nicht Marlboro-Männer mit Schnauzern, die rohes Burgerfleisch weich klopften. Sie spreche von richtigen Männern, die Rückgrat hätten und einer Frau die Tür aufhielten und sie stundenlang leckten, die Geld verdienten, egal, ob auf ehrliche oder unehrliche Weise, und dann ehrlich sagten, wie. Und diese Männer sind interessant, ganz gleich, was sie tun oder wo sie leben, sie sind einfach interessant, sie haben ein paar Geschichten auf Lager, von denen man erst erfährt, wenn man sie schon länger kennt, und ein paar Geschichten, von denen man nie erfährt, auch nicht, wenn man ihr Bruder ist. Wenn Männer wie Aidan eine Geschichte erzählen, dann nicht, damit man sie cool findet, sondern weil es sich um eine Geschichte handelt, die erzählt werden will, und in der Regel muss man sie erst dazu überreden. Manchmal sitzt auch eine Frau mit am Tisch und bezirzt sie ein bisschen, denn eine Sache, die gute Männer wirklich von anderen unterscheidet, ist die: Echte Männer, Kerle aus dem Hinterland von Maine, den rauen Vierteln von Philly oder dem rostbraunen Dickicht von Südindiana, lieben Frauen und Sex, und so stark sie auch sind, eine Muschi bringt sie dazu, sich ein oder zwei Zentimeter zu bewegen. Lina benutzt das Wort nicht gern, weil es viel mehr ist als das, aber das Wort steht auch für so viel mehr, als man denkt. Jedenfalls geht es bei der anderen Art von Männern, den Männern, die auf der Welt die Mehrheit bilden, schmutziger zu. Sobald sie eine Frau ins Schlafzimmer kriegen, verlangen sie Dinge von ihr, die sie nicht verlangen sollten, und hauen am nächsten Morgen ohne jeden Anstand ab, und die bringt man in einer Bar oder bei einem Abendessen nicht dazu, sich ein paar Zentimeter zu bewegen, die würden für eine Frau nie etwas tun, das sie nicht tun wollen, weil sie nichts von der wahren männlichen Liebe für eine Frau in sich tragen, wie sie ein Mann wie Aidan Hart im Übermaß parat hat.

*Aidan.*

Die Frauen sind auf ihren Stühlen alle ein Stück nach vorn gerutscht, so wie Suppe bei einem Erdbeben zum Tellerrand schwappt. Sie haben das Kinn auf die Fäuste gestützt und knabbern nervös gemischte Nüsse.

»Wahnsinn«, sagt Cathy, »das klingt nach einem tollen Mann und nach echter Liebe.«

»Wie ist es damals zu Ende gegangen?«, fragt eine Frau aus der Runde, weil Frauen mit Enden oft besser klarkommen als mit Anfängen. Lina versteht, dass manche Frauen, so auch ihre Mutter und ihre Schwestern, nur dann wirklich für eine andere Frau da sein können, wenn diese Frau leidet, vor allem wenn sie wegen etwas leidet, das sie selbst schon erlebt und dann überwunden haben.

»Wie es zu Ende gegangen ist?«, wiederholt Lina leise. »Schlimm.«

Einige der Frauen holen tief Luft. Cathy legt ihre Hand auf Linas Hand.

»Na ja«, sagt Lina, »Aidan hat Gerüchte gehört. Das Gerücht, dass ich an einem Abend mit drei Typen geschlafen hätte, dabei war es so, dass mir diese Typen etwas ins Getränk getan und mich einer nach dem anderen vergewaltigt haben. Und ich habe gar nicht wirklich versucht, ihm die Wahrheit zu sagen. Ehrlich gesagt wusste ich selbst erst Jahre später, dass das die Wahrheit ist. Wir waren beide stur, wenn man so will. Was wir hatten, war fast zu groß für uns, und so konnte uns die kleinste Sache aus der Bahn werfen, auch wenn es eine Lüge war. Es war einfach zu viel. Wir waren jung. Wir waren beide stur.«

»Das sind Sachen, die echte Spuren hinterlassen«, sagt April.

»Ohne Scheiß«, sagt Lina.

Von so viel Obszönität werden alle kurz bleich.

»Und dann wollte nie wieder jemand mit mir ausgehen. Niemand wollte mit mir zum Abschlussball. Oder mich auf ein Date einladen, ins Kino oder zum Bowlen oder sonst wohin. Vergesst Aidan. Keiner wollte mehr was mit mir zu tun haben.«

Sie sagt, ihr sei schon klar, dass die Typen letztlich noch Kids gewesen seien und sich mittlerweile wahrscheinlich geändert hätten. Sie sagt: »Es beschäftigt mich eigentlich nicht mehr. Ich habe mich damals mit nichts angesteckt und bin auch nicht schwanger geworden. Irgendwie werden wir alle groß. Wir verändern uns alle.«

Kurz ist sie still.

»Wenn ich ehrlich bin, war es das, was zu meiner emotionalen Einsamkeit geführt hat. Es hat mir einfach den Stempel aufgedrückt, eine Schlampe zu sein. Dabei habe ich überhaupt nichts gemacht. Ich habe es noch nicht mal verstanden. Und etwas, das ich nicht verstanden habe, an das ich mich kaum erinnern konnte, hat mein ganzes verdammtes Leben verändert.«

»Ach Gott. Ach Liebes«, seufzt Cathy und knetet sich die Hände.

»Ist schon gut. Ist schon okay. Jetzt, wo ich ihn wiedergesehen habe, fühlt es sich an, als wäre das alles nicht mehr wichtig. Als bekäme ich plötzlich noch mal eine Chance.«

»Hm«, sagt die Frau, die gefragt hatte, wie es zu Ende gegangen sei. »Wie hast du ihn wiedergefunden?«

»Er hat mich gefunden. Auf Facebook.«

April schreit auf: »Facebook! Ohne Facebook gäbe es meinen Sohn nicht!«

April hatte über Facebook Kontakt zu einem ihrer Freunde aus der Highschool aufgenommen, sie haben in einer Nacht Tristan gezeugt, und danach hatte sich's dann mit dem Kontakt.

»Soso«, sagt Lina auf eine Weise, die ihr zu verstehen geben soll: Ich war noch nicht fertig mit meiner Geschichte.

»Und was hat er jetzt vor, Liebes?«, fragt Cathy.

Aidan ist verheiratet, hat eine leibliche und eine Stieftochter. Er lebt mit seiner Familie in Cloverland, einem Vorort von Terre Haute. Sie bewohnen ein einstöckiges Backsteinhaus, das Lina noch nie betreten hat, nur wenige Meter von einer Tankstelle namens Duncan's Market entfernt. Das Haus liegt an einer schnurgeraden, breiten Hauptstraße. Es ist nur ein Fünftel von Linas Haus. Und obwohl der letzte Schneesturm schon länger her ist, lehnen an der Garage noch mehrere Schneeschaufeln.

»Aber er ist verheiratet«, sagt eine der Frauen. »Und du auch.«

»Ich trenne mich gerade«, entgegnet Lina ruhig. Sie schaut die Frauen an, eine nach der anderen. Schaut ihnen direkt in die Augen und beißt die Zähne aufeinander.

»Und ich weiß, dass er verheiratet ist.«

Ich gebe ihm drei Monate, sagt sie sich, dann gehe ich.

Elf Jahre Unglücklichsein. Elf Jahre ohne Zungenkuss, ohne überhaupt einen richtigen Kuss. Manchen Frauen ist eine Karriere genauso oder noch wichtiger als die Liebe, aber Lina wollte schon immer nichts sehnlicher, als sich ganz auf einen anderen Menschen einzulassen und für immer mit ihm zusammen zu sein. So wie ein Pinguin.

Auch als zweifache Mutter ist Lina ihrem Highschool-Ich noch sehr ähnlich. Sie hat diese unbändige Energie und ist leicht zum Lachen zu bringen. Seit über zehn Jahren ist sie mit Ed verheiratet, einem Postboten, der wie ein Wissenschaftler aussieht. Er hat eine schmale Statur, ist aber bei Arbeiten rund ums Haus sehr geschickt. Das Haus befindet sich in einer recht neuen Wohnsiedlung in einer dörflich anmutenden Kleinstadt ohne riesige Farmen im Süden Indianas. Man sieht marode Traktoren auf dem Rasen vor den Häusern, hier und da das übliche Stück Land mit trockenem weißen Mais oder spindeldürren Weinreben.

Während Ed mit dem Transporter rüber in die nächste Kleinstadt fährt, kümmert sich Lina um ihre siebenjährige Tochter Della und ihren zweijährigen Sohn Danny. Sie wacht früh in einem dunklen Haus auf. Im Winter ist die Sonne in Indiana so blass wie das Gelb eines Supermarkteis. Sie geht durchs Haus, stellt die Waschmaschine an, räumt die Spülmaschine aus. Sie macht Della für die Schule fertig und parkt Danny im Spielzimmer, um das Haus aufzuräumen. Zum Einkaufen nimmt sie ihn mit, schnallt ihn auf der Rückbank des weinroten Suburban im Kindersitz fest und fährt mit ihm die fünfundzwanzig Minuten bis in die nächstgrößere Stadt Bloomington. Da sind die Universität und auch das Kinsey-Institut, wo sie zum Thema Sex forschen, man aber, da ist sich Lina sicher, keinen Grund hätte, sich mit ihr zu befassen. Lebensmittel kauft sie im Kroger, dem größten Supermarkt der Welt. Bei Walmart holt sie ein paar Glühbirnen. Wegen ihrer Gelenkschmerzen geht sie zu einem Chiropraktiker. Fremden gegenüber ist Danny ein schüchterner Sonnenschein, aber eigentlich ist er ein Racker.

Wieder zu Hause angekommen, macht sie ihm Mittagessen, meist Chicken Nuggets in Dinosaurierform, die sie in den großen sauberen Ofen schiebt, der aussieht, als hätte sie gerade erst geheiratet. Danny drückt sich die Nase an der Ofentür platt und sieht den gelben Tierchen beim Brutzeln zu. Sie kniet hinter ihm, legt ihm die Hände auf die watteweichen Schultern und sagt: »Na, guckst du nach unseren Nuggets?«

Als die Nuggets schön braun sind, häuft sie Danny und sich einen kleinen Berg Nudelsalat auf den Teller und stellt sich an den Küchentresen. Während Danny im Hochstuhl sitzt, steht sie mit aufgestützten Ellbogen und durchgedrücktem Rücken da, wie ein Teenie. Sie sieht eher wie seine Babysitterin aus, aber sie schaut ihn an wie eine Mutter.

Seit Dellas Geburt ist das ihr Alltag, und schon lange vor Dellas Geburt war dieses große Haus ihre Basis. Kurz nachdem sie geheiratet hatten, kaufte Ed, der sieben Jahre älter ist als Lina, mit Unterstützung seiner Eltern und dem Geld, das er bei der Post verdient hatte, dieses Haus, und Lina durfte alles aussuchen. Die Holztüren von Craftsman und die Fenster im Prärie-Stil und den Tiffany-Deckenventilator von Lowe. Eine Haushaltshilfe hatten sie nie, und so ist es Linas Aufgabe, mit Lappen und Windex durch die Zimmer zu wuseln, Fettfinger vom Glas und knallgelbe Urintropfen vom Toilettensitz zu wischen.

Das Haus in Ordnung zu halten kommt ihr vor wie die reinste Sisyphusarbeit. Ist der Küchenboden am Dienstag sauber, ist er am Donnerstag schon wieder dreckig. Früher hatte sie feste Tage, an denen sie den Boden gewischt hat, aber in letzter Zeit scheint sie ihn jeden Tag zu wischen, manchmal sogar zweimal am Tag. Nur dass man diese Stunden nicht sieht.

Den Sinn geben ihr natürlich die Kinder, aber das Haus fühlt sich an wie ein Berg an Aufgaben, der sie nirgendwohin führt. Manchmal spürt Lina in dem großen leeren Haus einen Abgrund in sich, ein schwarzes Loch zwischen dem einen und dem anderen Organsystem. Es fühlt sich so an, als würde sie in diesem Loch existieren, stupide, gehaltlos, unbeachtet.

Das liegt vor allem daran, dass es ihr an romantischer Liebe fehlt. Es ist, als würde Lina mit einem Mitbewohner zusammenleben. Die meiste Zeit ihrer Ehe, aber vor allem in den letzten Jahren hat Ed nie den ersten Schritt gemacht. Und als er ihn noch gemacht hat, war er dabei auch nicht besonders charmant. Er hat mit den Fingern auf ihrem Arm getrommelt und gesagt: »Na, Lust?«

Sie hatte Ed in ihrem zweiten Jahr an der Indiana University kennengelernt, kurz vor den Semesterferien bei einem Barbecue ihrer Schwester. Sie war gerade vom Joggen zurückgekommen und ging, das T-Shirt mit pinkem Smoothie bekleckert, ins Wohnzimmer, wo sich Ed und sein Freund Dex gerade mit ihrer Schwester und deren Freund unterhielten. Dex gefiel ihr besser, er war süßer und interessanter, aber er beachtete sie nicht groß. Ed dagegen stand irgendwie rum.

Später am Abend, als die Grillparty vorbei war, lagen Lina und Ed zusammen auf dem Wohnzimmerboden und quatschten. Alle anderen schliefen schon, entweder im Haus verteilt oder draußen in Zelten. Nach einer Weile stellte sie sich schlafend, weil sie nichts mit ihm anfangen wollte. Er beugte sich zu ihr rüber, sagte »Gute Nacht« und gab ihr einen Kuss auf die Stirn. Er wusste gar nichts über sie. Als sie am nächsten Morgen heimfahren wollte, hatte sie einen Klebezettel an der Windschutzscheibe. Sie solle anrufen, wenn sie Lust habe.

Auf dem College war sie bis zu diesem Tag nur zweimal zu einem Date eingeladen worden. Nie von jemandem, der ihr gefiel. Was ihr in der Highschool passiert war, wusste hier niemand, aber es haftete wohl wie ein übler Geruch an ihr. Ja, sie konnte es selbst an sich riechen. Der Tag war herrlich, die Sonne schien, das Semester ging zu Ende, und sie würde aus ihrer Wohnung ausziehen und den Sommer bei einer Freundin verbringen. Darum fühlte sie sich frei. Dass sie bald ein Date haben könnte, war verlockend. Sie steckte den Zettel ein und fuhr nach Hause.

Die Verlobung kam schnell, ohne Trara. Kaum dass Lina überhaupt mal einen Freund gehabt hatte, hatte sie schon einen Mann.

Und die Kinder kamen, und die Hunde kamen – eigentlich kamen die Hunde zuerst. Dann starben die Hunde. Neue Möbel ersetzten alte. Nur dass das mit Ed nie eine Liebesgeschichte war. Er hat sie nie aufs Bett geworfen oder ihr bei einem Abendessen etwas ins Ohr geflüstert. Er ist kein Mann mit dieser Art von Charme.

Im Grunde kann sie sich an überhaupt keinen echten Kuss zwischen ihnen erinnern. Keinen von der gierigen Sorte, bei dem man sabbert wie ein Hund. Sie liebt es, die Zunge eines Mannes im Mund zu spüren, liebt das Zusammenspiel der Lippen. Das Aneinandersaugen, als schlösse man zwei Maschinen zusammen. Lina hat erfahren und selbst gesehen, dass es auf Seiten, wo Männer Hostessen bewerten, eine eigene Kategorie für *Deep French Kissing* gibt. Eine kleine Märchen-Perversion. Und so weiß Lina, dass sie mit dieser Sehnsucht nicht allein ist. Aber jedes Mal, wenn sie einer Freundin erzählt, dass sie einfach nur geküsst werden, die Liebe eines Mannes auf ihren Lippen spüren will, lacht diese Freundin und sagt im selben Ton wie ihre Mutter: »Ach Lina!« Als wäre Küssen absolut albern. Als wäre Lina ein präpubertäres Mädchen, das sich in einer Fantasie verrannt hat.

Vielleicht liegt es daran, dass sie in der Highschool zu wenig geknutscht hat. Es reichte ihr nie. Wie gern hätte sie eine ganze Nacht damit verbracht, zwölf Stunden lang nur knutschen, aber es waren nie mehr als hier und da ein paar Minuten. Andere Mädchen standen immer knutschend vor ihrem Schließfach. Hielten Händchen mit einem gleich großen Jungen und machten rum, was das Zeug hielt. Linas Herz lebte zwischen diesen Lippen, Lippen, die nicht die ihren waren.

Sie schließt die Augen und sieht *ihn*, seine Lippen, seine mächtigen Kiefer. Früher hat sie es nur in ihrem Zimmer getan, wenn alle anderen im Haus schliefen, oder unter der Dusche, wenn sie sich der geliebten Freiheit sicher sein konnte. Jetzt ertappt sie sich dabei, es im Auto zu tun, mit Danny auf der Rückbank, der schläft oder auch nicht schläft und »Mama, Mama!« ruft. Lina fragt abwesend, was denn los sei, und Danny macht die Augen wieder zu, weil er gar nichts zu sagen hatte.

Lina findet es weder witzig, noch hält sie es für einen Zufall, dass Ed Küssen hasst. Dass er es einfach nicht tut.

»Weißt du, wie es sich anfühlt«, hat Lina einmal auf dem

Spielplatz zu einer Freundin gesagt, »wenn du jemanden anbettelst, dass er dich küsst, und er es dann macht, sich dazu aber überwinden muss und du das die ganze Zeit spürst?«

»Ja«, antwortete die Freundin. Sie fuhr sich mit den Händen durch die Haare und behielt ihr Kind im Blick, das auf dem Klettergerüst herumturnte.

»Es kann einen echt depressiv machen«, sagte Lina.

»Vielleicht versucht ihr es mal mit einer Therapie. Manchmal hilft es, einen Dritten dazuzuholen.«

Lina lachte, weil sie das schon versucht hatten. Für Lina hatte es die Sache aber nur noch schlimmer gemacht. Sie hatte zu der Paartherapeutin gesagt – die einige Jahre älter war, sodass sich Lina ständig gefragt hatte, wie lange das letzte Mal für sie wohl schon her sei –, sie hatte zu dieser Frau, die eigentlich unparteiisch hätte sein sollen, gesagt: »Seit zehn Jahren hat er mich nicht mehr mit Zunge geküsst, und das gehört zu dem wenigen, um das ich ihn bitte.«

Die Therapeutin hatte die Hände gefaltet. Sie hatte Lina angelächelt, als wäre sie ein Kind, und sehr langsam mit ihr gesprochen.

»Nun, das ist okay. Das ist normal.«

»Wie bitte? Es soll normal sein, dass man jemandem, den man liebt, nicht mal einen so kleinen Wunsch erfüllt, selbst wenn die Person weinend darum bettelt? Soll das ein Witz sein?«

»Sie haben doch erzählt, dass Sie nicht mögen, wie sich die kratzige Decke anfühlt, die Ed bei Ihnen aufs Sofa gelegt hat, nicht wahr? Sie haben gesagt, dass sie Sie kratzt und Sie dieses Gefühl nicht mögen. Na ja, und Ed küsst Sie eben nicht gern. Manche Menschen mögen das Gefühl nicht, die Zunge eines anderen im Mund zu haben. Sie empfinden das als Verletzung.«

Sie empfinden das als Verletzung. Die Worte hallten in Lina wider, während sie in ihrem großen Garten saß und in den endlosen Himmel blickte. Sie empfinden das als Verletzung.

Nach dieser Sitzung spazierte Ed eine ganze Woche lang grinsend durchs Haus. Irgendwann schaute sie ihn an und fragte: »Hast du über die ganzen Sachen nachgedacht, über die wir in der Therapie gesprochen haben?« Und er sagte: »Ja, und ich muss nichts tun, was ich nicht tun will. Sogar die Therapeutin hat gesagt, dass das okay ist.«

Im Herbst ging Lina dann das erste Mal zu dem Hormonspezialisten mit der schönen Mahagonipraxis in Bloomington. Er hat rote Haare und das Lächeln eines Menschen, der vom Land kommt. Lina suchte ihn wegen ihrer Fibromyalgie auf, aber die Praxisschwestern fanden ihre Progesteronwerte recht niedrig, und darum fing sie an, Ergänzungspräparate zu nehmen.

In derselben Praxis arbeitet ein Personal Trainer, der Mitte zwanzig und seinerseits mit einer zwanzig Jahre älteren rothaarigen Frau zusammen ist. Er half Lina mit ihrer Ernährung, riet ihr zu kleinen schwarzen Pillen, homöopathischen Kristallen, die sie in der Drogerie kaufen könne und die ihren Körper und Geist besser miteinander in Einklang bringen würden.

Sie nahm sechzehn Kilo ab, und die Cargohosen hingen an ihr herunter wie Kartoffelsäcke. Lina verlor so viel Gewicht, dass sie sich wie neugeboren fühlte. Der Personal Trainer hatte schon bei anderen erlebt, wie die Erwartungen dadurch wuchsen.

»Alle Welt denkt, sobald man abnimmt, hat man unendlich viel Sex. Und es stimmt«, sagte der Trainer, »die Lust auf Sex nimmt zu. Aber es passiert noch etwas anderes, praktisch das Gegenteil. Es ist fast schon eine Epidemie.«

Er sagte, er könne es unmittelbar kommen sehen. Besonders bei Frauen. »Sie verlieren dieses ganze Gewicht. Ihre Ehemänner sind entweder neidisch oder perplex. Die Frau macht sich superschön für diese eine Verabredung am Abend, die sie ihrem Mann abringen kann. Er vergisst, ihr zu sagen, dass sie toll aussieht. Am Montag geht sie ins Fitnessstudio. Fünf Typen rufen: ›Du siehst toll aus! Krass, Amanda. Wirklich heiß.‹ Da kann man fast schon ein Zahlenspiel draus machen. Wenn man zehn Kilo abnimmt, bekommt man zehn Komplimente pro Woche, das sind neun mehr, als man von seinem Partner in einem ganzen Monat hört. Es sind die High-Five-Momente mit anderen, die die eigene Beziehung zerstören.«

Der Trainer behauptet, er könne eine Checkliste führen und den Tag vorherbestimmen, an dem die Frau beschließe, sich zu trennen.

Dünn zu sein und sich sexy zu fühlen hat Linas Lust auf Sex größer werden lassen als je zuvor. Sie hat versucht, die Wut auf Ed beiseitezuschieben. Sie hat ihn an den Gürtelschlaufen zu sich herangezogen und ihn angelächelt. Er hat gesagt: »Was machst du? Es ist mitten am Tag. Hast du nichts zu tun?«

Sie begreift, dass sie seit Jahren krampfhaft kompensiert. Jedes Mal, wenn er sie im Bett ignoriert hat, ist sie am Morgen aufgewacht und hat ihn gebeten, etwas im Haus zu reparieren. Genauso hatte ihre Mutter es mit ihrem Vater gemacht. Es war der Versuch auszugleichen, dass sie nicht genug geliebt wurde.

Auf dem Spielplatz erzählt Lina einer Freundin davon. Ihre Freundin versteht sie nicht. Sie solle doch froh sein, dass Ed wenigstens Sachen im Haus repariere. Warum sie denn auch noch Sex mit ihrem Mann wolle. Ihre Freundin begreift nicht, was Linas Problem ist.

»Also hast du das Gefühl, ihn zu nerven?«, fragt ihre Freundin.

»Ja, aber das allein ist es nicht. Wenn einem klar wird, warum man das macht, den anderen bittet, dieses oder jenes zu reparieren, hasst man sich weniger dafür, dass man nervt, bemitleidet sich aber mehr. Und das ist auch schwer. Das ist sogar noch schwerer.«

»Hm«, sagt die Freundin und nickt. Später hat sie keine Zeit, um irgendwo mit Lina mittagzuessen. Sie muss noch Besorgungen machen. Lina ist immer schon fertig mit ihren Besorgungen. Sie hat ganze Tage rumzukriegen.

Und so fährt Lina allein mit dem Wagen herum, den Kleinen hinten drin. Doch sie kann keinen Kilometer fahren, ohne dass dieses Kribbeln in ihr aufsteigt, diese Lust. Die Frau und die Mutter in ihr wollen einen Mann in sich spüren und merken, wie er kommt. Das Highschool-Mädchen will unter der Decke geküsst werden. Und das College-Mädchen will, dass jemand auf einer Verbindungsparty zwischen einem Natty-Light-Fass und einem schäbig gestrichenen Kellerpfeiler ihre Titten auscheckt.

Eines Abends weist Ed sie mit seinem Wissenschaftlergesicht zum tausendsten Mal zurück, und sie schaut in ihren Kalender und sieht, dass sie vor anderthalb Monaten zum letzten Mal miteinander geschlafen haben. Vierzig Tage lang Funkstille, keine Küsse, keine Berührungen. Wäre Fastenzeit, würde sie vielleicht hoffen, es handele sich um einen unausgesprochenen Verzicht. Aber es ist

Oktober, und er hat sie den ganzen Monat und fast den gesamten September nicht angefasst. Die Arbeit im Haus ging trotzdem weiter, die Erledigungen gingen weiter, die Arzttermine gingen weiter. Alles andere ging weiter. Das Leben, so fühlte es sich an, zerrann ihr zwischen den Fingern. Ihr Körper verkümmerte, ihr Herz lag offen da wie ein rohes Stück Fleisch auf einem Schneidebrett. Und dann kamen die Panikattacken. Mit zwei Attacken pro Tag fing es an. Eine gleich beim Aufwachen, wenn sie das Gefühl hatte, keine Luft zu bekommen, und die zweite um die Mittagszeit, wenn ihr bewusst wurde, dass sie noch die ganze zweite Tageshälfte vor sich hatte. Sie begann, im Gesicht zu knibbeln. Kaum wurde sie unruhig, ging sie ins Bad, presste die Hüften fest gegen den Rand des Waschbeckens, um möglichst nah an den Spiegel ranzukommen, und bohrte winzige Mondkrater in ihr weiches, schönes Gesicht.

Sie verliert ihre Schlüssel. Sie vergisst, den Herd auszustellen. Sie vergisst, Kaffeebecher vom Dach ihres Autos zu nehmen. Sie vergisst, im Restaurant die Handschuhe auszuziehen. Sie vergisst, ob sie schon bestellt hat. Sie vergisst ihre Tabletten. Sie vergisst, dass sie kein Gluten essen darf.

Irgendwann fühlt sich ihr Leben an wie der perfekte Sturm, die Hormone und die elf Jahre und die unzähligen Male Küchewischen, Eds allabendliches Wegdrehen im Bett und die ganzen Panikattacken und das ständige Gefühl der Einsamkeit in diesem großen Haus, das Gefühl, sich endlich wieder schön zu fühlen in diesem großen einsamen Haus. All dies wird zu einem Konglomerat aus Gewohnheitsverzweiflung, und wenn sie die Augen schließt, sieht sie, wie er ihrem Körper abends den Rücken zukehrt. Ihr immer und immer wieder den Rücken zukehrt, und sie fängt an, diese Rückansicht von ihm zu hassen. Die Rückseite seines Körpers wird zu einem kalten Tier, wie ein Alien, mit diesen kleinen Fleischsoden und den Sommersprossen und gelegentlichen Pickeln, und sie denkt, du hast große, eklige Pickel auf dem Rücken, und ich will trotzdem mit dir schlafen, und du weist mich trotzdem zurück, wie kann ich so leben? Wie kann ein Wesen mit einer Seele elf Jahre lang so leben? Und ihr schlanker Körper verwandelt sich in das lange tickende Pendel einer Uhr. Sodass sie sich eines Tages sagt: Ich gebe ihm drei Monate. Dann war's das, dann gehe ich.

Die drei Monate verstreichen. Anfangs langsam, später sehr schnell. Lina ist ihr ganzes Leben lang eine gute Katholikin gewesen. Ehebruch, dachte sie immer, sei nur was für sehr egoistische Menschen. Ihre zwei Kinder sind ihr Ein und Alles. Sie war immer davon ausgegangen, dass ihre Kinder in einem Zuhause mit beiden Eltern aufwachsen würden, auch wenn sie weiß, dass das keine Glücksgarantie ist. Ihre eigene Kindheit ist das beste Beispiel. Denn obwohl ihre Mutter und ihr Vater sich nie haben scheiden lassen, blieb ihr Vater für sie immer eine Art Fisch im Aquarium. Etwas, das sie jeden Tag sah, aber nie berühren, nicht verstehen konnte. Ihre Mutter war ständig wütend. Stampfte durchs Haus, putzte irgendwas.

Trotzdem war ihr Zuhause heil. Es war ganz. Sie war überzeugt, ihre Kinder würden das auch haben.

Doch wenn Ed sie vor Ablauf der drei Monate nicht angefasst haben würde, würde sie gehen, das hat sie sich geschworen. Diesen Schwur darf sie nicht brechen.

Bevor Lina weiß, wann der richtige Tag gekommen ist, nimmt sie die Einladung zum Junggesellinnenabschied einer Freundin aus Indianapolis an. Es fällt ihr nicht schwer, sich für diese Freundin zu freuen. Am Anfang der Ehe sind sie alle völlig euphorisch, das weiß Lina. Sie beneidet ihre Freundin nicht um dieses unbeschwerte Glück. Und fragt sich, ob es vielleicht daran liegt, dass sie auf Facebook mit *ihm* gechattet hat.

Aidan.

Keine große Sache, nur ein leichtes Flirten hier und da. Eigentlich noch nicht mal ein richtiges Flirten. Sie haben sich nur gegenseitig auf den neuesten Stand gebracht. Wie viele Kinder jeder hat, wie alt sie sind. Wo sie wohnen. Aidan lebt noch immer ungefähr da, wo sie aufgewachsen sind, nicht weit vom Fluss entfernt, raus Richtung Indy.

Am Abend des Junggesellinnenabschieds macht Lina sich zurecht wie lange nicht mehr. Sie erzählt Ed, sie wolle etwas trinken und schlafe wahrscheinlich bei ihrer Freundin. Aidan schreibt sie, dass sie in der Gegend ist. Ein Hotelzimmer hat. Sie will die Nachricht gar nicht abschicken. Sie will nur sehen, wie die Worte auf dem Display ihres Handys wirken. Diese wilden Worte.

Doch dann spürt sie etwas in sich zerbrechen. Beim Gedanken an Ed, der zu Hause sitzt, die Finger auf der Fernbedienung, während sich ihre Eltern um die Kinder kümmern.

Und so drückt sie auf Senden. Sie ist ganz benommen. Sie steigt in ihren Wagen.

Als ein paar Minuten später sein Name aufblinkt, bleibt ihr fast das Herz stehen. Aber selbst dieser zeitweilige Herzstillstand ist herrlich. Ein völlig neues Gefühl.

»Ja, Mensch, Kid. Ich würde dich wahnsinnig gern sehen. Ich muss nur ein paar Sachen … Aber ich versuch's.«

In diesem Augenblick spürt Lina keinen Schmerz. Sie

nimmt Medikamente wegen ihrer Fibromyalgie, aber nichts hilft, und immer wenn sie die Angst packt, dass ihr Leben ihr zwischen den Fingern zerrinnt, spürt sie den Schmerz direkt in ihren Knochen. Es gibt Menschen, die sagen, das sei alles Unsinn. Linas Eltern zum Beispiel. Sie denken, dass die Schmerzen bei einer Verletzung oder einer Krankheit viel schlimmer wären. Sie glauben, Lina habe keine körperlichen Schmerzen. Das alles sei doch nur in ihrem Kopf.

Lina kommt zum ersten Teil des Junggesellinnenabschieds ins *P. F. Chang's*. Die Frauen haben den leichten Hähnchen-Wrap bestellt. Trinken lieblichen Weißwein. Sie begrüßen Lina freundlich, und die zukünftige Braut umarmt sie fest. Keine von ihnen weiß, was bei ihr zu Hause los ist. Dann nehmen sie ihr Gespräch über den neuen Supermarkt und den *Bachelor* wieder auf.

Nach dem Abendessen ziehen die Frauen in eine Bar weiter, setzen Penis-Käppis auf und befreien sich aus ihren Strickjacken, unter denen einseitig schulterfreie Oberteile zum Vorschein kommen. Sie lachen laut und bestellen Vulcano-Cocktails. Lina lacht mit, ist aber eigentlich ganz woanders, grinst innerlich und malt sich aus, wie es wohl wäre, wenn ihr geheimer Besucher später zu ihr aufs Zimmer käme und sie nach all den Jahren sein Gesicht berühren könnte.

Es klopft an der Tür. Sie kommt sich vor wie in einem Film.

Sie hat den Fernseher laufen, hat auf das Klopfen gewartet und versucht, sich möglichst entspannt eine Sendung anzusehen; hat versucht, sich locker zu machen, elegant gerötete Wangen zu haben und ein herausforderndes Blitzen in den Augen. Doch als es klopft, sind ihre ganzen Vorbereitungen hin. Ihr Herz rast, und jedes Spiel, für das sie trainiert hat, ist mit einem Schlag verloren.

Sie öffnet die Tür des Hotelzimmers. Seit über fünfzehn Jahren hat sie ihn nicht gesehen, außer auf Facebook: wie er seine Kinder auf dem Arm hat, wie er mit seiner Frau eine große blaue Geburtstagstorte anschneidet.

Jetzt steht er hier in der Tür: Aidan.

Er ist kräftiger geworden. Wo früher ein Sixpack war, ist jetzt ein beachtlicher Bauch, aber er haut sie genauso um wie damals.

Ed ist schmaler als Lina, und Aidan ist so viel breiter. Ein richtiger Schrank. Er trägt einen Kapuzenpullover und Arbeitshosen und hat die Haare raspelkurz. Weil er auf dem Rückweg von der Beerdigung seines Stiefvaters noch in eine Bar gestolpert ist, ist er nicht mehr ganz nüchtern. Er trinkt Dosenbier, und sein Atem hat immer diesen Geruch, den Lina inzwischen mit purer Lust verbindet. All diese Jahre hat sie beim Geruch von Michelob Light, diesem scharfen Geruch von Leichtbier aus der Dose, immer ein Kribbeln zwischen den Beinen gespürt.

»Hey, Kid«, sagt er.

»Hey, du.«

Sie setzen sich aufs Bett. Er war noch nie ein großer Redner. Sie stellt ihm belanglose Fragen und starrt ihn an. Beim Blick in sein schönes Gesicht schüttelt sie den Kopf, als könnte sie nicht glauben, dass er hier mit ihr im selben Zimmer sitzt.

Es dauert eine Ewigkeit, bis sie sich küssen; vielleicht sind es nur Minuten, aber für Lina ist es eine Ewigkeit. Sie umfasst sanft sein Kinn und zieht ihn zu sich heran. Saugt seinen scharfen Atem ein. Am Anfang sind ihre Küsse zaghaft und langsam und zärtlich, dann ist es wie eine Explosion, ein Sturz in die Tiefe, etwas, das weit mehr ist als nur zwei Münder, die sich berühren.

»Er küsst mich«, erzählt sie den anderen Frauen später, »als könnte er in mich hineinschlüpfen und einen Schalter drücken, der alles in mir zum Leuchten bringt.« Sie denkt an den Druck seiner festen Zunge, und ein Beben durchfährt sie.

Zwischen ihrem ersten Kuss mit Aidan und diesem Kuss jetzt hat Lina ein ganzes Leben gelebt. Sie hat geheiratet und zwei Kinder bekommen, mehr als einen Golden Retriever begraben und viertausend Knoblauchzehen geschält. Doch es fühlt sich an, als hätte sie die Zeit zwischen diesen zwei Küssen in einem tiefen Dornröschenschlaf verbracht.

»Er küsst mich«, wird sie später sagen, »wie sonst niemand auf der ganzen Welt.« Sie wird es so oft sagen, dass die anderen Frauen gar nicht umhinkönnen, es ihr zu glauben.

Einer ihrer Lieblingsfilme ist *Die Braut des Prinzen*. Darin erzählt Peter Falk von den drei wahrhaftigsten Küssen aller Zeiten, und dieser erste Kuss mit dem erwachsenen Aidan und alle Küsse danach sind Linas wahre *Braut des Prinzen*. Schon möglich, dass die anderen Frauen Linas Vorstellung von wahrer Liebe verurteilen, aber in Linas Herz und Hirn zählt nur ihre Version der Wahrheit. Um sich zu verteidigen, wird sie sagen, dass Küssen für sie wichtiger ist als alles andere auf der Welt, wichtiger als Geld und Hilfe bei Reparaturen im Haus, und dass sie Ed dafür hasst, dass er ihr seine Küsse verweigert. Und plötzlich ist Aidan da, der ihre Zunge tief in sich hineinsaugt.

Lina hat an diesem Abend ihre Regel. Sie benutzt keine Tampons, sondern Binden, weil Tampons die Symptome ihrer Endometriose verstärken. Da sie eine Mutter und an diesem Punkt der sexuellen Selbstverwirklichung ange-kommen ist, spricht Lina offen über das weibliche Bluten. Nicht, weil es cool wäre, sich zu entblößen und schutzlos zu sein, sondern aus einer natürlichen Offenheit heraus. Sie erzählt von den unappetitlichen Sachen, als wären sie schön.

Und so erzählt sie Aidan, dass sie ihre Regel hat.

Zuerst ignoriert er es. Er zieht ihr die Bluse und den BH aus. Sie öffnet den Gürtel seiner Hose, und er lässt es geschehen. Sie versucht, ihn gegen die Wand zu drü-cken, aber er ist ein Koloss und bewegt sich keinen Milli-meter. Das macht sie wahnsinnig an. Ihren Mann könnte sie locker die Treppe hochtragen. Sie kniet sich vor Aidan, und ihr schießt durch den Kopf, was für ein Glück sie hat, wie glücklich sie ist. Dass dieses rohe Bedürfnis erfüllt wird. Dass dieser rohe Mann ihr in diesem Augenblick gehört.

Nach ein paar Minuten wirft er sie aufs Bett. Er rollt sich auf sie, und sein Gesicht ist ganz nah, als er sagt: »Du läufst also grad aus, ja?«

Sie lacht, als sie das später in der Gesprächsrunde er-zählt. »Er kommt halt aus der Provinz, wisst ihr?«

Lina ist ihrer eigenen Familie längst entwachsen, und sie weiß, wie schwer es ist, sich von dem ganzen Zeug, mit dem man getauft wird, zu befreien. San Pierre, woher sie stammt, sei eine der rassistischsten Kleinstädte Amerikas, erklärt sie. Aidan sagt vieles, wofür Lina sich entschuldigt. Dass er sie fragt, ob sie ausläuft, turnt sie nicht ab. Es turnt sie auch nicht an, aber sie nimmt es hin.

»Ja«, sagt sie keuchend. Jemanden zu lieben heißt, ihn zu nehmen, wie er ist. Sie schaut sich um und versucht, alles von dieser Nacht in sich aufzunehmen. Sie hätte nie gedacht, dass das hier wirklich passieren würde. Aidan und sie, dieses große Zimmer im *Hilton Garden Inn*, direkt am Highway. Ein Stück die Straße runter befindet sich ein leer gefegter *Subway*, der im Dunkeln gelb leuchtet.

»Ich will dich in mir spüren«, sagt sie.

»Mhm.«

»Soll ich ein Handtuch holen? Ich hol eins.«

Sie kommt mit einem Handtuch zurück und macht das Licht aus. Sie hat wieder an ihrem Gesicht geknibbelt. Die Nerven und die Ängste und die Depression. Sie macht sich Gedanken wegen der eingewachsenen Haare rings um ihre Nippel. Dann liegt sie im Dunkeln auf dem Handtuch, und er legt sich wieder auf sie, und sein Gewicht lastet herrlich schwer auf ihr. Er ist betrunken, und sie will nicht, dass er wieder nüchtern wird und zur Besinnung kommt. Oder nüchtern wird und sich vor den Kratern in ihrem Gesicht oder vor den Entzündungen rings um ihre Nippel ekelt. Stattdessen ist er drauf und dran, mit ihr zu schlafen, obwohl sie blutet, was zeigt, dass sie recht hatte und er ein echter Mann ist. Ed und sie hatten in zehn Jahren Ehe vielleicht zehn Mal während ihrer Regel Sex. Mit Aidan ist ihre Regel kein Hindernis, sondern etwas, das zum Leben und diesem Abend dazugehört. Er ist auf ihr und hat seine Zunge in ihrem Mund und ist schon fast drin, als sie »warte« sagt und ihm die Hand auf die Brust legt.

»Warte kurz. Es ist schon lange her, dass ich mit einem anderen Mann geschlafen habe. Elfeinhalb Jahre.«

Er murmelt etwas Anerkennendes.

Sie krallt ihre Hände in seinen Hintern, presst ihn an sich, um seinen Schwanz zu spüren, und sagt: »Tut mir leid, falls ich ein bisschen eng bin.«

Es klingt, als würde sie fast ersticken. Aidan erdrückt sie

mit seinem Körper. Er scheint nicht zu merken, wie schwer er auf ihr liegt. Sie selbst hätte nichts dagegen, so zu sterben. Sie umfasst seinen Penis, er fühlt sich an wie ein Rubin, und reibt ihn an ihren inneren Schamlippen, bis er in sie hineingleiten kann. Dann spürt sie ihn tief in sich. Von Anfang an bewegt er sich langsam, nicht schnell, wie sie es erwartet hat. Langsam und genau in dem Rhythmus, der sie scharfmacht. Er nimmt sich Zeit, und auch wenn sie sich nicht ganz fallen lässt, kann sie den Sex doch zum ersten Mal wirklich genießen. Sie kann nicht glauben, wie gut es sich anfühlt. Wie sie spürt, auch als sie völlig im Moment versinkt, dass ihre Seele erwacht und zu Gott hinauflächelt, zum ersten Mal dankbar, am Leben zu sein.

Sie will, dass er in ihr kommt. Es wäre so viel intimer, und sie hat ihn seit Jahren nicht gesehen. Sie will sich auf diese Weise wieder mit ihm verbinden. Sie will geflutet werden. Und das sagt sie ihm.

Er zieht sich aus ihr zurück und ejakuliert auf ihren Bauch.

Aber auch als es vorbei ist, hält er sie weiter fest, küsst sie innig und sanft.

Sie fühlt sich sicher, herrlich beschützt.

Normalerweise lässt die Fibromyalgie ihren ganzen Körper vor Schmerzen glühen, doch in dieser Nacht im Hotelzimmer ist sie glücklich, und ihre Knochen tun nicht weh. Sie kann nicht glauben, dass sie überhaupt keine Schmerzen verspürt. Ist sie vielleicht gestorben?

Zusätzlich zu der Fibromyalgie und der Endometriose, so hat ihr Arzt ihr erklärt, habe sie eventuell auch das Polyzystische Ovarsyndrom und das Hypermobilitätssyndrom. Ihre Ärzte verschreiben ihr unzählige Medikamente für jedes dieser Probleme. Sie sagen, sie solle keine Tampons

benutzen, sie solle sich Aktivitäten suchen, die ihr gut-
täten, und wenn diese nicht helfen würden, solle sie Anti-
konvulsiva nehmen. Bei den Krankheiten, die Lina hat,
gibt es eine feine, fast unsichtbare Linie zwischen Dingen
wie Yoga und Stricken, die die Symptome lindern können,
und ziemlich heftigen verschreibungspflichtigen Medikamenten wie Lyrica, das Nesselausschlag, Gewichtszu-
nahme, Selbstmordgedanken und verschiedene Krebsarten
verursachen kann.

Ihr Endokrinologe hat ihr gesagt, wo er das Problem
sieht. Er hat gesagt: »Lina, wo du herkommst, bringt man
Frauen bei, dass ihr Wert sich darüber definiert, was sie
für andere tun. Wenn du anfängst, endlich etwas für dich
selbst zu tun, wirst du weniger Schmerzen haben.« Er hat
sich hingesetzt, um ihr in die Augen sehen zu können.
»Lina«, hat er gesagt, »das mag jetzt vielleicht nicht besonders fachkundig klingen, aber ich hatte schon viele Patien-
tinnen mit Fibromyalgie, die ein guter Orgasmus geheilt
hat.«

Wenn Ella zum Spielen verabredet ist, draußen, im
Herbst, steht Lina da und massiert sich die schmerzenden
Arme und Beine. Oder es durchzuckt sie ein stechender
Schmerz, während sie gerade Danny im Kindersitz fest-
schnallen will. Wenn das passiert, muss sie ihr Kind absetzen, auf dem Kindersitz oder in der Einfahrt, und durch-
atmen.

Lina ist dazu erzogen worden, nicht über Gefühle zu spre-
chen. Alles, was ihre Eltern beherrschten, war: »O Gott,
Lina. Dir geht es doch gut. Das reicht, Lina.« Als Lina
Mutter wurde, respektierten sie sie ein bisschen mehr. Sie
kümmerte sich um die Kinder, zehn Stunden am Tag, fünf
Tage die Woche. Sie erzählte ihrer Mutter, sie könnte etwas

Hilfe gebrauchen, ob sie vielleicht auf die Kinder aufpassen würde, damit sie selbst im Y wieder ein paar Kurse geben könne. Es musste klingen, als bräuchten Ed und sie das zusätzliche Geld, denn Geld war immer ein legitimer Grund. Dass man Hackbraten auf den Tisch bringen musste. Dass sie es in Wirklichkeit für sich und ihre Seele tat, wäre für ihre Eltern egoistisch und neumodisch und hier in der Gegend ungewöhnlich gewesen. Ihre Mutter kam also zum Babysitten zu ihr, war aber immer drei Minuten zu spät, und Lina wusste, dass das Absicht war. So fing Lina jedes Mal drei Minuten zu spät mit dem Kurs an. Sie war kopflos, und das grelle Licht im Studio blendete sie.

Nun hat Lina diese Schmerzen, und sie glaubt in wachen Momenten, dass die Schmerzen die Herzschmerzen der Vergangenheit sind, dieser elf Jahre Einsamkeit. Des Vergewaltigtwordenseins. Dieses ganzen einsamen Lebens. Sie weiß, dass es da draußen noch mehr Frauen gibt, deren Männer sie nicht ficken oder knutschen wollen. Und die werden sie verstehen. Aber jede Menge Leute werden sagen, dass sie die Klappe halten und mit ihren Kindern und dem schönen Haus zufrieden sein soll. Ed und sie haben für den Fall eines Unwetters sogar einen Generator.

In dieser Nacht im Hotelzimmer ist sie ganz berauscht davon, keine Schmerzen mehr zu empfinden. Der Gesprächsrunde erzählt sie später mit dem Selbstvertrauen einer Frau, die nichts zu verlieren hat: »Wenn ich mit Aidan zusammen bin, habe ich überhaupt keine Schmerzen. Ich fühle mich großartig. Ihr könnt mich also dafür verurteilen, dass ich mit Aidan zusammen bin, ihr könnt mich alle verurteilen. Aber ich habe etwas gefunden, das mir die Schmerzen nimmt, und solange ihr nicht dieselben Schmerzen habt wie ich, solltet ihr mich nicht verurteilen.

Frauen sollten sich nicht gegenseitig verurteilen, solange sie nicht durch das Feuer der anderen gegangen sind.«

Aidan wischt ihr mit dem Handtuch, das sie aus dem Bad geholt hat, das Sperma vom Bauch, steht auf und versucht, sich in ihre Jeans zu quetschen. »Hey, Kid, die passen mir fast!«, sagt er und lacht aus vollem Hals. Sie schluckt. Ihr Herz klopft so schnell, als würde es gleich davongaloppieren. Sie denkt: O nein, bitte geh nicht.

Ohne zu duschen, zieht er sich die eigene Jeans an. An seinem Schwanz kleben ihr Blut und sein Sperma.

»Hey«, sagt sie. »Willst du dich nicht noch sauber machen, bevor du nach Hause gehst?«

Das müsse er nicht, er habe die letzten paar Nächte bei den Hunden geschlafen. Lina vermutet, dass er damit meint, er sei betrunken im Wohnzimmer oder im Keller versackt. Seine Frau wird das Blut einer anderen Frau an ihm nicht riechen. Das werden nur die Hunde.

# Maggie

Maggie betritt zitternd den von Knodel geleiteten Debattierclub. Es ist der erste Tag nach den Ferien, und sie hat alle anderen Kurse ausfallen lassen. Gleich nach dem Aufstehen hat sie erfahren, dass ihr Cousin am Abend zuvor ganz plötzlich und unerwartet verstorben ist. Sie ist erschüttert und haltlos, schafft es aber nicht, auch diesen Kurs ausfallen zu lassen. Sie schafft es nicht, ihn *nicht* zu sehen. Wenn überhaupt, hilft nur das. Sie trägt das alte gelbe Fußballshirt ihres verstorbenen Cousins und braune Jogginghosen mit dem Logo der University of Minnesota. Dort will sie später unbedingt studieren.

Sie hat ihn seit Wochen nicht gesehen, und doch hat sich alles zwischen ihnen verändert. Oder hat sich das alles nur in ihrem Kopf abgespielt? In ihrem Handy hat sich auf jeden Fall was abgespielt. Wie er sich ihr gegenüber wohl verhält? Ob er sich distanziert gibt? Allein die Vorstellung bricht ihr das Herz. Nachdem sie sich auf ihren Platz gesetzt hat, sieht sie ihn an, und es ist perfekt.

Er hat diese Art, eine Situation zu entspannen und zugleich den Funken zu erhalten. Schwer auf den Punkt zu bringen, wie er das macht. Sie bewundert ihn. Für diese Art, sie genauso anzulächeln wie alle anderen Schüler, ihr aber durch ein zusätzliches Kopfnicken zu sagen: Hey, da bist du ja.

Er schiebt eine DVD ein. Es ist *The Great Debaters*, ein Film, den Maggie ihm im letzten Jahr empfohlen hat.

Sie kann sich kaum auf den Bildschirm konzentrieren. Sie spürt, dass er sie die ganze Zeit ansieht. Als sich ihre Blicke treffen, grinst er. Er fühlt sich pudelwohl. Da steht er, denkt sie sich, der perfekte Mann. Unglaublich einfühlsam, voller gesunder Begierde, mit einem Parfüm aus der Drogerie, aber der Ausstrahlung eines Filmstars. Während sie die DVD anschauen, sitzt er so halb auf dem Schreibtisch, die Arme rechts und links neben sich abgestützt, eine für junge Lehrer typische Pose. Krass, denkt sie, hat er heute einen Filmtag eingelegt, weil er mich ansehen und im Dunkeln diese Gedanken mit mir austauschen will?

Sie spürt, wie sein Blick über ihren Körper gleitet, er ihre Haare bewundert, ihr Schlüsselbein – Schulmädchendetails, aber eben Details an ihr. Während des gesamten Films glüht ihr Gesicht. Auch sie grinst die ganze Zeit verträumt vor sich hin, als würde eine unsichtbare Hand ihre Mundwinkel in Richtung Ohren ziehen. Sie versucht ein paarmal, damit aufzuhören, schürzt zuerst die Lippen und schließt dann die Augen.

Der erste von vielen paradiesischen Momenten ereignet sich an einem Sonntag. Später wird sie an diese Begegnung als ihr erstes Date zurückdenken.

Maggie ist bei Melani. Sie erzählt Melani kein Wort davon, wie verknallt sie ist. Dieses Schweigen, für eine Teenagerin buchstäblich unerträglich, lässt ihre Freundschaft zu einer einzigen Lüge werden. Denn dieses Verknalltsein stellt alles andere in den Schatten, und Maggie kommt sich wie eine Heuchlerin vor, wenn sie über Partys, Kurse, Klamotten und Serien reden.

Maggie ist am Morgen nicht mit ihren Eltern in die Kirche gegangen und soll es nun am Abend nachholen. Gerade will sie von Melani zum Gottesdienst aufbrechen, als ihr Handy zweimal vibriert und er es ist.

»Was machst du gerade?«

Da sie einerseits so verknallt ist, wie man nur sein kann, andererseits aber nicht weiß, was er denkt, wo er ist und was er vorhat, kann es keine ehrliche Antwort auf diese Frage geben. Sie lässt sich nur mit Vagheit beantworten, mit Leere, so breit und tief wie der Grand Canyon.

»Nichts weiter. Bin bei Melani.«

Er schreibt, dass er ein Buch kaufen muss, *Freakonomics*, und fragt, ob sie sich bei Barnes & Noble treffen wollen. Einer dieser Orte, an denen man sich leicht über den Weg laufen kann, ohne dass es verdächtig wirkt.

Es ist, als hätte er sie für ein langes Wochenende auf die Bermudainseln eingeladen. Sie riecht das Salzwasser und das Sonnenöl. Sie fährt auf den Parkplatz an der Forty-Second Street und trägt mit ihren schönen zarten Händen noch mal Lipgloss auf. In einem Paralleluniversum sitzt sie gerade in der Kirche. Zumindest glauben das ihre beste Freundin und ihre Eltern. An einer geheimen Mission teilzuhaben gibt ihr das Gefühl, wichtig zu sein. Sie stiehlt sich nicht einfach aus dem Haus, um zu einer Party zu gehen oder um mit ihrem nach Coors schmeckenden Freund rumzumachen. Sie fühlt sich wie eine Geheimagentin.

Sie geht in den Laden. Sie steht zitternd an einem Tisch mit Kinderbuch-Bestsellern und versucht, sich auf die vor ihr liegenden Wörter zu konzentrieren.

Er tritt von hinten an sie heran, und sie zuckt zusammen. Es ist das erste Mal, dass sie ihn außerhalb der Schule trifft, und es fühlt sich komisch an. Er ist ein erwachsener Mann mit einer Brieftasche.

Er sieht schicker aus als sonst im Unterricht und trägt auch mehr Parfüm. Sein Lächeln haut sie um. Dann fragt er einen vorbeikommenden Mitarbeiter, wo er *Freakonomics* finden könne, und sie folgt ihm. Sie weiß, dass sie Kind und Frau zugleich sein muss, und braucht ihre ganze Energie, um beide Rollen zu erfüllen. Sie hat jetzt schon Angst vor dem Ende dieses kurzen Trips. Sobald er sich das Buch besorgt hat, werden sie den Laden verlassen, und er wird einen faden Geschmack im Mund zurückbehalten und sich nie wieder bei ihr melden.

Er findet das Buch und liest die Rückseite, was beneidenswert ist. Dass er in seinem Kopf neben diesem schmachtenden, verknallten *Ahhhh* noch Platz für andere Informationen hat, macht ihn ab jetzt zum Anführer ihres Arrangements. Ihre kleinen Hände mögen verführerisch auf ihn wirken, aber er hat Kapazitäten frei, um Bücher zu lesen, Kinder großzuziehen und mit den Mitarbeitern eines Kaufhauses zu kommunizieren. Und das, beschließt sie, ist Macht.

Als er sich anstellt, um das Buch zu bezahlen, steht Maggie neben ihm, als wäre sie seine Tochter. Diese ganzen Verlockungen der Quengelzone: Schokoriegel und Zeitschriften und Leselämpchen und Minibücher. Sie will über jede einzelne Sache mit ihm reden. Sie will nur die Dinge ansehen, die er ansieht. Die Dinge, die er nicht sieht, existieren nicht.

Als die Karte durch das Lesegerät gezogen wird, fühlt es sich an, als hätte man ihr Herz in einen Fleischwolf gestopft. Sie war nicht witzig genug! Sie war nicht klug genug! Still und scheu wie ein Rehkitz ist sie ihm in einem

Outfit, das nicht zu ihren besten gehört, durch die Gänge gefolgt. Er wird das auf keinen Fall wiederholen wollen!

Er nimmt den Beutel mit dem Buch, geht hinaus, und sie folgt ihm wieder. In der aufgeheizten Leere des Foyers fragt er, ob sie Lust habe, ein bisschen mit ihm herumzufahren. Schmetterlinge rauschen durch ihre Adern. Sie würde darauf verzichten, im Lotto zu gewinnen oder ein Star zu werden, solange ihr diese Droge bleibt.

Sie gehen zu seinem Wagen. Es ist ein dunkelblauer CUV. Eigentlich ist es der Wagen seiner Frau. Er hält ihr nicht die Autotür auf. Sie ist es ohnehin nicht gewohnt, dass man ihr die Tür aufhält. Mateo hat es getan, aber vielleicht lässt Knodel ihr Herz dadurch nur noch heftiger klopfen – weil er ihr nicht die Tür aufhält, weil es auch eine Arschlochseite an ihm gibt, weil er einen Teil zurückbehält und sich nicht voll reinhängt. Er fährt los. Sie registriert, dass er ein guter Autofahrer ist. Ihrem Gefühl nach gibt es nichts an ihm, das nicht perfekt ist. Sie atmet den Geruch des Wagens ein und ist froh, kein Parfüm zu tragen. Lucky aus der pinken Flasche benutzt sie erst seit diesem Jahr nicht mehr. Der Duft war ihr langsam kindisch vorgekommen. Und sie möchte nichts hinterlassen, das seine Frau misstrauisch machen und ihn in Bedrängnis bringen könnte.

Im Wagen ist er prolliger als sonst. Als Lehrer fand sie ihn irgendwie liebenswürdiger. Er ist nie ganz fürsorglich, selbst in seinen wärmsten Momenten, aber jetzt macht er einen auf draufgängerisch und cool. Mit dem Einsteigen ins Auto ist etwas zwischen ihnen gekippt. Gerade noch halb Frau, halb Kind, fühlt sie sich jetzt wie ein Baby. Sie unterhalten sich, er lässt das Radio aus. Die Straßen von Fargo blitzen vor ihnen auf wie die Landebahnen eines fremden Planeten. Etwas schnürt Maggie die Kehle zu. Wenn man beinahe hörig ist vor Liebe, ist es normal, dass man Angst bekommt. Angst zu verlieren, was man hat. Ihr Gefühle für Mateo waren nicht annähernd so stark. Das mit Knodel hat sich langsam entwickelt – ging es eigentlich schon in der neunten Klasse los? –, und die Zeit, die seither vergangen ist, macht es so viel größer. Auch weil er ist, was er ist: eine Zehn. Wenn sie mit ihm zusammen ist, gewinnt sie sofort an Wert. Sie sieht es förmlich vor sich, wie sie im Wert steigt. Im selben Moment hat sie das Gefühl, nicht gut genug zu sein.

Als sie an dem neuen Biomarkt vorbeifahren, zieht er sie mit einem kleinen Spruch auf. Sie haben sich schon immer so gefoppt. Maggie greift über die Mittelkonsole nach seiner Hand. Hey, nicht so frech, gibt sie ihm zu verstehen, doch er zuckt schon zurück, als würde sie ihn verbrennen. Seine Geste hat nichts Kaltes. Eher, als hätte Maggie ihn zu Tode erschreckt. Zeit und Abstand sind das Einzige, was ihre vor Scham glühenden Wangen wieder runterkühlen kann. Das Problem ist nur, dass sie nie wieder aus diesem Auto aussteigen will.

Sie fahren eine halbe Stunde durch die Gegend. Irgendwann landen sie in der Nähe von Maggies Haus, und das sagt sie. »Oh, wo wohnst du denn, lass mal sehen.« Sie zeigt ihm, wo er langfahren soll, und er tut es. Kurz bevor sie da sind, meint er: »Lassen wir das lieber, ich sollte nicht wissen, wo du wohnst, sonst komme ich noch bei dir vorbei, um nach dir zu sehen.«

Sie drückt sich tiefer in den Sitz. Vielleicht passiert das hier nicht physisch, aber innerlich fällt sie auseinander. Sie würde eine Kakerlake essen, um seine Hand zu halten. Seine Distanziertheit ist schrecklich – und schrecklich anziehend. Er versucht, sich zu beherrschen, und schafft es, und sie kann richtig fühlen, wie grausam es ist, wenn der Mensch, den man liebt, so viel Selbstbeherrschung hat.

Dann folgt das Beste, was ihr je passiert ist. Er fährt langsam durch eine ruhige Straße und parkt den Wagen seiner Frau am Straßenrand vor einem Haus, in dem kein Licht brennt. Und sieht sie einfach nur an. Das macht er zehn Sekunden lang, vielleicht weniger. Alles Schlechte, was sie je über sich gedacht hat, wird in diesen Sekunden ausradiert. Sie fühlt sich wie ein Supermodel.

Aber mehr passiert nicht. Er sieht sie nur an, und dann setzt sich der Wagen wieder in Bewegung. Als er vor der Einfahrt zu Barnes & Noble blinkt, möchte Maggie heulen. Ihr erstes Date dauert ungefähr so lange wie eine Probefahrt. Er fragt, wo ihr Auto steht, und sie sagt es ihm. Er hält in der Nähe, aber nicht direkt daneben. Sie zögert das Aussteigen hinaus. Schaut nach vorn. Hofft, dass er sie küsst. Das ist alles, was sie will. Sie kann sich nicht daran erinnern, je etwas anderes gewollt zu haben. Er kennt die Welt. Er kann alles, was ihr Vater kann, nur trinkt er eben nicht und meint, was er sagt, und hält, was er verspricht. Ohne ihn ist sie verloren. Sie wird für immer in Fargo bleiben und bei *Buffalo Wild Wings* arbeiten. Sie wird Virginia Slims rauchen und eine hässliche Küche haben. Bitte, lieber Gott, denkt sie, bitte, bitte, mach, dass er mich küsst!

Er schaut sie an und sagt: »Ich werde dich nicht küssen, falls es das ist, worauf du wartest.«

Er grinst ein bisschen. Aber vor allem wirkt er ernst. Sie kichert nervös, steigt aus dem Wagen seiner Frau und geht zu ihrem eigenen. Sie dreht sich nicht um.

Zu Hause fragen ihre Eltern, wie es im Gottesdienst war. Beim Abendessen isst sie kaum etwas. Sie denkt an nichts anderes als an das, was sie mit ihm erlebt hat. Sie geht alles noch mal durch und überlegt, an welchem Punkt sie es vergeigt hat. Als ihr Handy später am Abend piept, ist sie unendlich dankbar, denn ohne ein Zeichen von ihm hätte sie nicht schlafen können.

»Ich habe vorm Aussteigen noch mal nachgeschaut«, schreibt er, »dass du auch nichts liegen gelassen hast.«

Mehr als einen Monat küsst er sie nicht. Sein Mund wird zu ihrem Mond. Sie sieht ihn fast immer, und doch bleibt er ein Mysterium aus Schatten und Licht. Sie denkt an seine Frau, die ihn küssen darf. Noch macht ihr das nichts aus. Sie weiß ein paar Sachen über Marie. Marie ist Bewährungshelferin, brünett mit einem leicht verkniffenen Gesicht, und wahrscheinlich hat sie noch nie vergessen, ihren Kindern das Frühstück mitzugeben. Aaron spricht es nicht aus, aber irgendwie vermitteln alle verheirateten Männer dieses Bild: Ihre Frauen zu Hause, ihre Heimchen-Maries, haben keine eigenen Träume und Hoffnungen. Sie sind hinreichend hübsche Nobodys, die diese interessanten, coolen Männer mit umwerfendem Musikgeschmack in die Ehe gelockt und zur Kinderaufzucht verleitet haben, und jetzt haben diese Männer die Möglichkeit, ein bisschen Sonne im Nacken zu spüren. Maggie ist die Sonne, Aaron ist der Mond, und Marie ist der Saturn, immer auf ihrer Umlaufbahn, immer zu Hause, immer auf Beobachtungsposten. Das Wichtigste ist, dass er Marie nicht mehr liebt. Er glaubt, sie liebt ihn auch nicht mehr. Zumindest hat sie vor ein paar Jahren mal ihr E-Mail-Postfach offen gelassen, und er fand ein paar unanständige Einzeiler, die zwischen ihr und einem Kollegen hin- und hergegangen waren. Aaron war das egal. Sollte sie doch. Das bedeutet jedoch nicht, dass Marie nicht alles im Blick hat. Maggie weiß, dass Frauen wie sie wachsam sind, weil sie das gewohnte Leben aufrechterhalten wollen, zwei Einkommen, zwei Elternteile für zwei Kinder und die Platin-Mitgliedskarte bei Costco.

Er will vor allem wegen der Kinder nicht, dass das zwischen ihnen körperlich wird. Wegen der Kinder und wegen Maggies Alter. Maggie würde dennoch sagen, dass sie seit dem Abend, an dem sie einander ihre Gefühle gestanden haben, offiziell zusammen sind. Sie sind offiziell zusammen, auch wenn noch nichts gelaufen ist. Es ist wie mit einem Ex, der einem erzählt, dass es da eine Neue gibt, aber noch nichts gelaufen ist: Man weiß dann zwar, dass er noch nicht mit der Neuen geschlafen hat, weiß aber auch, dass das, was da läuft, schon ziemlich fortgeschritten ist. Wenn es heißt, es ist *noch* nichts gelaufen, wird es erst recht was Ernstes. Dann stellt er sie seinen Eltern vor, und sie schenkt ihnen Schals zu Weihnachten.

Maggie und Aaron sind ständig in Kontakt. Tagsüber schreiben sie sich, und abends, wenn die Kinder und Marie im Bett sind, telefonieren sie. Sie reden wie Freunde, wie Geliebte über das, was in ihrem Leben so los ist. Was sie sich im Fernsehen angesehen haben. Wer wann was im Unterricht gesagt hat. Ob der andere auch Angst vorm Fliegen hat.

Aber natürlich gibt es Grenzen. Aaron hat zwei Kinder. Und mit Kindern kennt Maggie sich aus. Schließlich ist sie die Lieblingstante. Maggie weiß, dass es eine No-go-Area für sie gibt: Marie und die Kinder. So ziemlich alles, was passiert, nachdem sein sauberer Lehrerwagen in die aufgeräumte helle Garage fährt, ist tabu.

Ihr Vergnügungspark ist die West Fargo High. Sein

Klassenzimmer ist ihre Master-Blaster-Wasserrutsche mit freiem Fall, das Schülerzeitungs- und Jahrbuchzimmer ihre abgefahrene Wildwasser-Rafting-Partie. Körperlich ist noch immer nichts passiert, aber die intimen Gespräche und geheimen Blicke haben längst den Grundstein für ihre Geschichte gelegt. Durch ihn werden alle anderen Menschen in ihrem Leben überflüssig. Sammy ist Maggies beste Freundin. Doch wenn diese zwei Wörter noch irgendetwas bedeuten sollen, muss sie ihrer besten Freundin alles erzählen. Und das kann Maggie nicht mehr. Sie lernt, dass es Dinge gibt, über die man nicht sprechen kann. Man kann nicht sagen, dass man mit seinem Lehrer zusammen ist.

Kinder brauchen Regeln, darum stellt Aaron welche für Maggie auf. Die wichtigste ist, dass sie ihm nie zuerst simsen darf. Unter keinen Umständen darf sie den ersten Schritt machen. Das ist wichtig, um die Beziehung nicht zu gefährden.

Maggie würde alles tun, was der Beziehung dient. Sie glaubt, es hänge von ihr ab, und versucht, ihn nicht in Versuchung zu führen. Ihn nicht daran zu erinnern, wie verdorben er ist. Oder daran, dass sie minderjährig ist. Ihre Aufgabe besteht darin, unterhaltsam, liebevoll und zufrieden zu sein, vom Alkoholikerleben ihrer Eltern aber auch so mitgenommen, dass er den Retter spielen kann – per SMS oder am Telefon, was immer gerade besser passt.

Maggies größtes Problem, größer als die Trinkerei ihrer Eltern, ist die Canyon-Bumerang-Blaster-Achterbahn, aus der Aaron sie nicht aussteigen lässt. Manchmal bekommt er Angst und sagt, sie könnten so nicht weitermachen. Stunden später überlegt er es sich wieder anders. Zum Glück überlegt er es sich wieder anders. Sie weiß nicht, was genau es ist, nur dass es tief aus ihr herauskommt, ein feenartiges Süßsein, das sie selbst nicht begreift.

Die Achterbahn ist eine Fortsetzung dessen, was sich während ihrer Tage in Colorado abgespielt hat. Dieses ewige *Komm her, geh weg*. Wie er sie in die Höhe hebt und dann fallen lässt. Sie fühlt sich gebeutelt. Sie kommt gar nicht mehr zur Ruhe. Sie weiß nie, was der nächste Tag bringen wird. Gleichzeitig weiß sie, dass das normal ist. Normal für eine verbotene Liebe wie ihre. Aaron erinnert sie an den Vampir in *Twilight*, ihrem Lieblingsbuch. Mal will er Bella lieben, mal will er sie töten. Und Bella kann nie sicher sein, welcher Instinkt siegen wird.

Ende Januar wundert sie sich über die ersten kleinen Veränderungen. Anfangs merkt sie es kaum. Ihre Freunde – die ihr in den ersten Wochen mit Aaron langweilig und kindisch vorkamen – werden wieder interessanter. Partys und Treffen und Drinks, auf Facebook gepostete Selfies und Kommentare und Insiderwitze. Es ist traurig, wenn eine Obsession plötzlich das Obsessive verliert. Es ist, als würde ihr klar werden, dass sie nicht dafür gemacht ist, für die Liebe zu sterben.

Sie kann genau benennen, wann es passiert. Gerade ist Maggie aus seinem Kurs gekommen, in dem er sie mal wieder angeschmachtet hat. Sein Blick ist durchdringend gewesen und sein Hemd anscheinend so teuer, dass es sich niemand, den sie sonst kennt, leisten könnte. Die anderen Kids im Kurs haben an diesem Tag viel gelacht, und Maggie hat sich wie eine Außenseiterin gefühlt, fremd und ein bisschen so, als wäre sie eine Austauschschülerin.

Sie verlässt das Schulgebäude und bleibt neben dem Eingang stehen. Ihre Mitschüler gehen an ihr vorbei, immer noch lachend und herrlich unbelastet. Es kommt Maggie vor, als hätte sie das privateste aller Privatleben. Kann schon sein, dass es in der Familie von einem der anderen Mädchen oder Jungen eine Missbrauchsgeschichte gibt – einen Onkel mit einem verrotteten Backenzahn und einer umherwandernden Hand. Kann sein, dass jemand vorsätzlich einen Hund getötet hat. Aber Maggie weiß, wie groß ihr Geheimnis ist, wie sehr sie gegen ihren katholischen Glauben und den Glauben ihrer Freunde verstößt, die sie anschauen würden, als wäre sie eine kaputte Puppe im Müll, wenn sie davon wüssten. Sie würden es nicht cool finden, dass sie mit ihrem Lieblingslehrer zusammen ist, ohne Sex zwar, aber sonst voll und ganz. Sie weiß, was sie für Gesichter machen und was sie zu ihr sagen würden. Vor allem weiß sie, wie sie hinter ihrem Rücken über sie reden würden. Genauso wie nach Hawaii.

Maggie steht vor der Schule und fragt sich, ob sie ihn wirklich liebt – oder ob ihre Gefühle nur eine Art Echo sind, ob sie nur existieren, weil er sie begehrt. Sie ist nicht wütend auf ihn. Im Gegenteil. Sie hat nur plötzlich diese vage Ahnung, dass sie ihm mehr bedeutet als er ihr, und das macht ihr Angst. Das macht sie traurig, und der Druck, ihm dieselben Gefühle entgegenbringen zu müssen, schnürt ihr die Luft ab. Was dazu führt, dass ihre Gefühle nachlassen – eine Spirale, die nur noch abwärts führt.

Letztlich kommt sie zu dem Schluss, dass sie die Zeit nicht zurückdrehen kann. Wenn er ein Junge von einer anderen Schule wäre, könnte sie sich einfach auf der Bowlingbahn mit ihm verabreden und sagen: »Du, mir geht das alles zu schnell. Wir müssen einen Gang zurückschalten.« Ihm dann in immer länger werdenden Abständen auf seine Nachrichten antworten, und irgendwann überhaupt nicht mehr. Aber bei Aaron geht das nicht. Er ist ihr Lehrer, und es ist einfach schon zu spät.

Maggies Eltern haben sich in der Highschool kennengelernt. Als ihre Mutter Arlene in der Zehnten war, entdeckte sie auf einer Party einen gut aussehenden jungen Mann mit durchdringendem Blick, der auf der anderen Seite des Zimmers stand. Durch eine Wolke aus Zigarettenrauch hindurch sah er sie an. Sie aber war schüchtern und mit einem Jungen aus ihrer Klasse zusammen. Der Unbekannte hieß Mark. Er war ein Jahr älter, und Arlene wurde lange nicht das Gefühl los, tatsächlich jeden einzelnen Tag dieses Jahres jünger zu sein.

Im Spätsommer, kurz bevor sie in die elfte Klasse kam, sah sie ihn auf der Hochzeit ihrer Schwester wieder. Der Hochzeitstanz fand im *Gardner Hotel* statt, und Mark kam uneingeladen mit ein paar Kumpels vorbei. Da er kein großer Tänzer war, musste er ihretwegen gekommen sein. Er führte sie am Arm nach draußen. Es war ein milder Septemberabend, Arlene trug ein langes Kleid, und er küsste sie in einer Telefonzelle. Nach diesem Kuss wusste sie, dass die Sache mit dem Jungen aus ihrer Klasse nichts und er nicht mehr als ein Freund war. So musste sich Leidenschaft anfühlen. Mark und Arlenes Freund verabredeten sich in einem Park in der Nähe, um dort den Streit um sie auszutragen. Doch Arlene hielt sie auf und sagte, es sei allein ihre Sache, mit wem sie zusammen sein wolle. Und die Entscheidung sei längst gefallen.

Die Beziehung von Arlene und Mark hielt vierzig Jahre. Dabei hatten sie durchaus eine ganze Reihe von Problemen: Marihuana und Alkohol und Depressionen zum Beispiel. Aber wenn das Leben gut zu ihnen und Mark mit sich im Reinen war, sah er sie an und hörte ihr zu und gab ihr das

Gefühl, die beste Frau auf der ganzen Welt zu sein. Das sagte er ihr auch. »Lene, du bist die beste Frau auf der ganzen Welt.« Wenn Mark ihr seine Aufmerksamkeit schenkte, ging die Sonne auf. Und wenn es mal nicht gut für sie lief, spendete nichts ihr so viel Kraft wie eine Umarmung dieses Mannes. Wenn Arlene auf der Arbeit einen schlechten Tag hatte, streckte Mark die Hand nach ihr aus und sagte: »Komm her.« Sie wurde dann ganz weich in seinen Armen, und alles Böse fiel von ihr ab.

Maggie hatte das Gefühl, dass ihre Liebesgeschichte mit Aaron nicht mit der ihrer Eltern mithalten konnte. Alles war kompliziert, nichts ging voran. Aaron machte keine Anstalten, sie zu küssen, und sie konnte ihren Freundinnen nicht von ihm erzählen. Wie hatte sie nur in so etwas Unbefriedigendes hineinschlittern können.

Aber das Schicksal weiß, wann es eine überraschende Wendung einbauen muss. Es ist ein träger, doch erfahrener Drehbuchautor, der lieber allein sein Bier trinkt und an seiner Bogenschießtechnik feilt.

Aaron schreibt ihr an diesem Abend: »Ich glaube, ich verliebe mich gerade in dich.« Das lässt ihre abflauende Leidenschaft wieder auflodern, lässt sie stärker werden als je zuvor. Sie spürt den Rausch in jeder Faser ihres Körpers. Sie hält Aaron davon ab, in seinen Nachrichten noch weiter zu gehen, und schreibt: »Ich möchte dir lieber persönlich sagen, was ich für dich empfinde.«

Sie haben Glück, Marie verreist. Aaron gibt Maggie nicht viel Vorlauf. Er erzählt ihr an einem Donnerstag, dass Marie am Samstag wegfahren wird. Zwei Tage lang kann sie an nichts anderes denken.

Als der Tag da ist, schickt er ihr eine Nachricht und schreibt ihr, sie solle doch in ein paar Stunden vorbeikommen, da seien seine Jungs im Bett. Maggie macht sich in ihrem Zimmer zurecht. Sie zieht eine Jeans und einen hellblauen Kapuzenpulli von Ruehl an. Später wird sie die Marke in der eidesstattlichen Aussage erwähnen, weil sie damals stolz darauf war. Tessa hatte ihr den Pulli geliehen. Denn in Fargo bekam man keine Sachen von Ruehl, und Tessa hatte den Pullover aus der Großstadt.

Dieses ganze Zurechtmachen und Outfitaussuchen hat Maggie so nervös gemacht, dass sie fast abgesagt hätte. Sie hat nicht viele Klamotten, darum steht das Outfit schnell fest. Sie gefällt sich in dem Pulli. In der zarten Farbe.

Sie hält vor der Einfahrt der Knodels. Es ist komisch, an dem Ort zu sein, an den sie ihn in ihrer Fantasie jeden Abend hat zurückkehren sehen. An den Punkt, an dem er sich in jemanden verwandelt, den sie nicht kennt. Alles sieht aus, wie sie es sich vorgestellt hat – ordentlich und makellos. Beeindruckt sie aber auch, denn es ist seins.

Bevor sie aussteigt und klopft – soll sie klopfen? Soll sie ihm eine Nachricht schreiben und sagen, dass sie vor der Tür steht? Dabei soll sie ihm ja nicht zuerst schreiben –, schaut sie sich um. Sie saugt die Umgebung so gut in sich auf, wie ihre Nerven es ihr erlauben. Ihr Wagen am Straßenrand kommt ihr unverschämt vor, obwohl sie eingeladen wurde. Sie ruft Knodel schließlich an, um ihm zu sagen, dass sie draußen steht. Die Garagentür öffnet sich, alle Lichter blitzen gleichzeitig auf. Diesen Einblick in sein privates Zuhause zu bekommen fühlt sich wie ein Verbrechen am Universum an.

Am Telefon sagt er ihr, sie solle in der Garage parken. Sie schüttelt den Kopf, während sie es tut, und hat Angst, irgendwo dagegenzufahren oder irgendwie anders Mist zu bauen.

Plötzlich öffnet er die Tür. Da steht ihr Lehrer am Abend in der Tür zu seiner Garage. Er trägt ein blaues Spamalot-T-Shirt und Jeans. Sie findet das Outfit nicht gerade hübsch. Sie weiß nicht, was sie erwartet hat. Seine Schulanzughose und ein Hemd sicherlich nicht, aber das hier ist komisch. Er sieht schlampig aus. Er ist nicht besonders muskulös, und so wirkt das T-Shirt, wie es da an ihm herunterhängt, merkwürdig verzerrt. Während sie aus dem Wagen steigt, fragt sie sich, ob er sich beim Aussuchen des Outfits genauso viele Gedanken gemacht hat wie sie.

»Hi«, sagt er und kommt ihr nicht nervös dabei vor.

Sie kann kaum sprechen. Sie weiß nicht, was sie fühlt. Freude ist es nicht. Es fühlt sich an, als würde sie fallen.

Er führt sie nach unten in den ausgebauten Keller, in dem es eine Fernsehecke und ein Schlafzimmer gibt. Er sagt, seine beiden Jungs seien oben und würden schlafen, ob sie das Haus sehe wolle.

Oben, weiß sie, erwarten sie der Rasierschaum und der Vergrößerungsspiegel einer anderen Frau.

Maggie sagt: »Lieber nicht, danke.«

Im Kellergeschoss ist es furchtbar kalt. Er schlägt vor, dass sie sich einen Film ansehen. Sie würde lieber reden. Sie hat das Gefühl, noch gar nicht begreifen zu können, was ihr gerade passiert. Dass dieser Teppich sein Teppich ist, der Teppich seiner Frau und hier unten seine Kinder spielen und die ganze Familie zusammen *Ice Age* schaut. Vor allem aber ist es kalt, und Maggie bittet ihn um eine Decke.

Er nimmt eine aus dem Schrank. Alles ist sehr stilvoll eingerichtet. Als wäre sie bei einem Freund zu Hause, dessen Eltern mehr Geld haben als ihre.

Sie sitzt auf dem Sofa, und er setzt sich neben sie. Er hat schon einen Film ausgewählt: *Dan – Mitten im Leben!*

Aaron erzählt Maggie, er habe an sie denken müssen, als er den Film zum ersten Mal gesehen habe. An das, was er für sie empfinde, und daran, wie gern er mit ihr zusammen sein wolle. Sie fragt sich, ob er sich den Film mit seiner Frau angesehen hat, ob sie dabei eher geschwiegen oder ob sie gelacht und Rocky-Road-Eis gegessen haben. Der Film handelt von einem Witwer und Ratgeberkolumnenschreiber, der sich in eine Fremde namens Marie verknallt, aber kurz darauf bei einem Familientreffen erfährt, dass sie die neue Freundin seines Bruders ist. Auch sie verliebt sich verbotenerweise in ihn. Maggie findet es seltsam, dass die Hauptfigur Marie heißt. Aaron stört es offensichtlich nicht.

Nach ungefähr dreißig Minuten Film nimmt Aaron Maggies Hand und sagt: »Küss mich genau so, wie du es gesagt hast.«

In einem Anfall von Selbstvertrauen hat sie ihm irgendwann geschrieben, sie wolle sich jeden Millimeter seines Gesichts mit den Lippen einprägen. Sie hat geglaubt, er habe nicht weiter darüber nachgedacht. Es ist einer der Momente gewesen, in denen er das Thema gewechselt hat. Sie hat gedacht, sie habe ihm Angst gemacht. Aber jetzt, da er sich mit seinem Abendessengeruch zu ihr vorbeugt, wirkt er überhaupt nicht ängstlich.

Sie denkt: Endlich, sein Mund! Sie kann es nicht glauben. Ihr Herz klopft, ihre Hände zittern. Sein Mund! Und plötzlich ist ihre Zunge in ihm.

Abgesehen von Mateo hat Maggie bisher nur Jungen geküsst, ihre schmalen Schultern umfasst und ihren Winston-Atem geschmeckt. Wenn Jungs von der Highschool küssen, ist ihre Leidenschaft zugleich gedämpft und ungestüm, so, als würden sie nur darauf warten, endlich ihre Hosen öffnen zu können.

Dieser Kuss mit diesem Mann ist hemmungslos. Sie spürt die fünfhundert Ausflüge zum Home-Depot-Baumarkt. Und sein Bedürfnis, ihr alles zu bieten, was er draufhat. Es sind weniger die Ausflüge zum Home Depot als die leise Äußerung seiner Zunge: Weißt du, ich war im Home Depot. Ich habe exakt die Steine da draußen für den Gartenweg ausgewählt. Ich habe einen Tisch gebeizt und ihm einen etwas dunkleren Anstrich gegeben.

»Ich liebe dich«, sagt sie.

Er lächelt und sagt: »Ich liebe dich auch.«

Den Rest des Abends wiederholen sie diese Worte immer wieder und sehen sich dabei tief in die Augen.

Bei den ersten Küssen kommt seine Zunge nur zaghaft zum Einsatz, aber nach dem dritten *Ich liebe dich* wird sein Drängen stärker. Es ist kein bisschen eklig, es ist, als könnte er nicht genug von ihr kriegen und ewig das pinke Fleisch ihres Gaumens abtasten.

Dann schiebt er sich auf sie. Sie liegen auf dem Ecksofa. Er presst sich fest gegen sie, bewegt sich vor und zurück. Das nennt man wohl Trockensex. Es gefällt ihr. Es bereitet ihr Lust, ohne dass sie Angst oder einen Schreck bekommt, und sie will, dass er stundenlang so weitermacht.

Wahrscheinlich ist es logisch, denkt Maggie, dass Männer zu diesen Highschool-Sachen zurückkehren, wenn sie eine Weile verheiratet sind und das komplette Nacktprogramm oft genug hatten. Während sich Schuljungen danach sehnen, wie Pornostars zu ficken und nackt vor sich hin zu rammeln.

Nach einer Weile schlägt Aaron vor, in das Schlafzimmer nebenan zu gehen, wo er sein Spamalot-T-Shirt auszieht. Er streift ihr erst die Jeans ab, dann den Slip.

Sie will den Gürtel seiner Hose öffnen, doch das erlaubt

er ihr nicht. Sie hat das Gefühl, etwas falsch gemacht zu haben. Zärtlich sagt er: »Ich will warten, bis du achtzehn bist.«

Es ist unklar, worauf er sich bezieht, ob auf Sex oder darauf, dass sie seinen Penis sehen darf.

Sie lächelt. Ihre Hände streichen über die goldenen Knöpfe seiner Jeans. Er stöhnt auf. Sie hat noch nie gehört, wie das bei einem Mann in echt klingt.

»O Mann, ich dreh durch«, sagt er. »Ich kann nicht mehr anders.« Er dringt mit zwei Fingern in sie ein. Sie küssen sich, und er bewegt seine Finger langsam, vor und zurück.

Dann gleitet er an ihr herab, bis sich sein Mund zwischen ihren Beinen festsaugt.

Sie sagt zum ersten Mal laut seinen Namen. All die Zeit hat sie es vermieden, so wie sie es vermeidet, die Freunde ihrer Eltern beim Vornamen zu nennen, und sie letztlich überhaupt nicht anspricht. In den vergangenen Monaten hat sie es bei Aaron genauso gemacht – bis jetzt.

»O Aaron!«, sagt sie. Sie stöhnt nicht zu laut, denn sie hat nicht vergessen, dass seine Kinder oben schlafen.

Er bringt sie zum Orgasmus. Er ist der erste Mann, der das schafft, obwohl es vor ihm schon zweieinhalb andere gegeben hat. Als er zwischen ihren Oberschenkeln aufblickt, grinst er stolz.

Mit einer Stimme, die klingt, als hätte er gerade wahnsinnig viele Zigaretten geraucht, sagt er: »Ich mag es, wie du schmeckst.«

Maggies Atem geht schwer, als sie fragt: »Schmecken denn nicht alle gleich?«

Lachend antwortet er: »Nein. Ganz und gar nicht.«

Er sagt irgendetwas darüber, dass er viel über den weiblichen Körper weiß und wie man ihn berühren muss. Es ist vorbei, nimmt sie an. Er liegt da, als wäre es das. Sie weint nicht, aber ihr ist danach. Sie schauen zusammen hoch zur Decke. Es fühlt sich komisch an, nicht so richtig magisch. Trotzdem ist sie glücklich, bei ihm zu sein. Nur hat sich etwas an dem Orgasmus kalt angefühlt, als wäre ihr etwas genommen worden. Wenn sie sich in der Vergangenheit selbst zum Orgasmus gebracht hat, ist es anders gewesen.

Obwohl er technisch gesehen nicht in ihr gewesen ist, nicht im klassischen Sinne, fühlt sie sich, als hätte er sie gefickt. In diesem Nachklang schwingt etwas Endgültiges mit, endgültig wie der Tod. An ihr haftet ein Krankenhausgeruch. Und dann wird ihr klar, dass das hier kein One-Night-Stand-Sex ist. Das ist so viel mehr. Es ist echt geil und warm und kalt zugleich. Sie hat Angst, Sex vielleicht nie richtig genießen zu können. Sich immer zu sehr um das Ende zu sorgen. Ihr Orgasmus und seiner werden ihr Todesstoß sein, jede Woche, jeden Monat ihres Lebens. Das Ende, auch wenn es sie umbringt, ist euphorischer als der Anfang. Ihr Herz bricht. Sie spürt, wie es bei jeder Bewegung bricht, die er macht, um sich wieder zu sammeln. Im selben Moment, da sie diesen plötzlichen, schneidenden Schmerz spürt, freut sie sich auch wahnsinnig, ist völlig neben der Spur. Es ist das Erotischste, was je ein Mann mit ihr gemacht hat.

Noch ein paarmal sagen sie einander, dass sie sich lieben. Maggie ist sich sicher, dass er sie ansieht, als würde er sie heiraten wollen. Sie ist zu jung, um zu wissen, dass Männer eine Frau an dem einen Tag zwar so ansehen, sie dann aber eine ganze Woche lang links liegen lassen können.

Sie sagt, sie müsse los. Müsse längst zu Hause sein. Er bringt sie in die Garage, wo er sie zum Abschied küsst. Sie ist so aufgeregt, dass sie kaum mehr etwas wahrnimmt. Ihre Beine zittern wie diese dünnen Balsabrettchen, die sie im Werkunterricht benutzen.

Zu Hause weckt sie ihre Eltern, damit sie wissen, wann sie zurückgekommen ist. Es ist eine ihrer Regeln. Sie bekommt Hausarrest, weil sie zu spät ist. Ihre Mutter sieht sie mit wütender Liebe an. Sie sagt so etwas wie: »Die Standpauke hebe ich mir für morgen auf.« Maggie fühlt sich komisch. Sie hat etwas viel Schlimmeres getan, als zu spät zu kommen. Wenn sie es doch nur sagen könnte. Stattdessen schaut sie auf das Buch, das auf dem Nachttisch ihrer Mutter liegt, und es zerreißt ihr das Herz.

Als sie ihr Zimmer betritt, leuchtet ihr Handy. Es ist Aaron. Und plötzlich ist sie wieder ganz verknallt in ihn, so sehr, dass es das Loch füllt, das nach dem Orgasmus in ihr zurückgeblieben ist.

Aaron will nur sichergehen, dass sie auch gut zu Hause angekommen ist. »Zum Glück«, schreibt er, »du bist in Sicherheit.«

»Ich bin in Sicherheit«, antwortet sie.

Dann schreibt er: »Ich bin gerade noch mal rein, also unten ins Schlafzimmer, Gott sei Dank. Da war etwas Blut auf der Decke.«

Maggie wundert sich ein bisschen, denn sie hat gar nicht ihre Regel. Sie entschuldigt sich dafür, geblutet zu haben, weil es das zu sein scheint, was er von ihr hören will.

Er schreibt: »Wenn du einfach meine Hose aufgeknöpft hättest, wäre es passiert. Ich meine, ich wollte warten, bis du achtzehn bist. Ich meine, ich will es. Aber hättest du es getan ...«

Und dann schreibt er noch – weil es leichter ist, die

eigenen Gefühle in Nachrichten oder am Telefon auszudrücken –, er habe ihr das Haus zeigen wollen, weil er im Schlafzimmer oben eine Decke und eine Rose hingelegt habe. Er habe ihr ein Sonett von Pablo Neruda vorlesen und ihr die Rose geben wollen. Das siebzehnte, das er ihr schon oft geschickt hatte.

All das macht sie überglücklich, es irritiert sie aber auch. Seine Söhne haben oben geschlafen.

Er schreibt: »Hättest du Mr. Knodel zu mir gesagt, hätte ich wahrscheinlich sofort aufgehört.«

Sie denkt: Zum Glück habe ich nicht Mr. Knodel zu ihm gesagt.

Zum Schluss, damit sie es auch nicht vergisst, schreibt er, er habe die Decke wegen des kleinen Blutflecks waschen müssen. Er sagt nicht, ob er sie vorher mit einem Fleckenstift oder mit Shout Gel behandelt hat. Er sagt nicht, ob er Bleichmittel benutzt hat.

Fast den ganzen Januar und Februar über glühen ihre Wangen, so verliebt ist sie in ihn. Sie verbringt viel Zeit in ihrem Zimmer, weil sie, wenn sie sich von allen anderen zurückzieht, immer für ihn zu haben ist. Er ruft sie auf dem Nachhauseweg an, es sei denn, sie arbeitet gerade bei *Buffalo Wild Wings*. Sie duscht, sobald sie nach Hause kommt, und legt sich dann frisch duftend aufs Bett. Sie duscht sich für seinen Anruf. Sie möchte sich schön fühlen, wenn sie auf ihn wartet. Ihre Eltern lassen sie in Ruhe. Es ist, als wüssten sie, dass sie eine Art Rapunzel ist; sie spüren, dass sie gerade nicht an sie herankommen.

Nachts schreibt er ihr Nachrichten. Am späten Abend, nach zehn, ruft er sie oft an. An den Wochenenden gibt es weniger Freiräume. Wenn sie sich am Wochenende sprechen, dann ist er extra von zu Hause weggefahren, um sie anzurufen, oder Marie ist shoppen gegangen.

Irgendwann fährt Marie an einem Nachmittag am Wochenende mit dem älteren Sohn in die Mall, und Aaron bleibt mit dem jüngeren zu Hause. Es ist Zeit für den Mittagsschlaf, aber der Kleine ist nicht müde. Aaron telefoniert mit Maggie, und der Junge fragt: »Mit wem redest du?« Aaron antwortet: »Mit einer Freundin. Willst du ihr was sagen?«

Plötzlich ist da ein leises Stimmchen am Telefon: »Hallo?«

»Hallo!«, ruft Maggie fröhlich.

Sie kommt sich komisch vor, fühlt sich Aaron aber auch näher. Dann ist er wieder dran und sagt, er müsse mal kurz den Hörer ablegen, was er länger als mal kurz macht, und als er ihn wieder aufnimmt, sagt er, er habe nicht gewollt, dass sie höre, wie er seinem Jungen zum Einschlafen *You Are My Sunshine* vorsinge.

Da seine Frau keine weiteren Reisen unternimmt, beschränkt sich ihre gerade erst erwachte körperliche Beziehung auf ihre Autos und Aarons Klassenzimmer.

Maggie hat in der vierten Stunde bei ihm Englisch, und irgendwann sagt er nach dem Unterricht leise zu ihr, sie solle in der Mittagspause in sein Zimmer kommen.

Kaum ist sie da, küssen sie sich auch schon am Tisch neben den Schränken. Sie trägt eine Jogginghose, weil er darauf steht. Jogginghosen, hat er irgendwann mal fallen lassen, bedeuten »leichten Zugang«. Er legt ihre Hand auf seine Brust und sagt: »Spürst du, wie mein Herz rast?« Dann legt er ihre andere Hand auf die ausgebeulte Stelle seiner Anzughose. »Spürst du, wie geil du mich machst?«

Sie hat diesen Satz schon in Filmen gehört und sich immer gewundert, warum Männer so etwas sagen. Will Aaron sie mit seinem steifen Penis beeindrucken? Will er, dass sie stolz darauf ist, eine Armee von Blutgefäßen dazu angeregt zu haben, das Fleisch so weit zu dehnen, so lang und prall? Wirklich klasse gemacht!

An manchen Tagen reden und knutschen sie nur. Wie am Elternsprechtag. Aaron trägt einen Anzug, weil er den ganzen Nachmittag über Gespräche mit Eltern führt. Auch mit Maggies Vater Mark. Vorher sagt er zu Maggie, er fände es schön, wenn sie noch in der Schule bliebe. Bestimmt, weil er sie einfach so oft wie möglich sehen will, denkt Maggie. Rückblickend wird sie sich fragen, ob es ihn nicht vielleicht aufgegeilt hat, vor ihrem Vater, der nichts von der Geschichte ahnte, mit ihr zu sprechen. Bei dem Gespräch sagt Aaron, dass Maggie sich in der Schule sehr gut mache. Er wisse, dass sie sich noch nicht entschieden habe, auf welches College sie gehen wolle, aber das werde sich bestimmt rechtzeitig ergeben.

Als sie einmal am Mittag verabredet sind, isst Maggie nichts, aber Aaron hat noch einen Rest Spaghetti. Sie zieht ihn auf, sagt, die würden eklig aussehen. Nachdem er aufgegessen hat, küssen sie sich. Maggie sagt: »Wusste gar nicht, dass wir uns heute das Mittagessen teilen.« Sie meint, dass sein Atem und das ganze Zimmer noch nach dem Essen riechen. Seine Tupperdose ist orange von der Soße.

Ein anderes Mal treffen sie sich vor dem Unterricht bei ihm im Klassenzimmer. Er küsst sie und schiebt ihr die Hand in die Hose. Er dreht sie mit dem Rücken zu sich, presst sich von hinten an sie. Sein Mund ist direkt an ihrem Hals. Ganz sanft küsst er sie, und sie bekommt weiche Knie. Er fingert sie, erst langsam, dann immer schneller, und reibt sich gleichzeitig an ihr. Sie wirft den Kopf in den Nacken und stöhnt. Mehrere Minuten stehen sie so da, und sie hat das Gefühl, jeden Moment zu kommen. Dann drückt jemand die Türklinke herunter. Aaron zieht sofort die Hand zurück und macht einen Satz zur Seite, als hätte er sich verbrannt. Wie ein billiger Trickser drückt er ihr einen Test in die Hand – plötzlich ist da ein Test in ihrer Hand –, und sie setzt sich atemlos an einen Tisch und tut so, als würde sie die Fragen beantworten. Dabei wäre das alles gar nicht nötig gewesen. Denn wie sich herausstellt, hat er die Tür abgeschlossen.

Ein paar von Maggies Freundinnen treffen sich bei einer von ihnen zu Hause. Der Abend ist nichts Besonderes, nur dass ein Foto von Maggie und ihren Freundinnen Lora und Nicole gemacht wird und das Foto von den dreien deshalb zustande kommt, weil sie die einzigen Blondinen im Raum sind. Ist doch lustig, und deshalb wollen sie ein Foto davon machen.

Den ganzen Abend über schaut Maggie immer wieder auf ihr Handy. Keiner scheint es zu merken. Alle schauen dauernd auf ihr Handy. Aaron und sie haben sich Nachrichten hin- und hergeschickt, so wie es jedes Mädchen mit seinem Freund machen würde, wenn beide mit anderen unterwegs sind. Aaron ist mit Mr. Krinke im *TGI Fridays* an der West Acres Mall.

»Holst du mich ab?«

Als sie seine Frage sieht, rast ihr Herz wie wild. Sie lässt sich eine Ausrede einfallen und fährt zu der Restaurantkette, dreht die Musik auf, schaut sich im Rückspiegel an.

Auf dem Weg zu ihm fragt sie sich, was er macht, während er auf sie wartet. Schreibt er noch schnell eine Nachricht an Marie? Wirft er noch einen Blick auf die Sportergebnisse? Was hat er Krinke gesagt, wie er nach Hause kommt? Sie fragt sich, ob er sich genauso viele Gedanken über sie macht wie sie sich über ihn. Jetzt, wo sie einander so nahegekommen sind, kann sie sich gar nicht mehr vorstellen, dass es je wieder anders sein könnte.

Sie schreibt ihm, dass sie auf dem Parkplatz steht, und wartet im Wagen. Sie fährt den roten Taurus ihrer Mutter. Plötzlich öffnet er die Beifahrertür und steigt ein. Als er endlich im Wagen sitzt und sie losfährt, verwandeln sich Unruhe und Angst in grenzenloses Glück.

Als er sie küsst, schmeckt sie den Alkohol in seinem Atem. Sie weiß nicht, was genau er getrunken hat, weiß aber, dass es kein Bier war. Er redet liebevoller mit ihr als sonst. Er lallt nicht, spricht aber auch nicht so fließend und gewählt, wie er es normalerweise tut. Sie fahren die Thirteenth Avenue entlang, eine der mehrspurigen Hauptstraßen von Fargo. Maggie riecht das Parfüm ihrer Mutter im Wagen und hofft, dass Aaron es nicht riecht.

Und dann geht es los. Er glaubt, im Wagen neben ihnen habe ihn jemand erkannt. »Wer denn?«, fragt sie.

»Keine Ahnung. Aber ich glaube, der Typ geht auf die West Fargo.«

»Hä?«

»Fahr einfach von der Straße runter.«

Wieder hat sie das Gefühl, etwas falsch gemacht zu haben. Sie kommen in ein Wohngebiet, und er beruhigt sich. Eine Weile fahren sie einfach im Kreis und reden über ihre Beziehung.

Kurz darauf hat er seine Hand schon in ihrer Hose. Sie hebt den Hintern leicht an und verschafft ihm so besseren Zugang. Um ein Haar streift sie ein parkendes Auto. Im ersten Moment hat sie Angst, dass er ausflippt, aber er tut es nicht. Er beugt sich lachend zu ihr, küsst ihren Hals. Sie ist so glücklich. Der Beinahe-Crash fühlt sich an wie ein Beweis ihrer Leidenschaft.

Doch irgendwann lässt der Alkohol nach, und sie spürt, dass er ihr entgleitet. Scheiße, denkt sie. Scheiße, scheiße, scheiße.

Er hat seinen Wagen vor dem Haus eines Freundes geparkt und gibt ihr Anweisungen, wie sie fahren muss. Sie sagt: »Aber du hast getrunken.« Er sagt, der Weg nach Hause führe nur durch Wohngebiete. Wenn er ein paar Drinks intus habe, würde er nie den Highway nehmen, um kein Risiko einzugehen. Als sie anhält, zieht er die Hand aus ihrer Hose. Für heftigere Sachen ist er vor dem Haus seines Freundes zu nervös, aber sie knutschen noch eine ganze Weile rum.

Das Gefühl der Angst ist wieder da, strömt aus jeder Pore. Sie hasst es. Sie will ihm am liebsten bis nach Hause folgen, weil er betrunken ist, nur um sicherzugehen, dass ihm nichts passiert. Er ist ihr Leben. »Besser nicht«, sagt er. Ihm werde schon nichts passieren. Er zwinkert und steigt aus, ohne noch mal *ich liebe dich* zu sagen.

In den Monaten darauf verspricht er immer wieder, dass er seine Frau verlassen will. Nicht gleich, aber bald.

»Würdest du fünf Jahre auf mich warten?«, fragt er sie irgendwann spät am Abend in einer Nachricht. Und erklärt, dass ihm die Trennung leichter fallen werde, wenn seine Kinder erst mal etwas größer seien. Maggie pinkelt gerade, als sie die Nachricht bekommt, und hat wahnsinnige Lust, das Telefon gegen die Wand zu schmeißen. Es fühlt sich so grausam an. Sie lieben sich, und doch muss alles nach seinen Vorstellungen laufen. Nach seinen Regeln. Dass sie ihn nicht zuerst anrufen oder ihm Nachrichten schicken darf. Dass sie immer sofort alle Nachrichten von ihm löschen muss. Zu dem Zeitpunkt waren es Tausende gewesen. So viele Male, die sie auf Löschen gedrückt hat. Er gibt ihr Maries Nummer, sie soll sie speichern, damit sie auch ja nie rangeht, wenn diese Nummer auf ihrem Display erscheint.

Es gibt auch noch die anderen Regeln, nicht wirklich Regeln, aber Sachen, die man macht, damit der verheiratete Lehrer, mit dem man eine Affäre hat, keine kalten Füße bekommt und weiter vernarrt und verliebt in einen ist. Wie Jogginghosen tragen oder das Parfum weglassen.

Er erzählt ihr, dass er im Keller schläft. Von dort ruft er sie an, und sie sieht ihn als eine Art umgekehrtes Rapunzel, weil er sich, heimlich ungehorsam, seiner Liebe zu ihr hingibt.

Am Valentinstag kommt Maggie früher zur Schule, wie er es ihr aufgetragen hat, und er schenkt ihr eine gelbe Tüte M&Ms, ihre Lieblingssüßigkeiten, und einen am Computer geschriebenen Liebesbrief. Darin steht, was er an ihr liebt. Zum Beispiel ihren Geruch und ihre Art, einen Raum zu betreten. In dem Brief geht es auch um ihre Zukunft. Dass er den Tag herbeisehnt, an dem sie zusammen sein können. Die Gefühle, die dieser Brief in ihr auslöst, sind ihr völlig neu. Alles, was sie je gewollt hat, steckt in diesem einen Menschen. Es ist beinahe zu perfekt, um wahr zu sein.

Seit Neuestem nennt er sie *Liebling*. Was etwas ist, das sonst sie sagt. Er verspricht ihr, dass sie an ihrem achtzehnten Geburtstag die Schule schwänzen werden, um miteinander zu schlafen und den Rest des Tages ineinander verschlungen dazuliegen.

Ungefähr zu dieser Zeit gibt sie ihm ihr Exemplar von *Twilight*, den ersten Teil der Saga. Sie ist wie besessen von den Parallelen zwischen der Geschichte des Menschenmädchens und seines Vampirgeliebten und ihrer eigenen Geschichte mit Aaron. Beide Liebesgeschichten sind verboten und leidenschaftlich und über alle Zeiten erhaben. Später erzählt er ihr, dass er Notizen in ihr *Twilight*-Buch schreibt, und sie ist so glücklich, so beschwingt, dass sie ihn bittet, sich zu beeilen, damit sie endlich sehen kann, wie er die Geschichte versteht. Sie fragt sich, wo er das Buch liest. Es kann unmöglich abends im Schlafzimmer sein. Vielleicht hat er es im Kinderzimmer versteckt, wo es im selben Regal wie der *Grüffelo* steht, und bringt jeden Abend freiwillig die Kinder ins Bett, damit er noch neben dem Nachtlicht sitzen und lesen kann, sobald sie eingeschlafen sind.

Er gibt ihr das Buch ungefähr eine Woche später zurück, voller Klebezettel, kleiner gelber Streifen, die wie Federn abstehen.

Auf einem Zettel steht, er könne es nicht erwarten, mit ihr im Arm aufzuwachen.

Auf einem anderen steht: »Weißt du noch, als ich die Heizung abgedreht habe?« Bei sich im Keller, meint er, als sie zu ihm gekommen ist und sie hundertmal *ich liebe dich* zueinander gesagt haben und er sie gefingert und geleckt hat und sie geknutscht haben und sie auf die Bettdecke geblutet hat.

»Ich wollte nichts mehr, als mit meinem ständigen Retter allein zu sein«, sagt Bella, das Menschenmädchen, über ihren Vampirgeliebten. Auf einem danebenklebenden Zettel steht: »Beschreibt das dein Gefühl für mich?«

Eine andere Passage ist unterstrichen, und auf dem

Zettel daneben schreibt er: »Bedingungslos, so wie unsere Liebe!«

Manche Leute werden sagen, dass nichts gegen ihren Willen passiert ist. Sie siebzehn war. Dass es ein paar Monate später nicht einmal mehr Geschlechtsverkehr mit einer Minderjährigen gewesen wäre. Aber stellen Sie sich ein Kind vor, das von einer Liebesgeschichte wie im Märchen träumt und Zettel liest, auf denen Sachen stehen wie: »Ja, genau so, ich bin dein Vampirgeliebter, und du bist meine verbotene Frucht. Wir sind deine Lieblingsliebesgeschichte. In deinem ganzen Leben wird nichts mehr so schmecken wie das hier.«

Stellen Sie sich das vor.


Sie bezeichnet ihn als ihren *Lieblingsmann. Freund* würde albern klingen, finden sie beide. Und als Ehemann ist er schon vergeben. Ihre Liebe ist nicht wie die zwischen Sammy und ihrem Freund oder zwischen Melani und ihrem. Aaron ist kein Junge, wie also könnte er ihr Freund sein?

Die Kids um sie herum sind alle nur noch mit dem Abschlussball beschäftigt. Ihre Freundinnen jagen Kleidern hinterher, Kleidern aus knallig leuchtender Viskose.

Maggie kommt der Abschlussball auf einmal uncool vor. So unbedeutend und kindisch und flüchtig. Vor Aaron hat es zwei Jungen gegeben, die sie regelmäßig gedatet hat, und wahrscheinlich wäre sie mit einem der beiden zum Abschlussball gegangen. Von dem, den sie über die Arbeit kennt, hat Aaron schon vor ihrem Flirt nicht viel gehalten. Der andere geht auf die Nachbarschule, aber Aaron kennt ihn vom Student Congress. Er hatte Maggie einmal einen Knutschfleck verpasst, den Aaron dann bemerkt hat.

Er könne den Typen nicht leiden, sagte er damals. Im Nachhinein wird ihr klar, dass es wie aus der Pistole geschossen kam. Genau so, wie es clevere Leute machen, damit der Mensch, den sie kontrollieren wollen, ihre Meinung übernimmt.

Irgendwann abends am Telefon sagt Maggie, dass sie nicht zum Abschlussball gehe, weil es ihr komisch vorkomme. Aaron lässt das unkommentiert.

In demselben Telefonat sprechen sie darüber, mit wie vielen Menschen sie schon geschlafen haben. Maggie hatte drei, und Aaron sagt, er habe zwei gehabt – Marie und seine Highschool-Flamme. Marie war seine College-Flamme gewesen. Maggie fragt sich, wann jemand aufhört, die große Flamme zu sein, und zur nächsten Sache wird. Er fragt sie über die Männer aus, mit denen sie zusammen war. Mateo und die beiden anderen. Er will wissen, wie es mit ihnen war, obwohl er es hasst, auch nur an sie zu denken. Er sagt, er bekomme die Bilder der anderen nicht aus dem Kopf. Er hasst es, dass Maggie mit mehr Menschen Sex hatte als er. Er gibt ihr das Gefühl, nicht jungfräulich genug zu sein. Umgekehrt hat sie das Gefühl, bei ihm ist die Anzahl perfekt. Zwei Frauen, und eine davon hat er geheiratet. Maggie ist noch nicht einmal achtzehn und hatte schon drei Liebhaber. Ein One-Night-Stand und einer, der gerne Minderjährige verführt. Hätte sie gewusst, dass Aaron und sie sich irgendwann so unendlich ineinander verlieben würden, hätte sie sich für ihn aufgespart. Sie ringt nach Worten, um ihm das zu sagen.

Auf dem Höhepunkt ihrer Verliebtheit schicken Maggies Eltern sie übers Wochenende zu einer Gemeindefreizeit. Dort soll jeder an einem kleinen Projekt arbeiten, eine Selbstverpflichtung schreiben, an die er sich halten will.

Die Nonnen sagen, dass es niemand zu sehen bekomme. Was Maggie schreibe, sei nur für sie bestimmt, werde nur von Gott bewertet. Auf buntes Bastelpapier schreibt Maggie, dass sie sich der bedingungslosen Liebe verpflichten wolle. Sie schreibt, sie wisse, dass es falsch sei, Aaron zu lieben. Und zugleich frage sie sich, wie Liebe je falsch sein könne. Sie schreibt, dass sie sich ihm verpflichten und alle schlechten Angewohnheiten aufgeben wolle, von denen er sich wünsche, dass sie sie aufgebe. So ahnt er beispielsweise, dass sie raucht, aber sie streitet es stur ab, weil er keine Raucherin als Freundin haben will. Einmal sagte er, sie rieche nach Zigarettenrauch, und sie sagte, sie habe ständig rauchende Eltern um sich, und schwor hoch und heilig, dass sie selbst die Finger davon lasse.

In der Kirche hängt der Geruch von Weihrauch in der Luft. Sie kniet allein in einer Bank. Sie fühlt sich schlecht, ihn angelogen zu haben, und betet zu Gott, er möge ihr helfen, für Aaron mit dem Rauchen aufzuhören. Sie verspricht, jede Woche einen Rosenkranz zu beten und Aaron jede Woche einen Brief zu schreiben, um ihm zu sagen, was sie für ihn empfindet. Sie nimmt sich vor, ihm auf jede nur erdenkliche Art zu zeigen, wie sehr sie ihn liebt.

Dabei will sie ihm immerzu nur sagen, was sie empfindet, und von ihm hören, wie er über sie denkt. Sie findet nichts spannender, als zu erfahren, was er an ihr liebt. Es sind lauter abwegige Dinge, die sie gar nicht fassen kann. In einem seiner Briefe stand zum Beispiel, dass er es liebt, wie sie in seinem Klassenzimmer an ihrem Tisch sitzt und mit kindlicher Begeisterung ihre Beine vor- und zurückschwingt.

Aarons dreißigster Geburtstag rückt näher, und Maggie ist total aufgeregt, obwohl sie bei keiner der Feiern dabei sein wird. Die erste findet am Siebten statt, dem Samstag zwei Tage vor seinem eigentlichen Geburtstag. Es ist eine Überraschungsparty im *Spitfire Bar & Grill*, wo sie gebackene Kartoffeln und Sour Cream zu erstklassigen Rippchen servieren. Über alles wird ein bisschen Schnittlauch oder Frühlingszwiebel gestreut.

Es ist schwer zu sagen, wie überrascht er von seiner Überraschungsparty ist. Maggie weiß die intimsten Dinge über ihn, aber zu der Party ist sie nicht eingeladen. Sie wusste nicht einmal, dass eine geplant war.

Von Zeit zu Zeit zieht er sich auf die Toilette zurück, um ihr zu schreiben, weil sie ihm so fehlt. Es sei schrecklich, sagt er, dass jeder, den er kenne, auf dieser Party sei, nur die Frau, die er liebe, nicht. Er sagt, dass er sauer auf Marie sei, weil er ihr gesagt habe, dass er keine Party wolle. Es nervt ihn, dass Mrs. Joyce da ist, eine Lehrerin von der Schule, die ihn die ganze Zeit anstarrt und sich merkwürdig verhält.

Der Abend endet unspektakulär. Aaron und Marie packen sich das Auto mit Ballons für die Kinder voll, die sie bei einer Babysitterin gelassen haben. Als sie daheim sind, schickt Aaron Maggie eine letzte Nachricht. Er schreibt, wenn er in seinem Haus sei, fühle er sich ihr näher.

Am Montag, Aarons eigentlichem Geburtstag, stürmt es in Fargo. Die Stadt versinkt im Schnee, und die Straßen und Bäume wirken unberührt.

Irgendwann nach sieben schickt Maggie ihm eine Nachricht. Sie freut sich wie verrückt, ihn zu sehen und ihm sein Geschenk zu überreichen. Sie weiß nicht, ob sie früher zur Schule kommen und ihn in seinem Zimmer treffen soll. Sie schreibt: »Alles Gute zum Geburtstag!!!« Und: »Soll ich heute früher kommen?«

Genauso wenig, wie sie von der Party im *Spitfire* gewusst hatte, bis sie schon in vollem Gange war, weiß Maggie jetzt, dass Aaron unter der Dusche steht, als sie ihm ihre Nachricht schickt. Weil ein Geburtstag ein besonderer Tag ist, hat sie nicht an die Regeln gedacht. Sie kann es nicht erwarten, heute, wo er, die Liebe ihres Lebens, Geburtstag hat, von ihm zu hören.

Ungefähr eine Stunde später bekommt Maggie den Anruf. Sie schaut gerade aus dem Fenster, schaut, wie der Schnee draußen herrlich tobt, und denkt zurück an den Anfang ihrer Liebesgeschichte in Colorado, als plötzlich sein Name auf ihrem Handy aufblinkt. Das Klingeln eines Telefons wird ihr für den Rest ihres Lebens Angst einjagen.

»Hallo! Alles Gute zum Geburtstag!«

»Das war's«, ist seine Antwort darauf. »Es ist vorbei. Sie hat deine Nachricht gesehen, und jetzt ist es vorbei.«

Er sitzt in seinem Wagen. Seine Stimme überschlägt sich, und er klingt panisch, aber die Botschaft ist unmissverständlich. An ihr ist nicht zu rütteln. Der Festtagsschmuck kommt runter. Was bleibt, ist der endgültige, ewige Frost.

# Sloane

Nachdem sie und ihr Mann das erste Mal eine andere Person mit in ihr Schlafzimmer genommen hatten, dachte Sloane darüber nach, was es hieß, dass sie bereit gewesen war. Dass sie über die sexuelle Erregung hinaus Gefallen daran gefunden, Momente voller Zärtlichkeit und Liebe zwischen ihrem Mann und sich, zwischen der anderen Frau und sich erlebt hatte. Ein warmes Gefühl gehabt hatte, auch beim Anblick ihres Mannes mit der anderen Frau – abgesehen von den Momenten natürlich, in denen sie geglaubt hatte, sterben zu müssen.

Aber war es normal, dass ihr der Rest gefiel? Besser, sie erzählte es keinem. Vielleicht, dachte sie, waren ja die vielen Leute, denen sie es nicht erzählen konnte, die Unterdrückten, und sie war die Gesunde. Nur spiegelte sich ihre Art zu leben weder in den Büchern wider, die sie gelesen hatte, noch in den Serien und Filmen, die sie so mochte. Irgendetwas konnte mit ihr nicht stimmen. Irgendwo, irgendwann musste sie etwas Schreckliches getan haben oder mit etwas Grauenhaftem in Berührung gekommen sein. Sie dachte an ihre Kindheit, an die Rolle ihrer Eltern.

Sloane beschreibt ihren Vater Peter für gewöhnlich nur mit *Andover, Princeton, Harvard.* »Sie wissen schon, was ich meine, wenn ich das sage«, kommentiert sie dann. Es geht ihr nicht darum, mit Bildung und Geld zu prahlen. Ihre Gefühle in Bezug auf ihre Herkunft haben sich vor langer Zeit geändert. Heute hängen sie in der Abstellkammer wie ein abgelegter Chanel-Anzug.

Sloane könnte auch ihre Mutter Dyan mit wenigen Worten beschreiben, aber es fällt ihr schwerer. Blond und kühl ist Dyan Ford, nahezu der Inbegriff christlichen Anstands. Sloane könnte beschreiben, wie ihre Mutter sie begrüßt, wenn sie sich lange nicht gesehen haben. Dyan fällt ihrer Tochter nicht um den Hals. Sie erkundigt sich nach der Fahrt oder dem Flug und spricht über das Wetter. Dann zeigt sie ins Haus, wo wahrscheinlich schon Gurkenschnittchen und eine Kanne Tee auf dem Küchentresen stehen.

Dyan wuchs als eines von vier Kindern in Memphis, Tennessee, auf, mit einem Vater, der ein eigenes Flugzeug flog, und einer warmherzigen Mutter, die den Haushalt schmiss. Als Dyan siebzehn war, fuhr sie mit ihrer Mutter, zu der sie eine sehr enge Beziehung hatte, im Auto. Vielleicht hatte sie, so wie es vor einem verheerenden Ereignis immer gewesen zu sein scheint, wenn wir uns später zurückerinnern, eine Art göttliche Vorahnung gehabt. Sieh dir meine langen, braun gebrannten Beine an. Meine weichen blonden Haare. Meinen Körper, der endlich Kurven an den richtigen Stellen hat.

Plötzlich war da ein Schrei. Das Gefühl, etwas habe sie gerammt, das Geräusch von kreischendem Metall. Als Dyan Stunden später wieder zu sich kam, lag sie in einem Krankenhausbett. Sie rief nach ihrer Mutter. Eine Schwester kam ins Zimmer, um ihr die Nachricht zu überbringen, dass ihre Mutter bei dem Unfall gestorben war. Dyan brauchte mehrere Sekunden, vielleicht sogar eine ganze Minute, bis sie das Wageninnere vor sich sah und sich daran erinnerte, dass sie auf dem Fahrersitz gesessen hatte.

Kurz nach der Beerdigung, nicht lange nachdem die Leute aufgehört hatten, Beileidskuchen an ihrer Haustür abzugeben, schickte ihr Vater sie zu Freunden. Er brauchte Dyan nicht zu sagen, warum. Sie wusste, dass er ihren Anblick nicht mehr ertrug, nachdem sie seine Frau getötet hatte, die Mutter seiner drei anderen Kinder, für die er nun allein verantwortlich war.

Dyan wohnte nicht allzu weit von Zuhause entfernt, aber es fühlte sich an, als befände sie sich auf einem anderen Planeten. Neue Küchenhandtücher, neue Badezimmerseife. Unausgesprochene Regeln und niemand, der im Vorbeigehen eine Hand auf ihre Stirn gelegt oder auch nur ihren Arm berührt hätte. Ihre Mutter hinterließ eine riesige Leerstelle, und zugleich fühlte Dyan sich von allem abgetrennt. Schließlich hatte sie mit einem Schlag ihre ganze Familie verloren. Im Stillen wusste sie, dass sie ihnen fernbleiben musste, weil sie sie daran erinnerte, was sie getan hatte, und weil ihre Familie auch sie daran erinnerte, was sie getan hatte. Und sie war ja auch kein kleines Kind mehr, sondern fast eine Frau. Das sagte sie sich in ihren dunkelsten Stunden, wenn sie abends im Bett lag, sich über die Haare strich und sich vorstellte, es wären die Haare ihrer Mutter, neben der sie gleich einschlafen werde.

Die Vergangenheit hatte Dyan auf dem Dachboden der Erinnerungen verstaut. Der Rest von ihr war zu Marmor erstarrt. Und Sloanes Vater lernte sie kennen, als der gerade groß herauskam. Nach außen war sie eine hingebungsvolle Verlobte, später dann eine gute Ehefrau und pflichtbewusste Mutter. Beispielsweise brachte sie Sloane zum Reiten nach North Salem, zum Schlittschuhlaufen auf die Eisbahn. Außerdem kochte sie ganz hervorragend. In ihrer

Küche roch es immer nach Kuchen oder knusprig gebratenem Geflügel.

Als Sloane in der vierten Klasse war, musterte Dyan sie von oben bis unten. Ihre einzige Tochter hatte auf einmal Hüften und Brüste. Ihre Wangen waren rund und rosig. Das Kind schien in einem Körper zu stecken, der nicht zu seinem Alter passte. Eher frühreif als dick, dachte Sloane später, wenn sie die Fotos von damals noch einmal betrachtete. In diesem Augenblick aber sah sie nur, dass ihre Mutter sie eigenartig anschaute.

Eine Woche später hatten sie einen Termin im Diätzentrum einer Minimall, hinter Backsteinfassade und kirschroter Reklameschrift und Jalousien, die eine vertrauensvolle Atmosphäre schaffen sollten. Im Wartebereich sagte Dyan: »Das machen wir für dich, mein Schatz. Ich glaube, dass du dich wohler fühlst, wenn du ein bisschen abnimmst.«

Sloane saß auf ihrem Stuhl und baumelte mit den Beinen. Sie konnte sehen, wie ihre Oberschenkel sich nach Osten und Westen ausdehnten.

In der Schule nahm Sloane ihre Diätpillen auf der Toilette, schluckte sie ohne Wasser, wenn es sein musste. Sie hatte sie zwar von einem Arzt verschrieben bekommen, doch sie war erst zehn und wusste, dass es komisch aussehen würde, sie vor den anderen einzunehmen. Vielleicht hatte ihre Mutter das auch gesagt. Sloane konnte sich nicht erinnern. Sie wusste, ihre Mutter tat das für sie, aus der Überzeugung heraus, ihre Tochter wäre selbstbewusster, wenn sie nur wieder dünner wäre. Ihre Mutter wollte nur das Beste für sie, so wie alle Mütter – ein unsichtbarer Dienst im Schatten aller Dinge, nach denen sie sich selbst gesehnt hatten.

Wenn Sloane ihre Zeit zu Hause verbrachte, wenn sie nicht in ein Eislaufcamp oder in die Reitferien oder ins Sommercamp fuhr, fand sie nach und nach einzelne Bausteine aus der Vergangenheit ihrer Mutter heraus. Nach einem Gespräch mit Dyan hatte sie immer das Gefühl, mehr darüber wissen zu wollen, wer ihre Mutter war. Vor allem die ganz einfachen Dinge interessierten sie. Das erste Gericht, das Dyan kochen gelernt hatte, als sie ihrer Mutter gerade einmal bis zur Hüfte reichte. Ihre Lieblingspuppen, ihre Lieblingsspiele. Ihre Kindheitsängste. Der erste Junge, den sie gemocht hatte. Meist aber war Dyan schweigsam, was die Zeit vor der Ehe mit Sloanes Vater betraf. Sie sagte nie direkt, dass sie Sloanes Fragen nicht beantworten wolle, ging ihnen jedoch geschickt aus dem Weg. Immer gab es etwas, das ganz dringend in den Ofen musste.

Wenn ihre Tochter nicht lockerließ, erzählte Dyan gern mit beinahe entrückter Zärtlichkeit davon, dass ihr Vater ein eigenes Flugzeug besessen hatte, einen Sportflieger, und dass er, als sie noch ein kleines Kind gewesen war, an warmen Tagen damit durch die Wolken geschossen und auf die Familienranch zugesteuert war. Wie der Druck und der Wind des Flugzeugs ihnen fast das Dach vom Haus gerissen, wie er das Gras, die Haare der Töchter und Mutter zerzaust hatte.

Sloane war in der neunten Klasse, als sie ihre Unschuld recht unspektakulär an einen Jungen verlor, der nur ein Stück die Straße runter wohnte.

Mit fünfzehn zählte sie zu den Ältesten in ihrem Jahrgang, und so hatte sie in mehrfacher Hinsicht das Gefühl, überreif zu sein. Luke war achtzehn und einer von den bösen Jungs. Nicht furchtbar böse, sondern angenehm böse, so, als wären Emilio Estevez und Judd Nelson aus *Breakfast Club* zu einem draufgängerischen Ringer mit dicken Augenbrauen verschmolzen. Er spielte in der Schulmannschaft Football, rauchte Gras und war ein paarmal verhaftet worden.

Sloane und Luke waren kein Paar im eigentlichen Sinn. Sie hingen zusammen bei anderen Leuten ab. Sie tranken Bier und machten rum. An dem Abend, an dem es passierte, haute Sloane heimlich ab, stieg aus dem Fenster und kletterte an einem Abflussrohr hinunter.

Als er die Tür öffnete, verspürte sie keine große Verliebtheit oder auch nur Lust. Er sagte, seine Eltern seien im Bett und würden sie nicht hören. Er bat sie nicht, möglichst leise zu sein. In der Küche und im Wohnzimmer sah es chaotisch aus, das machte sie irgendwie traurig. Dass manche Leute zu Bett gingen, ohne vorher ihr Haus aufzuräumen. Aber sein Zimmer sah nach Junge aus und roch gut.

Sie erzählte Luke, dass sie noch Jungfrau war, für den Fall, dass das irgendwie relevant wäre. Sie hatte oft gehört, wie die Mädchen in Filmen es den Jungen sagten, bevor sie es dann taten, also dachte sie: Nur für den Fall, dass er etwas anders macht, wenn man noch Jungfrau ist. Vielleicht schiebt er ihn dann anders rein.

Luke nickte und drückte sie sanft aufs Bett. Die Bettwäsche war hellbraun, genauso wie der Überwurf.

Es folgten lautlose, monotone Stöße. Sie schaute rauf zur Decke, sie schaute auf seine Haare. Sie sah, wie konzentriert er war. Kurz tat er ihr leid, dann war sie wütend auf ihn, aber die meiste Zeit fühlte sie gar nichts.

Als es vorbei war, schaute Luke auf das hellbraune Laken hinunter und sah das viele Blut. Ihm blieb kurz die Luft weg, und er wirkte unsicher, was er als Nächstes tun sollte.

»Ich hab doch gesagt, dass ich noch Jungfrau bin.«

»Oh«, sagte er, »ich dachte, das wär nur Spaß.«

Sloane korrigierte ihn nicht. Sie sagte nicht, jetzt *ist* es das ja auch. Sie zwinkerte ihm lächelnd zu. Dann stand sie vom Bett auf, zog sich ihre Sachen an und ging nach Hause, vorbei an den stattlichen, in der dunklen Nacht cremefarbenen Eichen, und fühlte sich ruhig und ungerührt. Den Großteil der Zeit dachte sie einfach nur, gut, das hätte ich dann also hinter mir.

Am Morgen danach fühlte sie sich aber doch anders. Irgendwie erwacht. Etwas an ihrem Zimmer war schon jetzt nur noch eine Erinnerung. Die Polaroids an der Wand, ihr Modellpferd von Breyer und ihr großer Spiegel. Nur die Bettwäsche war Teil der neuen Sloane, hatte den nach letzter Nacht noch nicht geduschten Körper berührt, sein nach stumpfem Ficken feuchtes Fleisch. Sie hatte damals das Gefühl, würde sich später aber nicht daran erinnern und es auch viele Jahre nicht noch einmal so empfinden, dass nicht der Junge ungewöhnlich war, sondern was in ihr erwachte. Der Junge hatte nur den Anstoß gegeben. Es war sein Penis, der die chemische Reaktion in ihr ausgelöst hatte, aber es hätte auch ein anderer Penis gewesen sein können.

Und so bewegte sie sich mit einer neuen Souveränität über ihren Körper durchs Haus. Da ihre Eltern nicht zur überfürsorglichen Sorte gehörten, verspürte sie dabei auch keine Scheu. Der einzige Mensch im Haus, in dessen Gegenwart sie sich etwas seltsam fühlte, war ihr Bruder Gabe, zu dem sie eine sehr enge Beziehung hatte. Weil er nur zwei Jahre älter war und weil sie sich so gut verstanden, glaubte Sloane, er werde merken, was sie getan hatte.

Aber das tat er lange nicht, und Sloane erzählte es ihm

nicht, obwohl sie sich ein bisschen wünschte, dass sie eine Schwester hätte oder dass Gabe eine Frau wäre.

Nachdem sie ihre Jungfräulichkeit verloren hatte, sah sie die Beziehung ihrer Eltern in einem neuen Licht. Sie verstanden sich nicht. Sie waren nicht wirklich verbunden. Plötzlich konnte sie sich nicht mehr vorstellen, dass sie das je gewesen waren. So, wie sie aufgewachsen war, hatte sie das Gefühl, zwei Ströme in sich zu haben, die nie zusammengeflossen waren, sodass sie innerlich aus zwei getrennten Personen bestand. Mit dieser Entdeckung ging sie zu Gabe. Er hörte ihr zu, und auch wenn er ihr keinen Rat anzubieten hatte, sagte er, ja, das habe er bemerkt. Das war schön, diese Tage in seinem Zimmer; das Sonnenlicht, das durch das Fenster fiel und seinen Schreibtisch und sein Großer-Bruder-Bett in gelbes Licht tauchte.

In Gabes Klasse war ein Junge namens Tim, der beliebt und sympathisch war. Er zog sich immer an, als würde er zum Wandern oder Skifahren gehen. Sloane, die ihn ein paarmal mit ihrem Bruder oder beim Fußball gesehen hatte, fand aus der Ferne Gefallen an ihm. Es war einer dieser Momente, da sie nicht sicher war, wer sie sein sollte. Sie hatte ein paar Freundinnen, eine oder auch zwei Klassen über ihr, die hemmungslos durch die Gegend vögelten, und sie fragte sich, ob sie das auch tun sollte. Bekam sie ein klareres Image, wenn sie als sexuell aktiv gesehen wurde? Und dann rannte sie Tim bei dieser Party über den Weg. Er sagte, er habe schon immer gedacht, dass sie wahnsinnig schön sei. Da war diese Geradlinigkeit, die er ausstrahlte. Er erinnerte sie an ihren Bruder, und ihr gefiel die damit verbundene Sicherheit.

Sie kamen sehr schnell zusammen. Er fragte Gabe sogar um Erlaubnis. Es war nichts Komisches dabei; es kam oft vor, dass Zehntklässler mit Zwölftklässlern gingen. Die beliebten Jungs waren in dieser Hinsicht Trendsetter. Etwas an den Mädchen aus den unteren Stufen zog sie magisch an, die Frische und die langen Haare. Ihre eigenen Altersgenossinnen sahen muffig dagegen aus.

Sloane ging von da an zu allen Partys der höheren Stufen. Es gefiel ihr, sich am Rand des Geschehens zu tummeln, an Tims Arm, aber trotzdem absolut im Mittelpunkt zu stehen. Andere Typen klopften im Gespräch mit Tim Sprüche vor Sloane, um ihr zu imponieren. Sie lernte, nicht allzu schnell beeindruckt zu sein. Sie sah einen Vorteil darin, sich kühl zu geben.

Auf einer dieser Partys war auch Gabe. Sie waren sich seit ein paar Monaten nicht mehr so nahe, was Sloane auf die unterschiedlichen Sommerstundenpläne schob. Aber auf dieser einen Party schaute ihr Bruder von der anderen Seite des Zimmers zu ihr herüber; zuerst sah sie die Wut in seinem Gesicht, und dann, als er sich wegdrehte, meinte sie, an den fest aufeinandergepressten Kiefern und an der Leere in seinem Blick zu erkennen, dass er regelrecht angewidert war.

Sie redeten an diesem Abend nicht miteinander. Gabe verließ die Party, und dann war das Wochenende vorbei. Aber er entwickelte eine neue Gefühlskälte. Er machte seine Zimmertür zu, wenn nur sie beide im Haus waren, und drehte die Musik laut auf, als wollte er sagen, wage es ja nicht hereinzukommen. Beim Abendessen war er schon immer still gewesen, aber jetzt war er teilnahmslos, aß seinen Lachs, trank sein Wasser. Er ging nicht in die Auseinandersetzung mit ihr. Sloane versuchte, sein Verhalten zu ignorieren. Gabe war voller Angst. Hatte unterschwellig Aggressionen gegenüber ihren Eltern. Bewarb sich an den

Schulen, die sein Vater für richtig befand. Ihr wurde klar, wie merkwürdig es für ihn gewesen sein musste, seine Schwester auf einer Party zu sehen, noch dazu mit einem Typen aus seinem Jahrgang; vielleicht hatte er beobachtet, wie sie rummachte, hart feierte, trank und völlig abdrehte. Es musste ihn verwirrt haben. Da war Gabe, der alles tat, um seine Eltern glücklich zu machen, und dann war da Sloane, die rebellierte und sich austobte. Sie begriff, wie viel Feindseligkeit er empfunden haben musste.

Zwei Jahre lang blieb Sloane mit Tim zusammen. Und merkte immer weniger, wie die Beziehung zu ihrem Bruder in dieser Zeit abkühlte. Gabe ging aufs College. Sie sahen sich seltener, und es war leicht, darüber hinwegzusehen. Unterdessen wurde Sloane immer mehr zu der Frau, die sie später einmal sein sollte. Sie beherrschte die Kunst, absolut begehrenswert zu erscheinen, von Tag zu Tag besser. Sie ging oft auf die immer gleichen Partys, um ihr Image zu perfektionieren. Und die Monotonie langweilte sie nicht einmal, weil sie vom Reiten und Eislaufen wusste, dass Wiederholungen ihren Sinn haben und es ihr helfen würde, das beste aller Party-Girls zu werden, wenn jede Nacht genauso ablief wie die letzte.

An einem noch frischen Frühlingsabend waren Sloanes Eltern aus, und statt wegzugehen, lud Sloane sich einen Freund ein. Lucas war schwul und hielt es noch unter Verschluss. Sie saßen auf dem Dach, tranken Absolut Citron aus der Flasche, blickten auf die Schornsteine anderer Häuser und die Sterne, so klar wie die Abendkühle. Sloane war eine der wenigen Personen, die von Lucas' Geheimnis wussten, und sie verstand, dass er froh war, frei mit ihr reden zu können. Oben auf dem Dach war er sicher. Unten auf dem Boden war er wie versteinert, da lief er steif und starr herum, während in seinem Inneren ein schreckliches Feuer wütete und ihn mit Scham erfüllte. Er schämte sich nicht für seine Sehnsüchte, wusste aber auch nicht, wie er mit ihnen umgehen sollte.

»Ich glaube, der Schlüssel ist Selbstvertrauen«, sagte Sloane. Sie legte ihm die Hand aufs Knie. »Ich glaube, es geht im Leben immer wieder darum, einfach Vertrauen in sich selbst zu haben, weißt du?«

Lucas grinste. Er trank sehr viel Wodka. Ihnen gingen die Zigaretten aus, es wurde langsam spät. Und weil Sloane nicht wollte, dass ihre Eltern nach Hause kamen und einen betrunkenen Lucas vorfanden, sagte sie: »Los, fahren wir Zigaretten holen.«

Sie fuhren in dem roten Saab ihres Bruders Richtung Pound Ridge. Sloane hatte ein bisschen was getrunken und konzentrierte sich auf die Straße. Gerade erzählte Lucas, er hasse so viele Leute, die er vorgab zu mögen, dass er an irgendeinem Ort mit strahlendem Sonnenschein und Palmen noch mal ganz von vorn anfangen wolle, dass er dort leben wolle, wo andere Urlaub machten, und sich ein lang gestrecktes, tief liegendes Cabrio wünsche. Lucas war schon auf dem Dach ein wenig hitzig gewesen, aber jetzt drehte er völlig ab. Sloane merkte es daran, wie er die Stimme hob. Als wüsste er nicht, dass sie neben ihm saß.

»Hey«, grölte er.

»Was?«, fragte Sloane.

»Wie wär's mit ein bisschen Nervenkitzel?«, sagte er, beugte sich über die Schaltkonsole und riss das Lenkrad in seine Richtung.

Sie steuerte blitzschnell gegen und schrie: »Hör auf!« Er lachte, und dann schwiegen sie. Sloane hatte Mühe, sich zu fangen.

»Scheiße, Mann, was sollte das?«

Statt ihr zu antworten, lachte er und tat es noch mal. Sloane schrie ihn wieder an und riss das Lenkrad herum, diesmal aber zu weit. Der Wagen steuerte auf den grünen Mittelstreifen zu und knallte dort mit fünfzig in eine Senke. Es ging so schnell, dass sie nicht einmal merkten, wie der Boden unter ihnen wich, bevor sie den Aufprall hörten.

Erst nach einer Weile begriffen sie, dass sie noch am Leben waren. Ein ganz und gar surrealer Moment, denn ihre Leben hatten sich innerhalb weniger Sekunden von gewöhnlich zu weggeworfen zu wertvoll gewandelt. In diesen Sekunden hatte sich der Wagen über der dreispurigen Gegenfahrbahn einmal um die eigene Achse gedreht. Eben hatten sie sich noch auf der linken Fahrbahn befunden, jetzt standen sie hochkant auf dem Gehweg. Es war, als rasselten die Knochen des Wagens. Die Sicherheitsgurte, sollten sie später erfahren, hatten ihnen das Leben gerettet.

»Steig aus dem Wagen«, sagte Sloane.

Lucas zitterte. »Haben wir überlebt?«

»Ja. Und jetzt halt den Mund, und steig aus dem Scheißauto.«

»Was?«

»Nimm deinen Rucksack, und steig aus.«

Lucas kam endlich in die Gänge und kletterte aus dem schwankenden Wagen. Sloane zwang ihn, schnell mitzukommen, immer den Gehweg hinunter. Sie war wacklig auf den Beinen. Einen Block weiter wollte sie, dass er die Flasche Wodka irgendwo ins Gebüsch warf. Sie hörten ein dumpfes »Klong« und kehrten zum Wagen zurück. In der Zwischenzeit war die Polizei eingetroffen. Die Beamten befragten Sloane, während Lucas mit angezogenen Knien auf der Bordsteinkante saß. Sloane fragte zurück: »Was mache ich denn jetzt mit dem Auto? Wo bringe ich es hin?«

»Schätzchen«, sagte einer der Polizisten, »der Wagen hat einen Totalschaden.«

Sie spürte einen dicken Kloß im Hals. Der andere Polizist lachte. Es fühlte sich an, als hätten sie ihr die Frage noch immer nicht beantwortet.

Weder Sloane noch Lucas hatten auch nur den kleinsten Kratzer abbekommen. Es war ein Wunder, darin waren sich die Polizisten einig. Sloane starrte auf den Wagen. »Totalschaden«, sagte sie laut. Sie dachte über das Wort nach, darüber, dass der Wagen wirklich wie das Wort aussah, das ihn beschrieb.

Sloane und Lucas aber mussten nicht einmal ins Krankenhaus. Ihre Eltern holten sie vom Polizeirevier ab. Vielleicht war das der Grund dafür, dass Dyan und Peter nicht die Erleichterung verspürten, die sie sonst verspürt hätten. Etwa wenn Sloane mit einer Nackenkrause im Krankenhaus gelegen hätte.

Noch erschreckender als der Unfall selbst war aber, dass keiner in Sloanes Familie sagte: Zum Glück ist dir nichts passiert. Ihre Eltern blieben ruhig und umsichtig. Sie sprachen leise darüber, was am nächsten Morgen zu tun sei. Sie waren nicht wirklich wütend. Aufgrund ihrer eigenen Vergangenheit reagierte ihre Mutter anders, als die meisten es erwartet hätten. Zum Beispiel drückte sie Sloane nicht schluchzend an ihre Brust.

Am verletzendsten für Sloane war jedoch Gabes Reaktion. Denn ihr Bruder war sauer wegen seines Wagens. Er schaute sie an, als wäre sie der letzte Dreck.

Viele Jahre später wurde ihr klar, dass genau das der Moment gewesen war, in dem ihr einer der wichtigsten Menschen in ihrem Leben das Gefühl gegeben hatte, sie nicht zu lieben. Doch damals sah sie das nicht. Sie schätzte sich in so vieler Hinsicht glücklich. Sie war am Leben. Ihre Familie würde durch diesen Fehler nicht auseinanderbrechen. Sie würden es einfach zu den Akten legen können. Der Blick ihres Bruders aber lähmte sie auf eine Weise, wie es der Unfall nicht getan hatte. Vielleicht, dachte sie, lag es daran, dass es ihr gut ging. Sie wollten nicht darüber nachdenken, was alles hätte passieren können.

An einem gewissen Punkt hatte Sloane eine völlig neue Identität angenommen: *Popular Girl Sloane, Party Girl Sloane*. Diese Sloane zu sein hieß, schön zu sein – und das war sie zweifellos. Es hieß, Lust auf Alkohol und auf Herumhängen zu haben, Partys auszurichten und auf Partys zu gehen, immer zur richtigen Zeit und mit dem richtigen Outfit. Es hieß, gern zu flirten, aber keine Schlampe zu sein. Es hieß, cool zu sein. Nur gab es auch noch andere coole Mädchen, andere heiß aussehende Mädchen, andere Flirts. Etwas an dem Unfall, etwas an ihrem Bruder, etwas an ihren Eltern, an ihrer Vergangenheit und an der Tatsache, nie in irgendetwas die Beste gewesen zu sein, weckten in ihr den Wunsch, endlich ein Superlativ zu sein. Um gesehen zu werden, musste sie in einem Bereich hervorstechen.

Und so verwandelte sie sich erneut, in ein *Superdünnes Party Girl*. Sie war nicht die Schönste und auch nicht die Verführerischste, aber die Rolle der Dünnsten, die schien noch frei zu sein. Das würde ihrer Mutter gefallen, so viel war klar.

Um dieses Ziel zu erreichen, verordnete sie sich selbst eine Essstörung. Sie fing als Anorektikerin an, weil sie glaubte, das sei der sauberste Weg. Eine Zeit lang funktionierte es. Sie aß sehr wenig und machte sehr viel Sport. Bis zu diesem einen Thanksgiving im Haus ihrer Eltern: ein teurer Überwurf auf einem weißen Tischtuch, knusprige Truthahnflügel und Bratensoße und Süßkartoffeln, die ganzen Thanksgiving-Farben, Braun und Creme und Goldbraun. Da überkam es sie zum ersten Mal. Sie fühlte sich so voll und widerlich. O Gott, dachte sie, ich muss das wieder loswerden!

Sie ging ins Bad, steckte sich einen Finger in den Hals, und schon kam es heraus. All diese festlichen Farben. Die Füllung. Der Bratensaft. Die Cranberrysauce. Truthahnstückchen, Truthahnstreifen. Weiße Kartoffeln, orangefarbene Kartoffeln. Die Tatsache, dass das alles wieder herauskam, diese ganze riesige Portion, begeisterte sie. Am besten daran gefiel ihr die Kontrolle. Irgendwann später in ihrem Leben hörte sie die Sängerin Amy Winehouse sagen, Bulimie sei die beste Diät der Welt. Warum machten das nicht alle? Sloane leuchtete es vollkommen ein. Das funktioniert besser als alles andere in meinem Leben, dachte sie. Es kam ihr leicht, ja sogar natürlich vor.

Von da an wurde die Essstörung ihre heimliche Freundin. Sie wurde nicht einfach eine anorektische Bulimikerin, sondern die absolut beste anorektische Bulimikerin, die man sich vorstellen kann. Sie ging strategisch vor, sauber, informiert. Darum wusste sie, dass es am schwierigsten ist, etwas zu erbrechen, das man nicht richtig gekaut hat. Steaklappen, die man wieder heraufwürgen muss wie Lincoln-Logs-Bauklötze. Eis ist auch ein Problem, es ist zu weich und kommt flüssig wieder hoch. Das fühlt sich so an, als würde man überhaupt nichts loswerden. Außerdem kann man nie sicher sein, dass nicht noch was an der Mageninnenwand klebt.

Dann ist da natürlich immer die Frage des Timings. Alles im Leben ist eine Frage des Timings, und das gilt auch fürs Erbrechen. Wartet man nicht lange genug, kommt das Essen nicht wieder raus. Man ramponiert sich nur den Hals bei dem Versuch, etwas hochzuwürgen. Wartet man zu lange, kommt nur das letzte bisschen wieder raus, und man hat sich völlig umsonst die Finger schmutzig gemacht. Man kann immer zu früh oder zu spät dran sein, oder zu laut, weil der Körper nicht darauf vorbereitet ist. Wer sich erfolgreich erbrechen will, muss mit seinem Körper zusammenarbeiten. Darf nicht gegen ihn arbeiten. Man muss sich an den richtigen Ablauf halten.

Jeden Morgen bestand Sloanes Hoffnung darin, mit möglichst wenig Essen auszukommen, fettarm zubereitete Hähnchenbrust, eine Orange, Zitronenwasser. Aber wenn sie versagte und M&M's mit Erdnüssen oder ein Stück Geburtstagskuchen aß, dann nahm sie ihr Versagen hin, ohne es hinzunehmen. Sie ging ins Bad. Spülte zwei Mal. Brachte alles in Ordnung. Stieg wieder ins Gespräch ein.

Es funktionierte, zumindest an den meisten Tagen. Feldhockey litt. In der neunten Klasse war sie eine ziemlich ernst zu nehmende Athletin gewesen, doch schon im Frühjahr der zehnten Klasse war sie so abgemagert, dass sie es gerade noch so in die erste Mannschaft schaffte. Überhaupt litt die Schule. Sie machte keine Hausaufgaben mehr und passte auch im Unterricht nicht auf.

Ihre Familie hinterfragte weder ihren neuen Körper noch ihre neuen Angewohnheiten. Als ihre Mutter einmal wissen wollte, warum sie so oft die Toilettenspülung betätige, kam das noch am ehesten an die eigentliche Frage heran: Warum versuchst du, dich umzubringen?

Diese Frage jedoch war schon für sich genommen brutal.

Sloane konnte sich nichts Schlimmeres vorstellen, als dass man ihr schmutziges Geheimnis herausfand. Sie kannte ein paar Leute, oder hatte seitdem ein paar Leute kennengelernt, die irgendwann einfach damit herausgeplatzt waren, so nach dem Motto: »Ich habe mich gerade vollgestopft und gebrochen, LOL.« Aber für Sloane war das alles zu schmutzig. Andere hätten in sie hineinschauen, hätten ihre Bedürftigkeit und ihre Angst sehen können. Sie spülte zwei Mal. Drei Mal. Sie hatte immer Kaugummis dabei. Sie war vorsichtig mit dem Wann und Wo.

Ab einem bestimmten Punkt zog sie das Waschbecken der Toilette vor. Sich über der Toilette zu erbrechen fühlte sich sehr bulimisch an. Selbst wenn sie darin geschickt und geübt war, blieb sie eine Bulimikerin, die die Augen vor der Wahrheit verschloss. Außerdem gab es dort oft einen Müllschlucker. Am meisten mochte sie das Waschbecken in dem kleinen Bad neben dem Fernsehzimmer. Wenn ihre Familie fernsah, musste sie ausweichen, aber sonst ging sie direkt nach dem Abendessen dorthin, während die anderen sich noch unterhielten oder das Geschirr spülten. Ihre Familie sah am liebsten nichtssagende Spielshows wie *Jeopardy!* und Stand-up-Comedy. Sich *Airplane!* anzuschauen stellte für ihren Vater die äußerste Form der Rebellion gegen seine Herkunft dar. Wenn Sloane mal wieder eine Lachkonserve hörte, warf sie einen traurigen Blick auf ihr Lieblingswaschbecken, bevor sie ins Bad nach oben ging.

Sehr, sehr lange stellte niemand die Art von Fragen, bei denen Sloane schummrig wurde. Niemand demütigte sie. Trotzdem hatte sie eine Routine, zu der Minzbonbons und Zahnbürsten gehörten, und wusste, wie sie ihre Augen trocknen konnte, wenn sie nach dem Erbrechen feucht schimmerten.

Obwohl sie froh war, dass ihr Geheimnis unentdeckt blieb, verstand sie nicht, warum niemand sie zur Rede stellte. Da waren so viele Menschen um sie herum, aber nur zwei von ihnen sagten je etwas. Eine war ihre Freundin Ingrid, die andere war Ingrids Mutter. Als die Mädchen sechzehn waren, saßen Ingrid, ihre Mutter und Sloane an einem herrlichen Frühlingstag bei Ingrid im Wohnzimmer, und ihre Mutter fragte: »Sloane, was ist los mit dir? Du bist ja völlig abgemagert.« Sloane kam mit den üblichen Ausreden. Sie esse die ganze Zeit und wisse auch nicht, was los sei. Vielleicht irgendeine Stoffwechselsache. Sie tat so, als würde sie immerzu essen. Hatte mehrere verlässliche Tricks dazu auf Lager.

Wenn sie zu jemandem nach Hause kam, sagte sie immer, sie sei voll, sie habe gerade einen Burger und Pommes gegessen. So fragte niemand, ob sie etwas essen wolle. Wenn sie es nicht vermeiden konnte, dass man ihr einen Teller vorsetzte, schob sie das Essen hin und her und schmierte die kalorienreichen Soßen breit, wischte sie dann mit etwas Brot auf und ließ es am Tellerrand liegen. Sie zerschnitt das Essen in viele kleine Stücke und hielt die Gabel auf halbem Weg zwischen Teller und Mund, sodass es aussah, als würde sie tatsächlich etwas zu sich nehmen. Währenddessen trank sie, so viel sie konnte. Wasser, Diet Coke, Tee und Kaffee. Sie hatte immer etwas zu trinken in der Hand. Ihre Freundin Ingrid fragte: »Warum trinkst du ständig so viel? Warum trinkst du die ganze Zeit Kaffee und Saft und Wasser? Warum läufst du immer mit irgendeinem blöden Getränk rum, Sloane?«

Die Antwort auf diese Frage, und zwar die, die Sloane ihrer besten Freundin nicht geben konnte, lautete: weil sie am Verhungern war.

# Lina

Die Tankstelle an der 144 in Mooresville ist über Nacht meist geschlossen, doch an den Zapfsäulen kann man mit Kreditkarten bezahlen. Sie glaubte, sie würde ihm nie wieder begegnen, nachdem er das Hotel verlassen hatte. Jedes Mal, wenn sie sich sehen, ist sie sicher, dass es das letzte Mal ist, und dann leidet sie die ganze Zeit. Obwohl sie es eigentlich genießen sollte, beherrscht sie das Gefühl, sang- und klanglos zu sterben.

Sie sitzen bei ihr im Auto, das größer und neuer ist. Sein Gesicht ist so schön, dass sie sich nicht vorstellen kann, irgendwann nicht mehr darüber nachzudenken, wer es sonst noch anschauen darf. Sie gibt sich einen Ruck und stellt ihm ein paar Fragen zu seiner Frau, von der sie auf Facebook ein Foto gesehen hat. Lina findet, dass seine Frau besser aussieht als sie. Jedenfalls vor der Geburt ihrer Tochter. Mittlerweile hat sie etwas zugelegt. Aber sie ist trotzdem noch heiß.

In dem grünen Lichtschein der Zapfsäulen erzählt Lina von Ed. Davon, dass sie sich darauf einstelle, aus dem gemeinsamen Haus auszuziehen oder Ed zum Ausziehen zu bewegen. Sie gibt Aidan zu verstehen, dass sie es gleich morgen tun würde, wenn er das wollte. Vielleicht spricht ja auch Aidan mal über seine Frau, wenn sie ihm erzählt, wie schlecht es um ihre Beziehung mit Ed steht.

Lina hat wieder ihre Regel, und darum öffnet sie seinen Reißverschluss und bläst ihm einen, während er ihr dabei zusieht. Es ist das erste Mal, dass sie einen Blowjob bis zum Ende durchzieht. Bei Ed war es so, dass sie ihn immer kurz in den Mund nahm, er sich aber unwohl fühlte, wenn sie da unten war, sie darum wieder hochzog und sie dann miteinander schliefen.

Bei Aidan will sie nicht aufhören. Sie will ihn glücklich machen. Zum ersten Mal versteht sie, was es heißt, jemandem mit dem Mund Lust zu verschaffen, ihn auf diese Weise zu lieben.

»Das fühlt sich so unendlich gut an«, sagt sie zu ihm. »Wahnsinn.«

Und er genießt es. O Mann. Sie merkt, wie sehr er es genießt.

»Scheiße, Mann«, presst er hervor. »Scheiße, ist das geil. Scheiße, Lina. O fuck. Fuck, Baby. Scheiße.«

Die *Fucks* sind okay, aber das viele *Scheiße* schmerzt ihr in den Ohren. Sie beschließt, einfach nicht weiter daran zu denken, sie beschließt, diesen Moment zu genießen, ganz in ihm aufzugehen, Aidans Penis fest mit den Lippen umschlossen und das herrliche Gefühl, diesem Mann, der ihr alles bedeutet, Lust zu verschaffen.

Und dann kommt er. Er schmeckt traumhaft. Bisher hat sie nur zwei andere Typen geschmeckt, und das war nicht annähernd so gut. Beide schmeckten sauer. Einer der beiden nach altem Kohl. Die hatten ihr die Lust daran verdorben.

Kurz nachdem er gekommen ist, hat sie wieder diese grauenhaften Schmerzen. Aidan scheint es nicht mitzukriegen, denn er zieht sich sofort wieder den Reißverschluss hoch.

»Ja, du kannst gehen«, sagt sie hart.

Er besinnt sich und nimmt ihr Gesicht in die Hände. Versichert ihr, es sei mehr als nur Sex. Er sei kein Spieler, sagt er und zieht sie mit all diesen schönen Worten zurück in seinen Bann. Es ist ihr erstes erwachsenes Gespräch. Er ist nicht betrunken. Er redet! Ihre Schmerzen verschwinden wieder, genauso wie im Hotel. »Zum ersten Mal«, erzählt sie ihren Freundinnen, »hatte ich diese schrecklichen Schmerzen nicht mehr.«

O Gott, wie sehr sie diese Art von Zärtlichkeit und Zuneigung vermisst hat! Große Schwänze vermisst hat! Sie hatte nicht wirklich viele gehabt. Sie ist katholisch erzogen worden und ist immer noch katholisch und macht keine Sprüche darüber, eine genesende Katholikin zu sein. Trotzdem hat sie einen Draht zu ihren Bedürfnissen.

Er erzählt ihr, dass er eigentlich nur arbeite, den ganzen verfluchten Tag. Dass er das für seine Mädchen mache. Die eine sei ein Jahr alt, die andere vier.

Es fällt Lina schwer, etwas darauf zu erwidern. Normalerweise ist er still, aber heute redet er, und wenn stille Menschen den Mund aufmachen, hört man ihnen zu.

Schließlich sagt er: »Mrs. Parrish, wir sollten uns nicht mehr zum Rummachen treffen.«

Jetzt will sie ihn umbringen. Ihn schlachten und ausnehmen. Dafür, dass er *Mrs. Parrish* zu ihr gesagt hat, ihren Ehenamen. Ihr das Gefühl gibt, ein Nichts zu sein, oder nur irgendwas für irgendwen, nicht aber für ihn.

»Aidan, was zwischen uns läuft, würde ich nicht als *rummachen* bezeichnen.«

Er grinst. »Da hast du wohl recht, Kid.«

»Aidan?«

»Ja, Kid? Du, hör zu. Ich will dir nicht wehtun.«

Lina weiß, dass *ich will dir nicht wehtun* übersetzt *ich habe Lust auf Sex mit dir, aber ich liebe dich nicht* heißt. Lina versteht es auf einer bestimmten Ebene, aber sie kann es nicht richtig glauben. Sie war so viele Jahre tot oder dabei, langsam zu sterben, und jetzt ist sie wieder lebendig.

Als er in ihrer Handtasche die Zigaretten sucht, die er raucht und sie nicht, findet er das Clonazepam. »Was ist das?«, fragt er und hält die Flasche hoch wie einer, der trinkt, aber keine Pillen nimmt.

»Das ist meine kleine Relax-Tablette«, sagt sie verlegen. Dass sie sie seinetwegen nimmt, sagt sie nicht.

Später erzählt sie den anderen Frauen, dass sie wisse, was sie machen müsse, um ihn zu halten.

»Er fehlt mir so sehr«, sagt sie. »Aber ich werde auch weiter vortäuschen, dass alles bestens ist, dass es mir gut geht, unabhängig davon, ob wir einander sehen oder nicht. Er hat mir an dem Abend an der Tankstelle so viele Fragen gestellt. Hat danach gefragt, was ich will und warum ich mit ihm zusammen sein will. Als ich mich ihm geöffnet habe, hat er mehrmals betont, dass er mir nicht wehtun wolle und wir uns darum besser nicht mehr sehen sollten. Also habe ich mir angewöhnt, ihm vorzuspielen, dass es mir egal ist, ob wir uns nun weiter sehen oder nicht, weil ihn auch das bei der Stange hält. Der Glaube daran, dass ich ihn nicht zwingend sehen muss. Selbst wenn er mich durchschaut. Denn in Wahrheit könnte ich es niemals ertragen, ihn nicht wiederzusehen. Wenn ich ihn an einem Sonntag sehe, bin ich im siebten Himmel, und am Montag geht es mir immer noch ziemlich gut, aber am Mittwoch setzt der Schmerz ein, und am Donnerstag ist ein Teil von mir gestorben.«

An dem Abend im Auto schüttelt Lina heftig den Kopf.

»Nein«, sagt sie. »Nein, du tust mir nicht weh.« Sie lächelt tapfer. »Wie könntest du mir wehtun, du dummer Kerl!«

»Aber …«

»Schhh, Großer«, sagt sie, »schhh«, und legt ihm den Finger auf die Lippen, was sie schon sehr lange einmal tun wollte.

Irgendwann ist Aidan zum Arbeiten in St. Louis. Lina und Ed sitzen an diesem Abend gemeinsam im Wohnzimmer. Lina hatte einen schönen Tag mit Della und Danny und den Nachbarskindern, sie ist entschlossen, in Zukunft positiv über Sex zu denken, und geht darum zu einem Diskussionsabend zum Thema »Katholiken Liebe(n) Sex«. Er findet im Kellergeschoss einer nahe gelegenen Kirche statt, wo es nach Hostien und abgestandenem Wasser riecht. Lina ist die einzige Erwachsene in einem Raum voller College-Kids. Sie trifft auf einen Priester, der jünger ist als sie, und eine Moderatorin im Teenageralter. Ein großes Mädchen in der Ecke meint, der Teufel würde die Menschen jeden Tag mit Sex in Versuchung führen. Die Moderatorin fragt: »Wie lernen wir heutzutage etwas über Sex?« Und Lina hebt den Arm und sagt »Familie«. Die ganzen College-Kids scharren ein bisschen mit den Füßen, als wäre das ja wohl mal voll nicht die richtige Antwort, und die Moderatorin sagt: »Ja, schon ganz gut, noch jemand?« Und nahezu alle anderen sagen: »Medien. Was wir über Sex wissen, wissen wir aus den Medien.«

Lina bebt vor Wut. Es kommt ihr vor, als hätte sie einfach gar nichts mitbekommen. Sie denkt an Aidans kräftige Hände. Sie steht auf und verlässt die Runde mittendrin. Sie kehrt zurück in ihr Zuhause, das sie versteht, auch wenn sie sich eingesperrt fühlt. Im Wohnzimmer loggt sie sich bei Facebook ein. Ed sitzt einen Meter entfernt, schaut Fernsehen und nippt, wenn sie sich nicht täuscht, immer noch an dem Bier, das er schon in der Hand hatte, als sie gegangen ist. Wie auch immer. Die blaue Facebook-Seite öffnet sich. Kurz bleibt ihr die Luft weg. Aidan ist online!

»Hey, schöner starker Mann«, schreibt Lina und setzt sich so, dass ihr Körper den Blick auf den Bildschirm versperrt. Kurz dreht sie sich zu Ed um, dann wieder zurück.

»Hey, Kid.«

Irgendwann hat er sie. Ohne einen Finger zu rühren, bringt er sie dazu, ihm im Chat in drei langen Nachrichten zu beschreiben, wie sie sich jetzt lieben würden, wenn sie bei ihm wäre. Wie sie ihn um den Verstand bringen würde.

*Ich stehe plötzlich vor dir, du ziehst mich fest an dich, wir sagen beide kein Wort, du küsst mich, schiebst mir deine Zunge in den Mund, und lange Zeit schmecken wir uns einfach. Du schiebst meine Bluse hoch, ziehst sie mir über den Kopf und mich dann langsam weiter aus. Als du dich langsam an mir hocharbeitest, bleibst du auf Höhe meiner Brüste und spielst mit meinen Nippeln. Dann sage ich dir, dass du mich zum Bett tragen sollst. Du bist so stark. Dort beugst du dich über mich und schaust mir tief in die Augen. Du reibst deinen Penis an mir, damit sich die Feuchtigkeit verteilt.*

*Ohne den Blick abzuwenden, dringst du in mich ein, bewegst dich wieder in diesem herrlichen Rhythmus unserer ersten Nacht: dreimal Specht, einmal Wal, dreimal Specht, einmal Wal. Ich stöhne jedes Mal, wenn du tief in mich stößt, flüstere dir ins Ohr: »Weiter, Baby, mach wei-*

*ter.« Du umfasst mich und ziehst mich noch enger an dich heran, deine Bewegungen werden immer schneller. Kraftvoll drehe ich dich auf den Rücken und schwinge mich auf dich, während du in mir bleibst. Ich bin jetzt auf dir, du drückst mich noch immer fest an dich, küsst mich leidenschaftlich mit diesen fantastischen Lippen, die ich so liebe.* ☺

*Ich richte mich auf, bewege mich auf und ab, reite dich. Ich bin so feucht, und du fühlst dich so wahnsinnig gut an. Du kommst hoch, so, dass ich weiter auf deinem Schoß sitze, saugst erst an meinen Lippen und dann erneut an meinen Brüsten. Ich bin etwas außer Atem, und du legst mich vorsichtig auf die Seite, bleibst aber weiter in mir. Du machst mich mit deinen Stößen so geil, dass ich immer wieder deinen Namen schreie. Ich könnte aber auch versuchen, leise zu sein und meine Schreie zu unterdrücken. Ich mache, was auch immer du hören und sehen willst, und ich liebe es, wenn du meinen Namen flüsterst und laut stöhnst, wenn wir zusammen kommen und diese irren, intensiven Orgasmen erleben. Du kommst in mir und füllst mich aus, und du liebst es mehr als alles, was du je mit einer anderen hattest. Erschöpft und glücklich sacken wir zusammen, du schaust mir weiter in die Augen und schenkst mir noch viele zärtliche Küsse, so wie in unserer ersten gemeinsamen Nacht.*

Aidan steht darauf. Er fragt, ob sie schon gekommen sei. Bittet sie um Fotos, aber Ed ist keinen Meter entfernt, sitzt in seinem Sessel und zappt durchs Fernsehprogramm. Sie sagt Aidan, sie könne jetzt keine machen. Er hört nicht auf zu drängen. Sie bleibt bei ihrem Nein.

»Okay, ich will nicht, dass du etwas tust, was du nicht willst.«

Dann schickt er wütend hinterher: »Aber du wolltest, dass ich komme!!! Bilder würden helfen.«

Lina hat plötzlich das Gefühl, dass er sie nur benutzt, wenn ihm danach ist. Sie muss ihm klarmachen, dass sie nicht irgendeine Hure ist, und deswegen schreibt sie: »Aidan, ich ficke nicht einfach irgendwen. Vor allem nicht dich. Für mich müssen Gefühle im Spiel sein. Du weißt, was ich für dich empfinde, und wahrscheinlich empfindest du nicht dasselbe für mich.«

»Du mich auch.«

Das war alles, was er schrieb, und Lina wurde ganz anders.

Bevor das mit Aidan richtig losgegangen sei, erinnert sie die Gesprächsgruppe, habe das, was ihr Mann getan habe, sie gebrochen.

»Könnt ihr euch das vorstellen?«, fragt sie und sieht die Frauen nacheinander an. »Könnt ihr euch vorstellen, Berührungen zu erbetteln? Von dem Mann, der geschworen hat, euch für immer zu lieben?«

Sie erzählt von dem Abend, dem letzten Abend dieser vollen drei Monate, in denen Ed sie nicht berührt hat. Sie liegen in ihrem großen Doppelbett. Draußen im Dunkeln, jenseits der Schiebetüren, schläft ihr schöner gepflegter Garten. Im Obergeschoss schlafen die Kinder. Er weiß nicht, dass sie sich diesen Abend in ihrem Kalender markiert hat. Würden sie in einer Welt der Hexen und Zauberer leben, wäre der Glockenschlag um Mitternacht jener schicksalhafte Moment, und der in violettes Licht getauchte Garten wäre voller Eulen und Nachtfalter, die sehen würden, wie Lina ihre großen graublauen Augen aufschlägt, sobald die Mitternacht auf der Digitaluhr am Bett ihre gespenstischen Neonsäbel schwingt.

Sie spürt, wie Ed sich im Bett umdreht, ohne sie zu berühren, ohne ihr über die Schulter zu fahren, ohne sie dort zu küssen, wo ihre blonden Haare auf ihr Schlüsselbein treffen, ohne die Hand auf die Erhebung unterhalb ihrer neuerdings schmalen Taille zu legen, auf ihre geschwungenen Beckenknochen. Sie spürt die drückende Kälte des Nichtberührtseins am ganzen Körper. Sie spürt jeden Morgen und jeden Abend dieser drei Monate, in denen er nicht mit ihr geschlafen, sie nicht einmal neckend in die Seite gepikt hat. Ed dreht ihr wieder den Rücken zu. Lina starrt hoch zur Decke, dann schließt sie die Augen. Sie kocht vor Wut. Vor dem heutigen Abend hat sie nie verstanden, was es heißt, dass es in einem brodelt. Sie hat nie verstanden, dass Schmerz sich so schnell in lähmende Wut verwandeln kann.

*Manche Menschen mögen das Gefühl nicht. Sie empfinden das als Verletzung.*

Elf Jahre lang hat der Mann, mit dem sie das Bett teilt, sie nicht richtig geküsst. Dabei gehört das zu dem wenigen, was sie sich von ihm gewünscht hat. Sie muss an die strahlenden, selbstbewussten Augen der Therapeutin denken, die gesagt hat: *Nun, das ist okay. Das ist normal.*

Lina hasst sie beide.

Sie kneift die Augen zusammen und stellt sich vor, wie sie ihm ins Gesicht schlägt, ihm mit der Faust das Gesicht zertrümmert, es mit dem Segen aller Eulen und Nachtfalter im Garten restlos zertrümmert. Sodass sie beim Blick auf sein weißes Daunenkissen nicht ihn, sondern ein Stonehenge aus rosa Knochen sieht.

Am nächsten Morgen regnet es so heftig, dass der Wind die Tropfen quer über das Fenster peitscht. Die neue Wohnsiedlung, in der Lina lebt, erstreckt sich in triefenden Grün- und Graumetastasen bis zum Horizont.

Lina sagt: »Habe ich den Ofen eingeschaltet?«

Und schaut zum Ofen. »Habe ich. Okay.«

Wenn man einen Mann hat, der einen so gut wie nie berührt. Wenn man einen Mann hat, der einen zu oft berührt, der einen an der Hand packt und sie auf die ausgebeulte Hose legt, während man gerade etwas über Elektrozäune für Golden Retriever liest. Wenn man einen Mann hat, der lieber zockt, als dass er einen am Arm berührt. Wenn man einen Mann hat, der einem das Brötchen vom Teller klaut, wenn man es einen Moment zu lang hat liegen lassen, aber noch nicht fertig war. Wenn man gar keinen Mann hat. Wenn einem der Mann gestorben ist. Wenn einem die Frau gestorben ist. Wenn die Frau den Penis ihres Mannes ansieht wie ein Stück übrig gebliebenen Hackbraten, das sie nicht essen, aber auch nicht wegschmeißen will. Wenn die eigene Frau spät in der Schwangerschaft eine Fehlgeburt hatte und nicht mehr derselbe Mensch ist und sich von einem ab- und in E-Mails einem anderen zuwendet. Es ist unmöglich, mit Lina zusammen zu sein und nicht an all das zu denken, was im eigenen Leben fehlt oder wovon man glaubt, dass es fehlt, weil man das Gefühl hat, allein nicht vollständig zu sein.

Sie sagt: »Hey, Danny, willst du dir angucken, wie braun die Nuggets schon sind?« Sie knipst das Ofenlicht an, und Danny kommt angerannt, und sie lächelt und sagt laut: »Es finden sich immer kleine Dinge, um den Kids die Zeit zu vertreiben. Man muss jeden Tag tausendfach nach diesen kleinen Dingen suchen.«

Danny nimmt eine Einladung vom Tisch. Es ist ein in Frischhaltefolie verpackter Cookie mit einer Schleife in Jungenblau, auf dem in glänzender blauer Zuckergussschrift steht: *Komm ins Wonderland zu Coles Geburtstag!*

»Na, wenn das mal nichts ist«, sagt Lina bissig. »Bei Coles Mama ist immer alles perfekt!«

Sie legt die Cookie-Einladung auf einen der Beistelltische, direkt neben *Gebote für die Ehefrau* und *Gebote für den Ehemann*, kleine unterhaltsame Minibücher voller Fünfzigerjahreregeln für die Ehe.

Lina holt die Nuggets aus dem Ofen, und Danny schiebt den Teller weg wie eine Französin, die den Annäherungsversuch eines Verehrers unterbinden will.

»Iss die bloß nicht!«, ruft Lina. »Iss bloß nicht diese Nuggets!«

Auf diese Art hat Linas Mutter ihren Enkel zum Essen gekriegt. Lina findet es nicht besonders toll, aber manchmal funktioniert es nicht anders.

»Danny, mein Süßer«, sagt sie, »trink deine Milch.« Danny brabbelt irgendwas. Er spricht in undeutlichen, bauklotzartigen Brocken, aber Lina versteht ihn gut.

»Du willst einen Cookie? Nein, mein Schatz, zuerst die Nuggets.«

Der Regen peitscht gegen die Fenster. Hier im ländlichen Indiana sind Baugrund und -materialien günstig, und darum warten alle Familien mit einem frischen grünen Rasen und Spielhäusern und Baumhäusern und Turn-Schaukel-Sets auf.

»Du musst jedes Stück fünf Mal kauen, Freundchen. Du kennst die Regeln.«

Als Nachtisch schneidet sie ihm ein paar Erdbeeren klein, und weil Weihnachtszeit ist, singt sie *The Newborn*

*King*. Bis auf Linas Stimme ist es still im Haus. Als Danny sich in seinem Hochstuhl dreht, zerreißt ein lautes Knarzen den Moment.

Wenn Lina den ganzen Tag im Haus verbringt, bekommt sie Beklemmungen. Darum fährt sie oft umher. Wenn Danny gut gegessen hat, steigt sie ohne Jacke in den Wagen und packt ihn auf die Rückbank. Sie nimmt Snacks und warme Sachen mit, für den Fall, dass der Wagen liegen bleibt und sie zu Fuß weitermüssen – oder dass die Welt untergeht. Sie lässt den großen Wagen in der Garage an, und der Boden unter ihnen vibriert. Da es in der Wohngegend oft so totenstill ist, fühlt es sich an, als würde ein gigantisches Monster erwachen.

Während sie an riesigen, hart gefrorenen Ackerflächen und dunklen, ins Dickicht führenden Waldwegen vorbeifährt, schläft Danny in seinem Kindersitz. Sie bleibt meist auf den Hauptstraßen. Aber hin und wieder fährt sie auf einer der Nebenstraßen durch das Landschaftsschutzgebiet, das im Regen zu einer braunen Suppe verschwimmt. Da ist ein schlammiger Fluss mit umgefallenen Bäumen auf der einen und brachliegendem Ackerland auf der anderen Seite, wo butterfarbene Halme im Wind spindeln wie kaputte Windrädchen. In diesem Teil von Indiana kann man selbst im Nirgendwo noch Hochspannungsleitungen in der Ferne sehen.

Im Radio läuft Dr. Laura. Lina hat gerade zu einer Freundin gesagt, es gehe ihr schlecht. Ihr sei zum Knochenkotzen. Dr. Laura sagt zu einer Frau, sie solle sich zusammennehmen, nicht so selbstsüchtig sein. »Die zunehmende Beziehungsunfähigkeit der Menschen ist eine einzige Katastrophe. Entweder vermeiden sie es ewig, erwachsen zu werden, oder aber sie fühlen sich in ihrem Leben überhaupt nicht wohl. Das Leben hat doch absolut null Bedeutung, wenn man nicht für jemand anderen lebt. Und obendrein leiden unsere Kinder. Wir dachten immer, dass Amerika ohne Mutterschaft gar nicht vorstellbar wäre, aber diese Zeiten sind vorbei. Frauen hängen ihre Verantwortung als Mütter an den Nagel …«

Leute aus Kleinstädten wie Linas denken, dass man ein guter Mensch ist, solange man nicht fremdgeht und seine Familie nicht verlässt. Lina hat einen Nervenzusammenbruch, weil sich niemand für ihre Lage interessiert. Niemand ist gestorben, also interessiert es niemanden. Sie hat das Gefühl zu ersticken. Tag für Tag muss sie dafür sorgen, dass ihre Kinder am Leben bleiben. Würde ihnen irgendetwas passieren, würde sie sterben, aber gleichzeitig sind sie eine Last. Sie fühlt sich alleingelassen mit der Verantwortung für sie. Mit der Verantwortung für sich selbst. Sie wünschte, sie hätte nicht die Verantwortung für alles. Sie wünschte, sie könnte das Haus niederbrennen. Wünschte, ihr Mann würde sie berühren und ihr das Gefühl geben, ein lebendiges Wesen zu sein. Dabei hat sie versucht, mit einer Freundin zu reden. Sie hat versucht, um Hilfe zu bitten. »Ach Lina«, hat ihre Freundin lachend gesagt, »natürlich fühlst du dich schrecklich, du bist verheiratet!«

Lina kann sich an vieles nicht besonders gut erinnern, aber sie erinnert sich an den letzten Abend ihrer Dreimonatsfrist. An jedem der Abende davor war sie ins Bett gegangen und hatte gedacht: *Willst du mich nicht endlich mal anfassen? Wenigstens irgendeine Berührung versuchen?*

*Du solltest deine Frau berühren.*

Im Fernsehen sah sie sich Sitcoms an, in denen Frauen Kopfschmerzen vortäuschten und ihre Männer von sich herunterschoben. Lina hingegen rutschte näher an Ed heran, um die Hitze zwischen seinem und ihrem Unterleib erneut zu entfachen.

Sie schaut aus dem Fenster des Suburban und fragt sich, wem das viele Ackerland an der State Road 46 gehört, an dem sie jeden Tag vorbeifährt. Dort wurde schon so lange nichts mehr angebaut, dass nur noch vereinzelte bern-steinfarbene Getreidehalme zu sehen sind. Es steckt ein »BETRETEN VERBOTEN«-Schild in der kalten Erde.

Nach und nach löst der Kommerz die Halme ab. Eine blaue Marathon-Tankstelle verkauft Zigaretten zum ge-setzlichen Mindestpreis. Ein Stück weiter die Hauptstraße entlang kommt sie an der Town Hall vorbei, winziger als ein Zeitungskiosk, aber aus Kalkstein und solide. All diese Flachdachgebäude sind aus Kalkstein gebaut, Indiana ist schließlich das Kalksteinzentrum der Welt. Das Kalkstein-unternehmen auf der Straße zu Linas Haus hat nach 9/11 Steine für den Wiederaufbau des Pentagon zugeschnitten. Der Winter ist langsam auf dem Rückzug, alles hat jetzt die Farbe von Anchovis und Dung, und in der Ferne ragen die Bäume wie Skelette auf. Nächste Woche, so verkündet ein Plakat an der Kirche, findet ein Chili-Kochwettbewerb statt. Auf den kalten Stufen steht eine Frau, die zu ihrem pinken Kleid einen weißen Hut mit einem Band aus pastellfar-benen Stoffblumen trägt. Es gibt ein Postgebäude aus Kalk-stein und einen Blumenladen aus Kalkstein und eine Münz-handlung aus Kalkstein, und eingequetscht zwischen der Kalksteinmünzhandlung und der kleinen niedrigen Kalk-stein-Town-Hall befindet sich der Computerservice, der nicht aus Kalkstein, sondern aus Holz gebaut ist.

Sie fährt an einem *Mobile home* vorbei, davor ein kaput-ter Corvair, dessen Räder auf der Veranda liegen. Ein Stück den Hügel runter steht eine Blechhütte, an der ein Graffitischriftzug in Lila zu »STOPPT OBAMA« aufruft. Lina lässt ein paar zerrissene Sofas mit Getränkehaltern hinter sich, die ins Nirgendwo schauen, Schilder, auf denen »JESUS KOMMT – OB IHR BEREIT SEID ODER NICHT« und »IN DEN HIMMEL FÜHRT NUR EIN WEG« steht, bevor sie den nächsten Hügel in die nächste Kleinstadt hinunterfährt, von der sie immer sagt, die Zeit habe sie vergessen. Kuppelartige Misthaufen auf weitem, flachem, tiefgrünem Ackerland. Sie kommt an der Vorschule aus Kalkstein vorbei, die ihre Kinder besuchen, am Mercantile und am Postamt, wo man staubige Coca-Cola und frittierte Hähnchenteile für zwei Mäuse bekommt. Obwohl es reichlich unbebautes Land gibt, wirken die Häuser und Geschäfte dicht gedrängt. Die Kirche sieht aus, als stünde sie leer. Steht sie aber nicht, und Lina sagt, das Problem sei, dass die Einwohner keine Steuern zahlten und sich deshalb niemand kümmere, wenn etwas repariert werden müsse. Die Leute seien der Meinung, dass man die Sachen eben einfach in den Garten schmeiße, wenn sie hinüber seien.

Linas Eltern haben ihre Tochter nie losgelassen. Sie behandeln sie und ihre Schwestern bis heute nicht als eigenständig denkende Wesen. Lina, die Jüngste, ist die letzte Überlebende. So nennt sie es. Und meint damit, dass sie noch nicht eingeknickt ist. Oder vielleicht irgendwann mal kurz eingeknickt war, sich inzwischen aber freigekämpft hat. Ihre Schwestern, die Lästertanten, sind vierunddreißig und achtunddreißig, wirken aber deutlich älter und drehen ihr aus allem, was Lina tut und was die beiden niemals tun würden, einen Strick. Linas Mutter hat Linas Vater früher immer eingespannt, Dinge im Haus zu reparieren, was Lina schon im Kindesalter als Kniff ihrer Mutter verstand, sich für seine mangelnde Liebe entschädigen zu lassen. Nun macht sie es mit Ed genauso. Wenn er einen ganzen Monat lang nicht mal versucht, mit ihr zu schlafen, bittet sie ihn, die Garage aufzuräumen.

Der Hormonexperte, zu dem Lina geht, erzählt ihr, dass Menschen, denen in der Kindheit ein bestimmtes Maß an Zuneigung verwehrt wurde, dieser Zuneigung ein Leben lang nachjagen. Wenn man eine sehr hartherzige Mutter gehabt habe, sagt er, könne es sein, dass man Sex als Ware betrachte. Und wenn man aus einer solchen Familie stamme, habe man viel Scham mitbekommen. Lina empfindet große Scham in Bezug auf Sex; sie beobachtet an sich, dass sie Tabus aufgreift, um herauszufinden, ob sie tatsächlich welche sind oder nicht. Ihr Arzt sagt, das habe mit ihrem abwesenden Vater zu tun.

Letztlich fährt sie immer irgendwann nach Hause zurück. Sie kann sonst nirgendwo hin. Außerdem verschwendet sie Benzin. Sie kommt durch den Teil der Stadt, in dem die maroden Häuser in geometrisch angeordnete neue Wohnsiedlungen übergehen. Linas Haus befindet sich in einer Straße mit einem Zufahrtsschild, auf dem LIBERTY JUNCTION steht. Wie aus *Zurück in die Zukunft* sieht es aus, wie etwas, das in den Achtzigern modern war. Es ist drei Uhr nachmittags, die Schulbusse spucken Kinder aus, und ein kleiner Junge zieht eine grüne Mülltonne hinter sich die Einfahrt hoch.

Lina ist klar, dass es nicht allein Eds Schuld ist. »Wisst ihr«, sagte sie zu der Gesprächsrunde, »ich war ganz neben der Spur, nachdem ich die Kinder bekommen habe. Außerdem hat mein Körper eine ganze Weile gebraucht, um wieder in Form zu kommen, und ich bin sicher, das hat ihn über die Jahre abgeturnt. Ich habe mich oft genug noch verrückter aufgeführt als ein Waschbär, den man sich als Haustier hält. Und jetzt sitze ich hier und erzähle meine Seite der Geschichte, verweise nur auf seine Fehler und stelle mich als Opfer dar. Ich weiß. Aber ich konnte einfach nicht mehr. Ich stand in unserem Garten, habe auf die Schaukel geschaut und an alles gedacht, was mir in den letzten Jahren gefehlt hat. Daran, wie unglücklich ich die ganze Zeit war. Und da habe ich mir gesagt: Wenn mein Mann einfach tut, worum ich ihn bitte, mich nur genug liebt, um Liebe mit mir zu machen, dann bin ich glücklich. Warum soll ich sonst dieses Leben leben? Warum mich jeden Abend in dieses Bett legen? Ich gebe ihm drei Monate, habe ich mir gesagt, dann gehe ich.«

Irgendwann waren die drei Monate um, und Lina wurde – nicht über Nacht, denn es hatte sich seit Jahren angekündigt, aber über Nacht war es aus der Tiefe an die Oberfläche gestiegen – zu einer Frau, die man nicht so schnell vergessen würde. Sie würde nicht wie ihre Schwestern sein und mit den Grün- und Brauntönen des Winters in Indiana verschmelzen. Sie würde nicht eine dieser Frauen sein, die Kinder kriegen und sich dann um den Haushalt kümmern und sich Hobbys wie Töpfern zulegen, aber sonst nichts haben, was sie erfüllt.

Und als wäre es ein Märchen, erwacht sie eines Morgens, und ihre Haut hat einen anderen Ton. Wie die Hähnchendinos im blitzblank geputzten Ofen ist auch sie jetzt nicht mehr gelb, sondern braun. Sie fragt sich nur noch, was sie sich eigentlich wert ist. All die Schmerzen ihrer Kindheit, das ständige Gefühl, nicht gut genug zu sein, und dann die Ehe mit einem Mann, durch den das Leben einfach so hindurchrieselt, ohne dass irgendwelches Wissen oder irgendeine Inspiration hängen bliebe. All die Abende, an denen sie ihm und seinen Freunden beim Biertrinken und Dummschwätzen zugesehen hat, an denen er sie nicht berührt hat. Wozu also all diesen Nichtsnutzen die leeren Bierdosen hinterherräumen? Wozu überhaupt noch etwas tun? Wozu seine ganzen Unterhosen waschen? Noch dazu für einen Mann, der nie eine Entscheidung selbst trifft. Der noch nicht mal entscheiden kann, wo er langfahren muss. Sie befreit sich von dieser ganzen Last, so wie sie sich von den überflüssigen Kilos befreit hat. Den Kilos all dieser Jahre. Den Kilos purer Verzweiflung.

»Jetzt ist Schluss«, sagt sie.

Wie immer macht Lina auch an diesem Abend das Essen und bringt die Kinder ins Bett und bittet Ed, mit ihr in den Whirlpool zu gehen. Er sagt sofort »ja, klar«, vielleicht weil sie so entschieden klingt.

Die ganze Zeit schon denkt Lina: Das war's. Du stehst jetzt für dich ein, Lina, und tust, was du tun musst. Du warst lange genug einsam und unglücklich.

Sie steigt zuerst ins Wasser mit ihrer neuen Figur, und Ed kommt hinterher. Zum ersten Mal seit langer Zeit lichtet sich der Nebel, sie fühlt sich völlig klar im Kopf. Du bist zweiunddreißig Jahre alt, sagt sie sich. Das Leben rast nur so dahin. Wenn du wartest, bis du zweiundfünfzig bist und die Kinder aus dem Haus sind, ist die Chance, noch mal jemanden kennenzulernen, nicht halb so groß wie jetzt.

Lina ist es leid, ständig neue Chancen auf etwas Glück zu verpassen. Sie denkt daran, wie es mit dem Säen ist, weiß, dass man ein ganzes Jahr warten muss, wenn man zum Beispiel Braunen Senf anbauen will, aber im März das Aussäen verpasst. Dass man ihn dann im Supermarkt kaufen muss, in Indiana ohnehin nur schwer an ihn rankommt. Die meisten hier in der Stadt haben nicht viel übrig für

Grünzeug. Mais und Fast Food und Frittiertes mögen sie lieber, und wenn sie Gemüse kochen, zerkochen sie es zu Brei.

Denk an die vielen Male, die du nackt durchs Haus gelaufen bist und er noch nicht mal von seiner blöden Zeitschrift aufgeschaut hat. Du hättest ihm am liebsten eine reingehauen. Diese tief empfundene Bitterkeit, die du regelrecht auf der Zunge schmecken konntest. *Wie nur kannst du mich nicht küssen wollen?* Du musst etwas dagegen tun, Lina. Du musst, bevor es zu spät ist.

Sie bekommt kaum Luft, atmet tief ein, und dann sagt sie: »Ed.« Und als sie seinen Namen ausspricht, ist ihr klar, dass das etwas ist, das man nicht tut, nicht hier an der Liberty Junction, nicht in ihrer alten Straße, nicht in dieser Familie, nicht in der Familie, aus der sie stammt. Das ist nicht der Weg, den die Welt für sie vorgesehen hat, aber verdammt noch mal, es reicht. Sie sagt: »Ed.«

»Ed«, sagt sie, »ich will mich von dir trennen.«

# Maggie

Vier Tage lang ist da nichts als Dunkelheit. Sie erzählt es keinem. Beziehungsweise kann es keinem erzählen. Sie behält den ganzen Schmerz für sich, ein kalter Obsidian von der Größe und Form ihres Körpers. Malt sich den Tod als einzige mögliche Freiheit aus.

Sie weiß, selbst wenn sie es einer Freundin erzählen könnte, würde sie niemand verstehen. Denn andere würden bei einer Trennung dieser Bebenstärke vielleicht denken, da müsse doch auch ein Gefühl der Erleichterung sein, ein Ausweg aus dem Beziehungsgefängnis, aus dieser Fixiertheit auf den Partner, die es noch nicht einmal möglich macht, sich an der stupiden Verrichtung eines Waschtags zu erfreuen. Aber das Gegenteil ist der Fall. Für Maggie ist die gesamte Außenwelt das Gefängnis. Es ist das größte Gefängnis überhaupt, und sie kann gehen, wohin sie will. Sie kann nach Mexiko fliegen, am Strand schlafen und jeden dahergelaufenen Typen vögeln. Sie kann im Lotto gewinnen, schwanger werden. Die Ironie ist, dass sie nichts von alldem will. Sie will in den einzigen zweiundzwanzigtausend Kubikzentimetern Knochenstäben eingesperrt sein, die ihr verboten sind.

Maggie stellt nicht infrage, warum er allein für sie beide entscheiden darf. Sie versteht, dass sie jetzt keine Stimme hat.

Nach dem Telefonat erbricht sie sich heftig. Es ist haupt-sächlich Gallensaft. Die Fliesen, auf denen sie kniet, sind kalt, und der Schnee vor ihrem Fenster ist auch nicht mehr schön. Sie erzählt ihrer Mutter, sie sei krank, und bleibt den Rest des Tages in ihrem Zimmer.

Dass sie bislang immer nur mit ihm über alles gespro-chen hat, macht es nicht leichter. Nun müsste sie zu ei-nem der Menschen gehen, von denen sie sich abgewendet hat. Sammy? Die weiß nichts von ihren Abgründen. Ihre Eltern? Die haben ihre eigenen Dämonen zu bekämpfen, und erst durch ihn war sie besser mit ihrer Begrenztheit zurechtgekommen. Er hat ihr geholfen, darüber hinauszu-wachsen. Ihre Brüder und Schwestern? Die haben selbst Kinder, haben ihre eigenen Ängste und Sorgen. Sie woh-nen weit weg, und wenn sie mit ihnen telefoniert, hängt ihnen immer eins ihrer Kinder am Bein, oder sie müssen irgendeins von irgendeinem Spiel abholen. Gibt es sonst noch wen in North Dakota? Die Bekannten, die sich nett geben, aber unter der Oberfläche ketzerisch und engstir-nig sind? Die können ihr auch nicht helfen, die lieben sie nicht.

Auf die telefonische Verkündigung des Weltuntergangs folgt eine Flut biblischen Ausmaßes. Die Schulwoche fällt flach. Maggie vergräbt sich tagelang in ihrem Zimmer und isst nicht einen Bissen. Die Panikattacken überkommen sie mit voller Wucht, oft quälend durchsetzt mit Schlaf. Wer behauptet, Schlaf sei süß, denkt nicht an Albträume. Und selbst wenn man nichts träumt, ist einem im Schlaf nicht bewusst, dass er nur eine kurze Atempause vom Schmerz bedeutet. Schlaf ist nicht süß, sondern gemein. Schlaf ist ein Loch in der Zeit, ein Loch im Schmerz.

Bei Maggie wirkt Schlaf lediglich wie ein Reset, sodass

sie das Geschehene jedes Mal, wenn sie wach wird, aufs Neue rekonstruieren muss, sich erneut ins Gedächtnis rufen muss, dass die Liebe ihres Lebens gerade gesagt hat: »Das mit uns ist durch. Alles, was du geglaubt hast zu haben, ist vorbei. Geh ruhig überallhin, nur nicht mehr in meine Arme.«

Und sie kann noch nicht einmal darüber reden. Denn er ist auch ihr Lehrer.

Es lässt sich darüber streiten, ob es besser ist, ein endgültiges Nein zu hören, als für immer hingehalten zu werden und auf ein Wort, eine Rückmeldung zu warten. Manche mögen sagen, dass es so etwas wie *endgültig* nicht gibt, dass selbst im Fall eines vermeintlichen *endgültig* jeder weiß, dass man einfach nur auf einer Warteliste steht. Dass er sich vielleicht auf dich zurückbesinnt, wenn alle anderen tot sind.

Sie weiß, dass es ein Zeichen von fehlendem Stolz ist, wenn man sich selbst auf die Wartebank setzt. Zugleich ist ihr klar, dass sie sich nur selbst verletzen würde, wenn sie ihn nicht zurücknähme.

Als sie sich nach dem Telefonat das erste Mal wiedersehen, ist der große Schnee verschwunden und nur der mit Zigarettenstummeln gepunktete Schneematsch noch übrig. Sie bleibt nach dem Unterricht da und betet. Dass das Leben doch wieder so sein soll, wie es vorher war. Sie erträgt es nicht, darüber nachzudenken, dass alles normal wäre, wenn sie nur diese eine Nachricht nicht abgeschickt hätte. Sie erträgt es nicht, sich ihr eigenes Glück zerstört zu haben. Der Winter mit Aaron hat ihr mehr bedeutet als alles andere in ihrem Leben.

Er erzählt ihr, was passiert ist, wie Marie die Nachricht

entdeckt und er gelogen und gesagt habe, W. sei eine Aushilfslehrerin aus Colorado. Dass er zugegeben habe, eine Affäre zu haben, aber gelogen habe, als es darum gegangen sei, mit wem. W. wie »Woman«, nicht wie Wilken.

Er sagt, er müsse wegen der Kinder bleiben.

»Hasst sie dich?«, fragt Maggie.

»Manchmal fühlt es sich so an«, antwortet er. Dann wird er eisig, als hätte sie eine Linie überschritten. Er sagt: »Maggie, ich werde meine Meinung nicht ändern.«

Sie wischt sich die Tränen weg, geht hinaus und verbringt den Rest ihres letzten Schuljahrs, als hätte sie chronische Schmerzen. Sie will keinen Abschluss, sie will sterben. Sie ist blass und unausstehlich. Und das Schlimmste ist, dass sie weiter zu ihm in den Unterricht muss.

Ihr bleibt noch nicht einmal, in der Rolle der verführerischen Hure zu schwelgen. Aaron hat zu Marie gesagt, die Frau, mit der er die Affäre gehabt habe, sei nichts, niemand, nur ein Funkensprung. Maggie ist nicht einmal jemand, den jemand anderes hasst. Sie ist ein Niemand, von dem niemand weiß.

Für Aarons Kurs muss sie ein Video über ihr Abschlussjahr drehen. Ein Video, das sie vor der Trennung mit Insiderwitzen und chiffrierten Liebesbotschaften vollgepackt hätte. Jetzt ist das Video düster, voller Lieder, bei denen sie an ihn denkt. Ihre Familie und Freunde spielen in diesem Video eine große Rolle. Sie kommen darin so rüber, als wäre Maggie noch Maggie, aber das ist sie nicht. Erschreckenderweise ist ihnen überhaupt nicht bewusst, wie wenig ihr das alles bedeutet. Wie nah sie dem Tod ist.

Während einer Gruppenarbeit in Aarons Kurs sagt irgendein supersportlicher Typ, Maggie würde sich nicht ausreichend einbringen. Sie flippt vor allen anderen Schülern aus. Beschimpft ihn lauthals. Sie vertraut darauf, dass Aaron sie nicht zum Direktor schickt. Er wird ihr nicht noch mehr wehtun wollen, das weiß sie. Vielleicht hat er auch nur Angst vor ihr. Egal.

Maggie sieht Aaron nicht mehr oft außerhalb des Unterrichts, manchmal aber bittet er sie noch, nach dem Unterricht zu bleiben, und dann fragt er, wie es ihr geht. Mal sagt sie schnippisch, »das kannst du dir doch denken«, mal sagt sie einfach, »du fehlst mir«. Immer sieht er sie traurig an, lässt aber keinen Zweifel daran, dass seine Entscheidung endgültig ist. Sie denkt, dass er es vielleicht genießt. Vielleicht das Gefühl braucht, sie sei seinetwegen noch immer am Boden zerstört. Ein paar Wochen lang geht sie ihm völlig aus dem Weg. Leckt ihre Wunden. Bis Aaron sie eines Tages wieder nach dem Unterricht dabehält.

»Ich muss etwas Wichtiges mit dir besprechen«, sagt er. »Es geht um Murphy.«

Aaron erzählt ihr, Shawn Krinke habe ihn an dem Abend aus dem *TGI Fridays* kommen sehen. Aaron weiß nicht, was er wirklich gesehen hat, aber *irgendwas* hat er gesehen. Mr. Krinke habe es dann Mr. Murphy erzählt, der sowieso schon Verdacht geschöpft hätte, weil Maggie im Zeitungskurs immer wieder gesagt habe, sie müsse mal kurz ins Kunstzimmer oder zur Toilette, dann aber zu ihm, Aaron, gegangen sei.

Maggie denkt an den Abend zurück, als sie ihn abgeholt hat. Draußen ist es schon dunkel gewesen, aber sie kann nicht garantieren, dass Krinke sie nicht doch vom Restaurant aus erkannt hat. Es fühlt sich an, als wäre es ihre Schuld, als müsste sie die Sache klären.

»Dann denken Murphy und Krinke also beide, dass wir zusammen sind?«, fragt Maggie.

»Na ja, sind wir ja nicht …«

»Dass wir es waren?«

»Schon möglich.«

»Die können mich mal.«

Maggie ist froh, dass ihr Schmerz und ihre Traurigkeit plötzlich ein Ventil finden: Wut. Sie sagt, sie werde mit Murphy reden.

»Das ist keine gute Idee«, entgegnet Aaron. Er klingt besorgt und frustriert angesichts ihrer mangelnden Reife. Manchmal sieht er sie schmerzerfüllt an, der Held, der seine Kinder so sehr liebt, dass er für sie in einer beschissenen Ehe bleibt. Manchmal ist sein Blick so wie jetzt.

Maggie schaut auf die Uhr. Um pünktlich zur nächsten Stunde zu kommen, sagt sie, dass sie nachher weiterreden, sich einen Plan überlegen sollten. Es ist irgendwie tröstlich, dass sie zum Abschluss noch eine gemeinsame Mission haben.

Später verlässt Maggie einfach so Mr. Murphys Zeitungsgruppe und geht zu Aaron zurück. Mr. Murphys Kurs läuft anders ab als die anderen, weil die Schüler in den ersten fünfzehn Minuten etwas zum aktuellen Stand ihrer Projekte sagen, dann aber eigenständig an ihren Artikeln weiterarbeiten können. Sie können sich austragen, um Interviews zu führen oder in die Bibliothek zu gehen.

Maggie hat sich jedoch nicht ausgetragen. Sie ist einfach gegangen.

Aaron sitzt an seinem Schreibtisch und korrigiert Arbeiten.

»Hey«, sagt sie.

Erst da hört sie, dass jemand hinter ihr steht. Es ist Jeremy Murphy.

»Das trifft sich ja gut«, sagt Maggie forsch. »Schön, dass

Sie hier sind. Ich würde gern wissen, warum Sie denken, dass zwischen Knodel und mir was läuft.«

Murphy setzt an, stolpert aber über seine eigenen Worte.

»Ich find's schade, dass Sie nicht erst mal mit mir geredet haben«, fährt Maggie fort, »ehe Sie solche Vermutungen anstellen.«

An dem Punkt schaltet Knodel sich ein.

»Ich nehme an«, sagt er, der mit einem Mal eigenartig förmlich spricht, »dass Mr. Murphy einfach etwas irritiert war von der Art unserer ... unserer Freundschaft, und vielleicht ...«

»Ja«, antwortet Murphy, »es ist genau, wie Mr. Knodel sagt.«

Maggie wird schummrig. Sie haben früher nie als *Mr.* voneinander gesprochen. Es waren immer nur die Nachnamen, ganz kollegial.

»Okay, danke, ich habe genug gehört«, sagt Maggie. »Dann arbeite ich mal weiter.«

Murphy und sie gehen zusammen zu seinem Klassenzimmer zurück. Die Stimmung ist total merkwürdig, keiner der beiden verliert ein Wort.

Und ihr ist klar, dass das Vorbei damit in eine neue Phase eingetreten ist.

Von da an hängt Maggie häufiger mit einem ihrer Kollegen aus dem *Buffalo Wild Wings* rum. Sie rauchen Gras. Wenn Maggie einen Zug nimmt, stellt sie sich vor, Aaron könnte es sehen. Sie bläst eine rebellische kleine Rauchwolke nach der anderen aus. Sie tut Dinge, von denen Aaron nie erfahren wird. Sie hofft, das Universum übermittelt ihm, was für ein unartiges Mädchen sie ist.

An einem Abend findet an der Highschool ein Basketballspiel zwischen Schülern und Lehrern statt, und Maggies Freundin Tessa spielt mit. Aaron auch. Er warnt sie. Er sagt, seine Jungs kämen, und das heißt, seine Frau kommt ebenfalls. Maggie sagt, sie wolle nicht hingehen, wolle ihn nicht mehr sehen als nötig, und er nickt. Er wirkt erleichtert.

Tessa aber will all ihre Freundinnen dabeihaben. Maggie sagt Nein, ihr sei nicht danach, es tue ihr leid. Sie kann den anderen schlecht erklären, dass Aaron den Platz für sich beansprucht und in der ganzen Schule sein Revier markiert. Schließlich ist er wichtiger als sie.

Am Ende schleifen ihre Freundinnen sie doch mit. Sie versucht, sich möglichst unsichtbar zu machen, und hasst ihn dafür, wie er zur Zuschauertribüne hinüberlächelt und dabei jugendlicher wirkt als sie. Er spielt besser Basketball, als sie erwartet hat. Obwohl er ohnehin schon perfekt war, ist alles an ihm nur noch besser geworden. Nach dem Spiel wird er von seiner Frau und seinen Kindern überschwänglich umarmt. Maggies Mund ist den ganzen Abend über staubtrocken.

Die Abwärtsspirale geht weiter. Die West Fargo veranstaltet eine Talentshow. Ihre Freundinnen, die nicht verstehen, warum sie herumläuft wie eine graue Regenwolke, zwingen sie mitzumachen. Wochenlang üben sie den Tanz zu *Thriller* ein. Ihre Kostüme bestehen aus zerfetzten Klamotten von Savers Thrift. Ihre Schminke ist angsteinflößend, wirkt clever und sexy. Als Maggie klar wird, wie gut sie sind, bittet sie Aaron zu kommen. Er denkt gar nicht erst darüber nach. Er sagt einfach nur, es wäre zu hart für ihn. Am Schluss gewinnen sie, aber er ist nicht da und kann nicht sehen, dass Maggie so viel mehr wert ist, als er sich eingeredet hat.

Manchmal verletzt er sie, ohne es zu wollen, was noch

schlimmer ist, weil es heißt, dass sich die Welt weiterdreht, als gäbe es sie nicht. Er lädt einen Autor in den Unterricht ein, der spontan ein Sonett von Pablo Neruda zitiert. Aarons und Maggies Sonett. Sonett siebzehn. Sie würde am liebsten Gift schlucken und sterben, aber stattdessen sitzt sie da. Schaut zu Aaron, der mit den Lippen ein »Tut mir leid« formt. Er erzählt ihr später, er habe keine Ahnung gehabt, dass der Autor dieses Sonett rezitieren werde. Früher hat Aaron es ausgedruckt und ihr immer mal wieder, nebenbei und ganz süß, zugesteckt. Oder ihr Teile daraus gesimst. *Ich liebe dich, wie man dunkle Dinge liebt / heimlich, zwischen Seele und Schatten.*

Dann sind da die vielen Sachen, mit denen sie leben muss, das Schmerzgedächtnis. Sie hat ihm ganz zu Anfang ihrer Beziehung gesagt, wie sehr sie seinen Geruch liebe. Eben deswegen hat er ein bisschen von seinem Parfüm in ihr *Twilight*-Buch gesprüht. Am Abend geht sie nach Hause und riecht dann manchmal an den Seiten. Mit dem Geruch in der Nase schläft sie ein.

All ihre Freunde bereiten sich auf den Abschluss vor. Sie trinken Bier und machen rum und planen das Jahrbuch und reden übers College, und selbst die Ängstlichsten malen sich aus, wie sie sich in jeder Hinsicht neu erfinden werden. Sie kaufen schon Monate im Voraus extralange Laken für Einzelbetten, ohne auch nur zu wissen, in welcher Stadt sie landen werden.

An Maggies achtzehntem Geburtstag verbringen sie den Abend im *Shooting Star Casino* von Mahnomen, ungefähr eine Stunde von Fargo entfernt. Dort stellt Sammy sie zur Rede. Melani ist auch dabei, vergnügt sich aber gerade noch im Casino, während Sammy und Maggie den Whirlpool ausprobieren. Sammy sagt, sie habe schon länger einen

Verdacht gehabt, habe Knodels Namen in Maggies Anrufliste gesehen, ihrer beider Verhalten in Gegenwart des anderen merkwürdig gefunden. Wie das eine Mal, als Knodel sie selbst zum Schulkiosk geschickt habe, während Maggie bei ihm geblieben sei. Sie sind beide völlig betrunken, als Maggie es schließlich zugibt. »Ach du Scheiße«, sagt Sammy. »Ach du Scheiße.«

Es folgt eine Stunde des Sackenlassens, dann noch mehr Alkohol, dann die Fragen. Nach den Details und danach, wie sie es geheim gehalten haben. Sammy kann nicht glauben, dass ihre beste Freundin dieses Doppelleben geführt hat, ohne dass sie irgendwas davon gewusst haben soll. Sammy tut so, als wäre das Ganze eine große, unerhörte und abgefahrene Sache. Und so ist für Maggies Traurigkeit wieder kein Raum, obwohl sie genau den bräuchte. Sammy sagt, Maggie müsse sich zusammenreißen. Sie werde sonst ihr ganzes Leben verpassen. Sammy ist noch ein Kind, wird Maggie klar, sie kann ihr keinen Rat geben. Sammy macht Teeniekram, Maggie aber hat ihren Vampirgeliebten verloren.

Und was den Abschlussball betrifft – im März, als für sie die Welt untergeht, ist es zu spät. Im März sind alle schon vergeben.

Die meisten Zwölftklässler pfeifen auf den letzten Schultag. Nur die Streber kommen noch, um keinen Fehltag zu kassieren. Für Maggie dagegen ist es der letzte Tag, an dem sie noch einmal sicher sein kann, die Liebe ihres Lebens zu sehen.

Nach dem Ende der letzten Stunde macht sie sich sofort auf den Weg zu seinem Zimmer. Sie zittert, und er sitzt da wie jeder andere Lehrer, spricht mit einer Schülerin, einem Mädchen, das Maggie nicht kennt. Er schaut hoch. Der Blickkontakt ist zu viel für sie, sie bricht in Tränen aus. Er bleibt sitzen, und die andere Schülerin steht auf. Maggie tritt zur Seite, und das Mädchen ignoriert sie, geht auf die Tür zu. Als die andere Schülerin sich verabschiedet, sieht Aaron Maggie sehr merkwürdig an. Als wäre er genervt von ihrem Anblick und ihren Tränen oder sogar wütend auf sie.

Als das andere Mädchen gegangen ist, wird sein Ausdruck weicher, wenn auch nicht ganz. Sein Gesicht ist ein Land, das sie so oft bereist hat, aber jetzt sind dort überall »NICHT BETRETEN«-Schilder. Es gibt dicht gedrängte, bergige Regionen, die sie noch nie gesehen hat.

»Wir sollten das Verabschieden einfach hinter uns bringen«, sagt Aaron. »Hilft ja nichts, es in die Länge zu ziehen.«

Sie ringt nach Luft, doch dann kommt er auf sie zu. Tatsache ist, und das begreift sie erst langsam: Ein Mann lässt einen nie ganz in die Hölle hinabfallen. Er fängt einen auf, kurz bevor man aufprallt, sodass man ihm nicht die Schuld dafür geben kann, dass er einen auf direktem Weg dorthin geschickt hat. Stattdessen lässt er einen in einer restaurantähnlichen Vorhölle sitzen, wo man wartet und hofft und Anweisungen entgegennimmt wie ein Kellner seine Bestellungen.

Er nimmt sie fest in den Arm. Sie überlegt, ihn zu küssen, befürchtet aber, zurückgewiesen zu werden. Stattdessen weint sie und zittert in seinen Armen. Sie spürt die Angst in seinem Brustkorb. Zurückhaltung ist an die Stelle ihrer Lust getreten. Sie fragt sich, wie lange sie in diesem Kokon aus seinem Geruch und Hemd und Leben bleiben kann. Und obwohl sie schrecklich leidet, fühlt sie sich so lebendig wie seit März nicht mehr. So von ihm gehalten zu werden. Er schaut ihr über die Schulter, den Blick auf die Tür gerichtet, und sie vergräbt das Gesicht an seiner Brust, will in den Fasern dieses Hemds ersticken, das ihm wahrscheinlich seine Frau gekauft hat.

Nach einer Weile, die er als lange genug oder zu lange empfunden hat, lässt er die Arme sinken. Er will sich wieder seinem Leben zuwenden. Arbeiten, Sportergebnissen, Fleischbällchen, Farbmustern. Wie ein verängstigtes Mäuschen löst sie sich von seinem Körper. Sie lässt zu, dass er ihr verunstaltetes Gesicht sieht. Er nimmt es in sich auf. Bricht es ihm das Herz? Das muss es einfach.

»Du solltest dir auf der Toilette das Gesicht waschen.«

Seine Stimme klingt neutral, wenn auch so unnachgiebig wie eine Naturkatastrophe.

Es ist das letzte Mal, dass sie aus seinem Klassenzimmer und dann den Gang entlanggeht. Sie legt einen Stopp auf der Mädchentoilette ein, schaut in den Spiegel und sieht, ihr schwarzer Kajal ist unter den Augen verschmiert. Wütend verreibt sie ihn, bis dort ein dunkler Schatten liegt.

Als sie nach Hause kommt, fühlt sie sich wie tot und sieht auch so aus. Ihr Vater fragt: »Alles in Ordnung mit dir?«

»Ja«, sagt sie, »ich bin nur traurig, weil eine Freundin wegzieht.«

»Welche denn?«

Sie geht hoch in ihr Zimmer und setzt sich aufs Bett. Sie will einfach nur an Aaron denken, aber sie weiß, dass sie nur dann lebend aus dieser Sache rauskommt, wenn sie überhaupt nicht mehr an ihn denkt. Sie geht ihre gesamte Beziehung durch, alle heißen und liebevollen Momente, wie er sie angesehen und ihr das Gefühl gegeben hat, zu einer Frau zu werden. Die Klebezettel, die Gedichte, wie sich seine Lippen zwischen ihren Schenkeln angefühlt haben. Sein Lachen und seine Blicke und wie er in manchen Momenten sein ganzes Leben für sie aufs Spiel gesetzt hat.

Und dann das. Sie bekommt seine Kälte nicht aus dem Kopf. Seine Körpersprache, seine Worte. Seine Augen, tot wie die eines Fischs auf Eis. Wie hat er sie liebkosen und ihr immer wieder sagen können, dass er sie liebe, und dann auf einmal so tun, als bedeutete sie ihm nichts? Dann kommt ihr ein unerträglicher Gedanke: Vielleicht hat er ja nicht nur so getan.

Er kommt zur Abschlussfeier. Maggie hofft, er ist da, um sie zu sehen. Sie treffen sich auf dem Rasen, ein Lehrer und seine Trophäenschülerin. Die Sonne strahlt, und der Tag ist so wie jeder Schulabschlusstag: mild, perfekt, historisch. Er trägt ein kurzärmliges Oxfordhemd und eine graue Anzughose. Zum Anbeißen. Sie trägt ein türkisfarbenes Kleid, dasselbe, das sie in Hawaii anhatte, als sie mit Mateo auf dem Motorrad gefahren ist. Dazu hat sie ihre Haare auf einer Seite geflochten. Er beugt sich vor, nimmt sie in den Arm und flüstert: »Du siehst toll aus.«

Ihre Schwester, die von nichts weiß, kommt auf sie zu und fragt, ob sie ein Foto machen dürfe.

Sie lächeln, die Kamera blitzt auf, und das Bild wird aufbewahrt. Noch Jahre später wird Maggie es sich immer wieder ansehen.

Eine Woche darauf simst er ihr und fragt, ob sie sich über Facebook schreiben können. Sie versuchen es, aber das Nachrichtenschreiben über Facebook ist neu und störanfällig, also wechseln sie zu MSN.

Er gibt Ferienkurse, die um zwölf zu Ende sind. Eben erst ist er zur Tür hereingekommen, und Marie ist nicht vor fünf zurück. Vor ihm liegt ein ganzer Batzen freier Zeit. Sie sprechen über ihre Beziehung, graben alte Geschichten wieder aus. Sie sagt ihm, wie sehr er ihr fehle. Er sagt, wenn sie nur darauf aus sei, wieder mit ihm zusammenzukommen, müssten sie das Chatten beenden. Das sei aussichtslos. Seine Formulierung liest sich wie eine Drohung. Jedenfalls klingt er wie ein Lehrer.

Sie unterhalten sich, bis Maggie um vier zur Arbeit muss.

Auch wenn es nicht war, was sie hören wollte, fühlt sich alles wieder anders an. Es gibt wieder eine Sonne. Er öffnet sich ihr wieder, wenn auch erst mal nur zaghaft.

Am Tag darauf hat sie eine MSN-Nachricht.

»Sie hat dich wieder in meiner Anrufliste entdeckt, deine Vorwahl. Wir dürfen nie wieder reden.«

# Lina

Wenn Lina ihm simst, stellt sie sich Aidan bei sich zu Hause vor. Sie stellt sich vor, wie sein Handy vibriert, er dann kurz draufschaut und sieht, dass sie es ist. Um ihn herum herrscht Chaos. Seine Kinder veranstalten bestimmt irgendeine Sauerei, während seine Frau das Geschirr spült. Lina stellt sich vor, wie die Jüngste ein ganzes Glas Tomatensauce auf dem Boden verschüttet. Diese Sauce ist aus San Francisco, wo ein Kumpel von Aidan eine Band gegründet hat und jetzt am Meer wohnt. Aidan, das weiß Lina, war noch nie in Kalifornien. Ohne sich umzudrehen, schreit seine Frau die Tochter an, schreit also das dreckige Fenster über dem Spülbecken an, als wäre sie verrückt oder als stünde da wer. Ein anderer Freund von Aidan hat bei Facebook gerade sein Profilbild geändert, es zeigt ihn jetzt unter Palmen am Strand mit einer gut aussehenden Puerto-Ricanerin. Genauso wenig wie Aidan bisher in Kalifornien war, war er in Puerto Rico oder auf den Bahamas. Lina versteht, dass er einfach nur die Arme einer Frau um sich spüren will. Er will für etwas bewundert werden, das er selbst an sich schätzt. Lina weiß, er ist es leid, für alle anderen, aber nicht für sich selbst zu leben, und kann sich überhaupt nicht daran erinnern, all die Entscheidungen getroffen zu haben, die ihn an diesen Punkt in seinem Leben gebracht haben. Wahrscheinlich hat er Ally gefragt, ob sie ihn heiraten will, und das war's. Ihm war nicht klar, dass das alles wie ein Schneeball werden würde, größer und größer. Ihm war nicht klar, dass er in der Woche mehr Stunden in irgendwelchen Baugruben als im Bett oder auf dem Sofa oder im Wald oder bei alldem zusammen verbringen würde. Er ist gar nicht neidisch auf Leute mit Geld. Er weiß einfach, sein Leben wird für immer so aussehen. Und nur noch härter werden.

Aber jetzt gehört der Fluss wieder ganz ihnen. Sie hofft, es bedeutet ihm genauso viel wie ihr. Schimmernder Nebel, hungrige Küsse. Manchmal hat Lina das Gefühl, sie liebt den Fluss mindestens so sehr wie den Mann, mit dem sie sich dort trifft.

Sie sitzt auf einem Metallhocker im Verkostungsraum einer kleinen Weinkellerei an der Straße zum Fluss. Sie trinkt eine Tasse heißen Cider mit Glühweingewürz und schaut hinauf zu den Festtagslichterketten, die unter der gewölbten Decke hängen. Sie trägt eine Aviator-Sonnenbrille und eine Cargohose zu einer grünen Bluse und hat die Handschuhe noch nicht abgelegt.

In der Nachricht, die sie Aidan schickt, steht: »Fluss?«

Jetzt wartet sie, nur wenige Kilometer von ihrem Sehnsuchtsort entfernt, und hofft, dass die Liebe ihres Lebens Zeit hat, sich mit ihr zu treffen.

Ein paar Minuten zuvor hat sie auf der Toilette einen kleinen Zusammenbruch gehabt. Sie hat sich mit ihren Handschuhhänden am Waschbeckenrand festgehalten und versucht, ihr rasendes Herz zu beruhigen. Denn erst heute Morgen im Gerichtsgebäude hatten Ed und sie sich offiziell scheiden lassen. Ironischerweise hatte sie im selben Moment, da sie die Papiere unterzeichneten, Lust, mit ihm auszugehen. Mit ihm zu Abend zu essen, einen Wein zu trinken. Nur deshalb, weil ihr das Alleinsein so viel Angst macht, mehr Angst als der Tod.

Ihre Haut blüht, weil sie einer Freundin ein paar Mary-Kay-Produkte abgekauft hat. Ihre Freundin hatte sie bei sich zu Hause mit Kosmetikprodukten behandelt, und Lina hat sich verpflichtet gefühlt und das Zeug gekauft. Jetzt ist ihr Gesicht völlig hin.

»Meine Mutter ist so eine Art Avon-Beraterin«, sagt Lina zu den Frauen der Gesprächsrunde. »Ein totaler Beschiss, das Ganze. Die bringen einen dazu, diese Produkte zu kaufen, die sie gar nicht schnell genug ausladen können, und plötzlich hat meine Mutter in jeder Schublade ungefähr fünfzig schnipsgummiumwickelte Eyeliner liegen.«

Nachdem sie ein paar Tassen getrunken und nichts von Aidan gehört hat, bezahlt sie und steigt in ihren braunen Pontiac, der früher einmal Eds Eltern gehörte und in dem es inzwischen nach beidem, nach alten Menschen und nach Kindern riecht.

Sie fährt zum Fluss, für den Fall der Fälle. Beschließt, dort einfach ein bisschen zu warten.

Obwohl sie den Ort so liebt, würde sie die Nacht mit Aidan angesichts der Kälte lieber im Hotel verbringen. Aber das Zimmer kostet hundertneunundzwanzig Dollar und muss im Voraus reserviert werden. Und mit Aidan gibt es nie ein »im Voraus«. Außerdem muss man im Hotel eine Kreditkarte vorlegen, und das können sie beide nicht.

Sie würde sich überall mit ihm treffen. Immer einen Weg finden, zu ihm zu kommen, egal, wo er ist. Einmal war er in St. Louis, und sie hätte sich fast ins Auto gesetzt, um mitten in der Nacht die vier Stunden zu ihm zu fahren. Sie hat es nur deshalb nicht getan, weil er sie davon abgehalten hat.

Ein anderes Mal hat er sie gefragt, ob sie Lust auf ein

Treffen am Fluss hätte, und sie war glücklich, weil es noch ganz früh am Tag war, bis sie begriff, dass es für ihn einfach ganz spät in der Nacht war. Sie wacht sofort auf, wenn eine Nachricht von ihm kommt, und antwortet ihm immer gleich. Wenn er ihr schreibt und sie unter der Dusche steht, schreibt sie ihm klatschnass zurück. Sie macht Bilder von sich, während das Wasser läuft, und schickt sie ihm.

Auf dem Weg zum Fluss fährt Lina einem Polizeiwagen zu dicht auf. Nach ein paar Kilometern zieht der Wagen nach rechts, und sie überholt ihn freudig. Dann sind da das Blaulicht und die Sirene, und sie wird rausgewunken.

Zuerst ist sie nervös. Der Polizist steigt aus dem Wagen. Er ist jung und freundlich und fragt sie, ob sie gar nicht gemerkt habe, dass sie zu dicht aufgefahren und dann an ihm vorbeigerast sei. Sie sagt, nein, habe sie nicht.

Ihr gefallen Männer in Uniform, die wirken, als könnten sie sich um sie kümmern. Sie will, dass ein Mann sagt, heute kümmere ich mich um all deine Probleme. Ruh dich aus, ich mach das schon. Obwohl das noch nie ein Mann für sie getan hat, glaubt sie, dass es so etwas gibt. Ihre Mutter hatte sie nie mit ihrem Vater allein gelassen. In gewisser Weise weiß sie also nicht, ob ihr Vater die Art von Mann gewesen wäre, der ihr ein bisschen von ihrem Kummer abgenommen hätte.

Der Polizist lässt sie mit einer Verwarnung davonkommen, und sie würde am liebsten mit ihm schlafen.

Sie lenkt den Wagen wieder auf die Straße und biegt fünf Minuten später nach Westen auf die Country Line Road ab, den öffentlichen Zufahrtsweg zum Fluss. Sie könnte die Strecke im Schlaf fahren, kennt die Huckel dieser Straße besser als die Kurven ihres Körpers.

Sie parkt in einem lichten Waldstück. Das Wasser neben

ihr fließt stetig und schön. Da ist ein schlammbeschmiertes Pontonboot mit lauter Gräsern ringsherum und zwei Bier trinkenden Männern. Noch ist es Winter, und so kann man in der Ferne die Autos auf der Hauptstraße sehen.

Wo sie schon mal da ist, beschließt Lina, die Wartezeit zu nutzen und ein neues Selfie für ihr Facebook-Profil zu machen. Auf dem Rücksitz des Pontiac zieht sie das neue Outfit an, das sie bei Macy's gekauft hat. Insgeheim hofft sie, dass er das Foto sieht und sich sofort bei ihr meldet. »Kaum lade ich ein neues Bild von mir hoch, reagiert er auch schon«, erklärt sie den Frauen.

Lina glaubt, dass man alles, was man auf den eigenen Social-Media-Kanälen macht, für jemand anderen tut. Vielleicht auch für mehrere Leute. Aber normalerweise hat man dabei mindestens eine Person im Kopf. Wenn du eine verheiratete Frau bist und deine Freundin das schönere Leben hat – wenn sie, sagen wir, nach Westchester gezogen ist, bevor du auch nur darüber nachgedacht hast, aus der Stadt wegzugehen, und sie ein Pferd im Stall stehen hat und ihr Mann ihr jeden Freitag Blumen schenkt, einfach weil Wochenende ist und sie die Liebe seines wohlhabenden Lebens –, dann bist du völlig fixiert darauf, ihre Erfolge auszuwerten und nach Rissen in ihrem Liebesleben zu suchen, während du selbst gebackenen Olivenölkuchen auf rustikalen Tischen und pastellfarbene Fahrräder an exotischen Orten postest.

Jede einzelne Sache, die Lina auf Facebook postet, ist für Aidan. Jede Aviator-Sonnenbrille und jede neue Frisur. Dann kommentieren das fünfzig Leute, und sie sind wie Extras in einem Film. Lina muss sie noch nicht mal bezahlen. Und wenn sie auf sie eingeht, dann nur, damit Aidan sieht, dass sie auch mit anderen redet, mit anderen Männern, nicht nur mit ihm. Weil ihr Leben aus mehr als nur ihm besteht. Zumindest soll er das glauben.

Sie hat mehr Geld für ein Vichy-Kleid ausgegeben, als eigentlich angemessen wäre, aber es passt ganz fantastisch. Es ist eine achtunddreißig. Sie wiegt nur ein Kilo mehr als zu Schulzeiten. Sie kombiniert das Kleid mit hohen schwarzen Stiefeln und fühlt sich schön. In diesem umwerfenden neuen Kleid, das sie sich eigentlich gar nicht leisten kann, schaut sie auf das schlammbeschmierte Pontonboot und denkt an ihr erstes gemeinsames Mal am Fluss.

Lina hat klare Tage, an denen sie ehrlich zu sich ist. Meistens aber hängt sie einer Fantasieversion ihres Lebens an. Nur an den klaren Tagen weiß sie, dass Aidan nicht der tollste Mann der Welt ist.

»Das war alles ich«, erklärt sie den Frauen in der Gesprächsgruppe irgendwann. »Wenn ich nicht gewesen wäre, hätte er seine Frau wahrscheinlich nie betrogen. Vor allem nicht das zweite Mal und all die darauffolgenden Male.«

Das laut auszusprechen fällt ihr schwer.

»Ich habe ihn mit dem Lasso gefangen«, sagt sie, »wie ein Cowgirl. Ich habe ihn bei Facebook gesehen und eingefangen.«

Das erste Mal im Hotel sei das eine gewesen, aber das zweite Mal, sagt sie, habe sie ihn regelrecht zu einem Treffen gedrängt. Am Morgen hatte sie seinem Kumpel Kel Thomas eine Freundschaftsanfrage geschickt. Dann hatte sie Aidan über Facebook gefragt, ob er irgendetwas von dem alten Spielzeug ihrer Kinder haben wolle. Die Feiertage standen an, und bei ihrem ersten Mal im Hotel hatte er Lina erzählt, er mache gerade Überstunden, um seinen Mädchen alle Weihnachtswünsche zu erfüllen.

Darum schrieb sie: »Wenn du die Spielsachen haben willst – ich würde sie dir schenken –, könnten wir uns später einfach irgendwo treffen.«

Aidan bat sie, ihm ein paar Fotos von den Spielsachen zu schicken.

»Wirklich«, sagt sie zu den Frauen im Zimmer, »ihm ging es nur um das Spielzeug für seine Mädchen, und mir ging es nur um ihn. Ich habe mich miserabel gefühlt.«

Sie ging mit ihrem Handy und den Kindern im Schlepptau in den Keller hinunter und drapierte alles zu einem hübschen kleinen Haufen und sagte zu sich: Ich kann nicht fassen, dass ich das mache, nur um diesen Typen wiederzusehen.

Sie schickte ihm ein Foto von dem Spielzeug. Dann wartete sie.

Ihre Tochter sagte: »Mama, was machst du mit unseren alten Sachen?«

Ihre Kinder schnappten sich ein paar der Sachen zum Spielen. Sie schalteten ein altes Keyboard von Fisher-Price an, und Linas Sohn jammte zu einem Demosong.

Bing. Aidan hatte geantwortet: »Lass mal, eher nicht.«

Geschockt oder vielmehr wütend riss Lina die Augen auf. Sie hatte dieses ganze Spielzeug für ihn rausgesucht, hatte sich so viel Mühe gegeben, und dann so eine platte Antwort? *Lass mal, eher nicht.*

Trotzdem wollte sie ihn unbedingt sehen. In der Zwischenzeit hatte Kel Thomas ihre Freundschaftsanfrage bestätigt, und später am Abend meldete er sich im Chat. Er nannte sie *Süße* und *Schätzchen* und *Lady*. Plötzlich sah sie, dass auch Aidan online war, und schrieb ihn an.

»Ist echt kein Wunder, dass du dich so gut mit Kel Thomas verstehst, ihr redet genau gleich!«

»Hab's mir anders überlegt«, schrieb Aidan zurück. »Das Spielzeug könnte meinen Mädchen gefallen. Wo wollen wir uns treffen?«

Ihr schlug das Herz bis zum Hals.

»Ich weiß, dass er sich nicht hundertprozentig sicher war, ob er mich sehen wollte«, erzählt Lina den Frauen, »aber er war sich sicher, dass er mich nicht mit einem anderen sehen wollte.«

Sie verabredeten sich auf halber Strecke hinter einem Lagerhaus für Golfmobile.

Lina machte sich zurecht. Sie trug etwas Parfüm an den Handgelenken und in den Kniekehlen auf. Als sie sich voller Euphorie auf den Weg gemacht hatte, schrieb er ihr, er sei sich nicht sicher, ob er sich mit ihr treffen wolle.

Und das war der Moment, in dem sein ewiges Herumlavieren begann. Ein Präzedenzfall für jede künftige Interaktion – die verrückte, verängstigte »Kommt er oder kommt er nicht«-Panik, die auch in Linas glücklichsten Zeiten immer als Subtext mitlief.

»Kneifen gilt nicht«, schrieb sie zurück. »Los jetzt, ich habe das ganze blöde Spielzeug schon eingepackt!«

Minutenlang passierte nichts, und sie versuchte, sich auf die Straße zu konzentrieren, während ihr Herz raste und ihre Hände zitterten.

Dann klingelte das Handy in ihrem Schoß. Lina zuckte zusammen und ging ran.

Sie hörte seine Stimme.

»Du weißt doch, wo die Country Line Road ist, oder?«

Sie wusste sofort, dass er sich am Fluss mit ihr treffen wollte. Wahrscheinlich war er nur wegen des Lagerhauses so nervös gewesen.

»Jepp«, antwortete sie. Legte gleich wieder auf und warf

das Handy auf den Beifahrersitz. Er sollte keine Möglichkeit bekommen, es sich anders zu überlegen. Am liebsten hätte sie alle Handymasten umgestürzt und die Erde in ihrem Lauf gestoppt, um nur ja sicherzugehen, dass sie ihn sehen würde.

Damals lag ihr erstes Mal im Hotel drei Wochen zurück. Lina überprüfte ihr Gesicht im Rückspiegel und schielte immer wieder hinüber zu ihrem Handy.

Bitte, lieber Gott, mach, dass er nicht absagt, wiederholte sie in Gedanken.

Sie war sich sicher, ihre Gebete waren erhört worden, denn als sie abbog, stand sein Wagen schon da.

Beide stiegen sie aus und begrüßten sich unbeholfen. Er war dick eingepackt. Jeans und zwei Pullover übereinander, dazu eine Art Schal um den Kopf. Lina fröstelte, aber sie war überglücklich, ihn zu sehen. Er hielt ihrem Blick auf eine Weise stand, die sie in Ekstase versetzte und ihr gleichzeitig Angst einjagte. Man konnte nie wissen, was er gerade dachte.

»Ich sage euch«, meint Lina später zu den Frauen, »wie dieser Mann einen anstarrt, das ist einfach unglaublich.«

Sie gingen um den Wagen herum zum Kofferraum, und Lina zog die Kiste mit den Spielsachen zu sich heran. Tickle Me Elmo aus der Sesamstraße. Die sprechende Puppe Talking Dora. Einen leuchtend grün-weißer Plastikrasenmäher.

Lina glaubt, es gibt eine Formel, wie man einen Mann dazu bringt, sich mit einer Frau zu treffen, mit der er sich nicht treffen will. Sie läuft darauf hinaus, dass die Frau mit dem richtigen Maß an Beharrlichkeit auf den Selbsthass des verheirateten Mannes reagiert. Vielleicht hat er in einem Monat eine Rechnung nicht pünktlich bezahlt und seine Frau hat ihn angesehen, als würde er nie auch nur im Geringsten ihre Erwartungen erfüllen.

Auch wenn sie schon im Hotel Sex hatten, fühlte es sich für Lina an, als würde sie bei diesem ersten Mal am Fluss ihre Jungfräulichkeit verlieren. Von Anfang bis Ende.

Sie standen eine Weile zwischen ihren Autos. Aidan war wie immer schweigsam und starrte geradeaus. Nach einer gefühlten Ewigkeit machte sie einen Schritt auf ihn zu und nahm sein Gesicht in die Hände. Kopfschüttelnd sagte sie: »Verdammt, du bist so ein schöner Mann. Unfassbar.«

Sie zog ihn an sich und küsste ihn. Er würde nie die Initiative ergreifen, wenn sie es nicht tat. Er grinste ein bisschen, machte sich los und ging vor zur Fahrertür. Ohne hinzusehen, fasste er durch das offene Fenster und schaltete das Licht innen aus. Dann kam er zurück und drückte Lina fest gegen das Heck ihres Wagens. Sie riss die Spielzeugkiste aus dem Kofferraum, um dort Platz für ihre Körper zu machen. Tickle Me Elmo fiel kichernd heraus. Sie fegte das Spielzeug auf dem Boden zur Seite. Wollte die ganze Welt aus dem Weg schaffen.

»Hey, Kid, ganz ruhig. Schmeiß das Spielzeug hier nicht so rum.«

Es war das Erste, was Aidan an diesem Abend sagte. Vorsichtig legte er das Spielzeug wieder in die Kiste und stellte sie zurück in den Kofferraum.

Etwas ernüchtert kletterte sie auf die Rückbank. Er folgte ihr und ließ sich neben ihr nieder. Dann setzte sie sich auf ihn.

»Geht es dir nur um Sex?«, fragte sie und fixierte ihn dabei.

Aidan sagte kein Wort.

»Mir nämlich nicht. Ich will einfach nur mit dir zusammen sein.«

Er nickte.

Sie knöpfte ihm die Jeans auf, und er hob kurz den Hintern an, damit sie ihm die Hose nach unten streifen konnte. Er trug Retroshorts, sein Glied war hart und lugte oben heraus.

»Vielleicht besser nicht, Kid.«

Ihren Kosenamen aus seinem Mund zu hören machte sie so glücklich. Bis sie begriff, dass er dabei war, einen Rückzieher zu machen. Sie bemerkte, dass seine Erektion nachließ. Sie fror, weil der Motor aus war, wusste aber nicht, wie man die Heizung anschaltete, ohne dass das Licht anging, und sie wollte Aidan nicht fragen, um die Stimmung nicht zu ruinieren. Zumindest das, was davon noch übrig war.

»Kid?«

Lina gab vor, ihn nicht zu hören, zog ihre Hose und ihren Slip aus und streifte ihm die Retro bis auf die Knöchel. Sie kniete sich vor ihn, küsste die Spitze seines Glieds und verwöhnte ihn dann mit der Zunge. Er wurde sehr schnell wieder hart. Sie fand es herrlich, dass er keine Kontrolle darüber hatte – über ihre enge Beziehung zu seinem Penis. Bis zu diesem Zeitpunkt hatte er sie kaum berührt, aber jetzt schob er ihr ruhig und langsam einen Finger rein.

»Ich will deine Muschi lecken«, sagte er.

Das Wort *Muschi* löste ein komisches Gefühl in ihr aus.

Er legte sie auf dem Sitz hin, so gut es im Auto eben ging. Er stöhnte, als er den Mund zwischen ihren Schenkeln vergrub. Sein T-Shirt rutschte hoch, und sie zog es wieder runter, weil sie wusste, dass er wegen seines Bauchs verunsichert war. Selbst wenn Lina sich in einem Moment mit

Aidan beinahe verlor, musste sie trotzdem im Auge behalten, ob ihn irgendetwas verschrecken konnte.

Nach einer Weile setzte sie sich wieder auf ihn und fasste nach seinem Schwanz. Sie führte ihn an die richtige Stelle, senkte sich auf ihn herab und nahm ihn ganz in sich auf. Sie fühlte sich so stark, so, als könnte sie das Dach des Suburban mit dem Kopf anheben und hinauf zu den Sternen schweben.

Ein paar Minuten später spürte sie, wie er in ihr erschlaffte. Sie wusste, es war sein Schuldgefühl, er hatte sich wieder in seine Gedanken verstrickt.

»Es ist okay, wenn du aufhören willst«, sagte sie. Sie stemmte sich hoch, sodass ihre Knie gegen seine Schenkel drückten.

Aidan schüttelte den Kopf, umfasste sie an den Schultern und drückte sie wieder nach unten. Mittlerweile brannten ihre Beine. Dann brachte er sie so nach vorn, dass er in ihr blieb. Lina hatte diesen Stellungswechsel mit ihrem Mann probiert, aber er hatte »au!« geschrien, und Lina hatte »oje« gedacht.

Er packte ihre Hüften und bewegte sie auf und ab. Seine Bewegungen wurden immer schneller, und sie wusste, gleich würde er kommen. Es machte sie verrückt, an seine Lust zu denken. Seine Stöße wurden noch schneller und härter, und dann kam er auf ihrem Rücken. Auch sie war kurz davor gewesen, aber das Cymbalta machte es ihr schwer. Sie spürte, wie ihr das Sperma langsam die Wirbelsäule hinablief. Am liebsten hätte sie sich den ganzen Körper damit eingeschmiert.

Sie fasste seine Hand und sagte: »Steck mir deinen Finger rein.« Dann zeigte sie ihm, wie fest und wie tief sie es brauchte.

Er war begabt, und sie kam bald, obwohl sich ihr eigener Orgasmus eher wie ein Nachbeben anfühlte. Nicht annähernd so wichtig.

Kurz darauf sagte er, er müsse mal pinkeln. Sie kletterten beide aus dem Wagen und zogen sich in der Kälte ihre Sachen an.

Er pinkelte einen kleinen Bach zwischen die braunen Bäume und sagte: »Ich muss los, Kid, ich werde riesigen Ärger kriegen.«

Sie nickte, und er war schneller weg, als sie gucken konnte. Lina blieb noch etwas, lauschte den Geräuschen der Nacht. Dem Rascheln der kleinen Tiere im Unterholz. Sie fühlte sich völlig losgelöst von allem, als wäre das nicht ihr Land, nicht ihr Universum. Er war weg, und damit blieb ihr nichts.

»Ich wäre jetzt bereit für die zweite Runde«, schrieb sie ihm. Sie wusste, dass es aussichtslos war, aber sie fühlte sich wie ferngesteuert.

»Keine Chance«, schrieb er, »du hast mich völlig ausgeknipst.« Smiley.

»Es tut mir leid, ich war nervös und hab so viel geredet.«

»Ist schon okay, Kid. Das war sexy.«

Sie fasste sich mit der Hand an die Brust. Diese Worte würden reichen, um sie durch die ganze nächste Woche zu bringen, mindestens.

Heute aber ist die Woche fast vorbei, und Lina braucht einen neuen Kick. Darum ist sie zurück am Fluss. Probiert ihr neues Kleid an. Überprüft ihr Aussehen im Rückspiegel. Irgendwann zwischen Scheidung und Weinkellerei hat sie bei Walmart eine Schachtel American Spirit gekauft, die Marke, die Aidan raucht. Da war ein sehr junger, sehr übergewichtiger Mann, der in einem kleinen Elektroauto durch den grellen Supermarkt fuhr und nach einer Hunderter-packung Corn Dogs langte.

»Die Leute hier achten nicht gut auf sich«, sagt Lina zu jedem, der das vielleicht versteht. »Die haben keinen höheren Sinn im Leben.«

Jetzt macht sie mehrere Selfies in ihrem neuen Vichy-Kleid. Sie benutzt keinen Filter oder irgendwelche anderen Bearbeitungstools. Nachdem sie mehrere Bilder auf Facebook gepostet hat, fühlt sie sich albern, aber auch aufgedreht und lebendig. Als sie fertig ist, zieht sie sich wieder ihre Cargohose an, für den Fall, dass sie das Kleid doch zurückgeben will. In letzter Zeit ist es so leicht, Hosen über ihren flachen Bauch zu ziehen. Sie gönnt sich noch einen letzten Moment am Fluss, wirft einen Blick auf die Zigaretten im Becherhalter, die gelbe Verpackung mit der knallroten Sonne. Sie starrt auf die Schachtel, nimmt sich eine Zigarette und hält sie in der Hand. Dann lässt sie den Motor an und fährt im purpurnen Abendlicht nach Hause.

Für manche ist der 13. April der Tag, an dem die Mutter starb, an dem das Kind von zu Hause weglief oder an dem sie selbst aufbrachen, um auf einem anderen Kontinent ein neues Leben anzufangen. Für Lina ist der 13. April der Tag, an dem sie sich geliebt fühlte. An dem sie sich schnappte, was sie schon immer gewollt hatte, und ihrerseits vom Universum geschnappt wurde. Sie spürte die Leichtigkeit in ihren Knochen. Endlich würde sie die Freuden der Liebe kennenlernen, nicht nur ihren marternden Schmerz.

Aidan war hellwach, als sie ins Hotel kam. Nicht nur wach, sondern *präsent*. Er setzte sich mehrmals zu ihr – aufs Bett, aufs Sofa. Tatsächlich kam immer wieder *er* zu *ihr*. Er hing nicht an seinem Telefon und trank auch nicht.

Er war aufmerksam. Gesprächig. Fragte nach Dellas Geburtstagsfeier, die im Gewusel des elterlichen Aktivismus, der sich in einer ganz eigenen Sphäre entfaltet, nur so verflogen war. Kaum hatte sie eine Frage beantwortet, stellte er schon die nächste.

Sie fühlte sich *geborgen* und *wohl* und *gut*. Bemerkte diese Empfindungen und notierte sie sich später, weil sie nur selten so empfand.

Die beiden schliefen mehrere Male miteinander. Lina erzählt den Frauen in der Gesprächsrunde, erzählt es jeder Freundin, die es hören will – denen, die selbst Affären hatten und sie nicht verurteilen –, was für ein wunderbarer Liebhaber Aidan ist. Was für ein begnadetes Wesen im Reich der Liebenden.

In der Highschool hatte Lina Psychologie belegt, und sie erinnert sich an einen Satz von Freud: »Das sexuelle Verhalten eines Menschen ist oft vorbildlich für seine ganze sonstige Reaktionsweise in der Welt.« Doch auf Aidan trifft das nicht zu. Aidan ist im Bett nicht derselbe wie in der Welt. Dort kann er ein Arschloch sein, ein Loser, aber beim Sex wird er zu einem anderen. Einem Gott.

Als Lina an diesem Abend das Zimmer betreten hatte, schaltete sie gleich den Fernseher ein. Starrte auf den Bildschirm, weil sie nicht mit einem Gespräch rechnete. Aber statt wie sonst mit seinem Handy ins Bad zu gehen, setzte sich Aidan mit einer Speisekarte zu ihr aufs Bett. Sie wäre fast aufgesprungen vor Schreck. Er legte einen Arm um sie und streichelte ihr zärtlich über den Rücken, hielt dabei die Speisekarte in der anderen Hand, damit sie gemeinsam hineinschauen konnten.

»Was würdest du gern bestellen?«, fragte er.

»Ich weiß nicht«, sagte sie.

Sie dachten zuerst an Koteletts, dann an Burger. Er überließ ihr die Wahl. Lina hatte keinen rechten Hunger, und nichts sprach sie so richtig an, aber sie wollte die Stimmung nicht kaputtmachen. Die Stimmung war einfach zu perfekt.

Sie brauchte eine Weile, um sich an diese liebevolle Art zu gewöhnen. Nicht mehr zu zittern. Vorsichtig, so, als wollte sie ihn nicht erschrecken, als wollte sie die Vibes zwischen ihnen ja nicht stören, schob sie den linken Arm hinter ihn und fuhr ihm sanft und zärtlich über den Rücken. Sie hätte sich für immer in diesem Moment einrichten können. Solange er sich nicht bewegte, würde sie sich auch nicht mehr bewegen.

Nach einer Weile stand er auf. Sie zog ihre Hand zurück und betrachtete sie für einen Moment. Er griff zum Telefon und gab die Bestellung auf. Dann ging er ins Bad, redete aber weiter mit ihr. Sie fühlte sich so wohl, dass sie zu ihm hineinging, während er pinkelte und sich dann Wasser ins Gesicht spritzte.

Sie hatten noch nie so viel geredet. Sie verließen zusammen das Bad, redeten und redeten die ganze Zeit. Dann setzten sie sich auf die Bettkante, schauten gedankenversunken Fernsehen und lachten dabei hin und wieder. Sie saßen sehr nah beieinander.

Aidan beugte sich über sie, und plötzlich war da diese Hitze in ihrem Becken. Sie spürte ein Kribbeln im ganzen Körper. Sie wollte so sehr, dass er in ihr war, aber zugleich sollte dieser Moment nie zu Ende gehen. Sex, befürchtete sie, würde ihn vielleicht kaputtmachen.

Er sah sie auf eine Weise an, die sie beinahe hätte weinen lassen. Genau genommen hatte sie ihn an diesem Abend oft dabei ertappt, wie er sie angesehen hatte, und das gab ihr ein so gutes Gefühl, dass sie verstand: Er hatte sie zuvor nie wirklich angesehen. Sie legte den Kopf in seinen Schoß, weil sie seinen Blick nicht aushielt. Seine Augen ließen ihr Herz schneller schlagen. Jede ihrer Bewegungen war überlegt, und sie versuchte, zwischen dem abzuwägen, was ihr Verstand ihr riet, um seine Aufmerksamkeit nicht zu verlieren, und dem, was ihr Körper von sich aus wollte.

Aidan beugte sich zu ihr hinunter und küsste sie. Bedeckte sie mit Küssen – ihre Ohren, ihren Hals, ihre Lippen. Es fühlte sich an, als würden unter ihrer Haut kleine Kristalle explodieren.

Er rollte sie sanft zur Seite, stützte sich mit seinen starken Armen so ab, dass er genau über ihr war, und küsste sie leidenschaftlich, während sie ihn streichelte, küsste sie überallhin. Er schob sich dicht an ihr Ohr und flüsterte: »Ich will dich lecken.«

Sie stöhnte laut, kam schon fast allein von den Worten.

Sie richtete sich auf, zog ihre Bluse und ihren BH aus. Er kniete am anderen Ende des Betts. Sie wollte ihm einfach nur zusehen. Er zog sie immer weiter zu sich an den Rand, als wäre das eine gynäkologische Untersuchung. Drückte ihr dann die Beine auseinander und küsste sie zwischen den Schenkeln. Kleine, sanfte Küsse, die sie von einem so vor Kraft strotzenden Mann nicht erwartet hätte. Seine Hände wanderten zu den Außenseiten ihrer Hüften und weiter über die Taille hinauf, um ihre Brüste zu streicheln und sanft mit ihren Nippeln zu spielen. Liebevoll und zärtlich knetete er ihre Brüste. Hörte aber nie auf, sich an ihr festzusaugen und sie zu küssen. Er umspielte ihre Klitoris, drückte sie sanft an ihr Schambein. Dann zog er mit seinen Lippen oder Vorderzähnen an ihr, womit genau, das wusste sie nicht, aber sie spürte, dass sie sehr hart da unten wurde, und jedes Mal, wenn er auf diese Weise an ihr zupfte, verspürte sie einen Schlag, einen winzigen orgastischen Stromstoß. Sie zuckte zusammen wie eine Versuchsperson in einem wissenschaftlichen Experiment.

Er war lange da unten, bis es an die Tür klopfte. Er stand auf, das ganze Gesicht feucht und grinsend wie ein Wolf. Sie rutschte ans Kopfende und bedeckte ihren nackten Körper mit zwei steifen Kissen. In einem großen Spiegel neben der Tür sah sie den Mann, der ihnen das Essen brachte. Sie erwischte ihn dabei, wie er zu ihr hinüberschielte. Sie lächelte, wurde rot dabei und versteckte sich hinter einem der Kissen.

Aidan schloss die Tür und stellte das Essen auf dem Tisch ab. Dann kam er zu ihr aufs Bett und krabbelte wieder zwischen ihre Beine, doch sie schob ihn weg. Sie drehte ihn auf den Rücken. Und blies ihm einen. Er fingerte sie vorsichtig und rieb ihre Scham, während sie ihren Mund und ihre Hand auf und ab gleiten ließ. Nach einer Weile hielt sie inne und kletterte auf ihn. Er zögerte kurz, woraufhin Lina sich fragte, ob er vielleicht nur Oralsex gewollt hatte. Wahrscheinlich hatte er sich selbst ein paar Regeln auferlegt, um sich weniger schuldig fühlen zu müssen. Das verletzte sie, denn sie wollte immer mit ihm schlafen; sie war nie vollständig befriedigt, solange sie nicht ineinander explodiert waren.

Also umfasste sie seinen Schwanz wie einen Joystick, führte ihn zwischen ihren Beinen entlang und nahm ihn dann tief in sich auf. Es dauerte nicht lange, da stöhnte er laut. So wie dieses Mal hatte sie ihn noch nie stöhnen hören.

»O Lina! Lina … Lina!«

Er sah sie an, und sie sah ihn an. Normalerweise liebte

sie ihn mit geschlossenen Augen. Weil sie die Nähe nicht aushalten konnte. Sie liebte ihn zu sehr, um ihm beim Sex so nahe zu sein und doch zu wissen, dass all das später in der Dusche abgewaschen werden würde. Außerdem fühlte sie sich unwohl damit, wie ihr Gesicht von Nahem aussah. Auch als sie noch Teenies gewesen waren, hatte sie die Augen immer zugemacht. Diesmal aber schaute sie ihn an, und es tat ihr leid um all die Male, die sie es nicht getan hatte. Um all das verpasste Leben.

An irgendeinem Punkt stoppte er ihre Bewegung, packte sie fest an den Hüften und fragte: »Der Beste, den du je hattest?«

Sie nickte langsam. »Ja, natürlich.« Sie ritt ihn lange, und er fragte, ob sie so kommen werde. Sagte, dass er sich das wünsche. Und die Tatsache, dass er es wollte, ließ sie beinahe explodieren.

»Gleich«, flüsterte sie. Schloss nun doch die Augen und biss sich auf die Lippen. Sie war darauf konzentriert, ihn gut zu reiten, heiß für ihn zu sein. Hör auf damit, Lina, sagte sie zu sich. Lass dich fallen.

Wie von selbst kniff sie die Augen fester zusammen, und in einem Anflug von Lust riss sie den Mund auf. Sie kam, aber es fühlte sich nicht an, als würde sie selbst kommen. Es fühlte sich an, als wäre das eine andere Frau. Eine Frau, die weniger ängstlich und einsam war. Sie schrie auf und stöhnte, als würde die alte Lina sterben und eine neue geboren werden. Eine tierische Version ihrer selbst, ein sanft gehäutetes, brutal ausgeweidetes Kalb. Er rollte sich auf sie, lag nun auf ihr und küsste sie gierig. Seine Küsse waren nicht romantisch wie sonst, sie waren tief und feucht, kaum zu bändigen, weil er sie so heftig bedrängte und dabei schwer atmete. Ihr gefielen diese Küsse. Sie hatte das

Gefühl, ihrer gewohnten Art zu küssen untreu zu werden, und das machte sie an.

»Ich liebe dich«, sagte er. »Ich liebe diese Muschi, ich liebe dich. Ich liebe dich, Lina. Ich liebe deine Muschi.«

Sie traute ihren Ohren nicht. Sie konnte nicht glauben, was sie gerade gehört hatte.

Er fragte sie mit weicher Stimme, ob sie wolle, dass er in ihr komme oder irgendwo anders.

»Ja«, sagte sie, »das wäre schön, wo auch immer du willst, ich will einfach nur so sehr, dass du kommst.«

Und dann kam er in ihr. Sie spürte, wie sein Körper zuckte, sich entlud. »In meinem Mund!«, rief sie schnell.

»Ohhh-oh«, stöhnte er, weil er es nicht mehr rechtzeitig schaffte. Dieses jungenhafte Stammeln war so süß. Lina liebte es.

Sie hielten sich fest im Arm. Ihre Körper badeten im Schweiß. Lina fühlte sich geborgen. Nichts tat ihr weh. Nach einer kleinen Ewigkeit sagte er, wahrscheinlich sollten sie sich jetzt ein bisschen entspannen und etwas essen.

»Ich bin gerade so entspannt, wie man nur sein kann«, gab Lina zurück.

»Oh ja«, sagte er, als würde das auch für ihn gelten. Er ging ins Bad, um sich kurz abzuduschen, und Lina machte danach dasselbe. Sie zog ihren Pyjama an. Sie räumte das Sofa ein bisschen frei, weil seine Sachen überall verstreut waren. Er half ihr und legte auch ihre Sachen beiseite, damit sie Platz hatten. Dann saßen sie da und aßen Hähn-chensandwiches mit Pommes. Sie aß noch, während er sich schon zurück ins Bett legte. Immer wieder fielen ihm die Augen zu. Sie sah zu ihm rüber, und für einen kur-zen Moment erwiderte er ihren Blick. Als sie aufgegessen hatte, ging sie noch einmal ins Bad und wusch sich das

Gesicht. Sie grinste in den Spiegel. Sogar alle Makel sahen schön aus; sie sah aus wie eine Frau, die glücklich war und sich geliebt fühlte. Sie schlüpfte zu ihm ins Bett und schaute kurz auf ihr Handy, um sicherzugehen, dass nichts mit den Kindern war.

Plötzlich öffnete Aidan die Augen und sah sie wirklich, wirklich an. Sie spürte, wie ihre Instinkte die Oberhand gewannen. Merkte, wie sie lächelte. Sie legte den Kopf schief. Wusste, dass sie süß und sexy wirkte, und sie fühlte, dass er sie sah. Sie wahrhaftig sah.

Endlich, zum ersten Mal in ihrem Leben, ließ Linas Hunger nach, und sie fühlte sich so geliebt, dass sie still bleiben konnte. Da und präsent. Mit ihm an ihrer Seite schlief sie schnell und ohne Schmerzen ein.

Um Viertel nach vier wurde sie wach, zog sich an und machte sich fertig. Bevor sie das Zimmer verließ, setzte sie sich noch einmal zu Aidan ans Bett und streichelte ihn am Arm. Beugte sich noch einmal zu ihm hinunter und gab ihm einen Kuss auf die Stirn. Er wachte nicht auf, und das war okay.

Auf dem dunklen Parkplatz, wo die Luft angenehm frisch war, startete sie den Wagen. Sie hatte vergessen, wie schön der April sein konnte.

Es war zu früh, um irgendwen anzurufen, das wusste Lina, aber sie konnte es nicht für sich behalten. Sie musste etwas von der Freude herauslassen, um nicht zu platzen.

Noch vom Parkplatz, wo ihr Atem im Wagen in kleinen Wölkchen aufstieg, rief sie eine Freundin an, wohl wissend, dass nur die Mailbox rangehen würde. Es war ihr egal, dass ihre Freundin in Anbetracht der Uhrzeit denken könnte, es sei etwas passiert. Waren nicht sowieso alle nur mit ihrem eigenen Leben beschäftigt? Lina ging es auch nicht darum, es unbedingt dieser bestimmten Freundin zu erzählen; sie musste die Worte nur laut aussprechen.

Die Mailbox ging ran. Sie wartete kaum bis zum Piep.

»Er hat *ich liebe dich* gesagt, *ich liebe dich*! Und natürlich hat er gesagt, *ich liebe deine Muschi*. Aber er hat es gesagt! Er hat gesagt, dass er mich liebt!«

Dann legte sie den ersten Gang ein und grinste den ganzen Heimweg über so sehr, dass es fast schon wehtat.

# Maggie

Maggie ist zwanzig. Es ist fast drei Jahre her, dass sie ihren Abschluss gemacht hat, aber sie ist immer noch nicht über Aaron hinweg. Vor allem hat sie seit ihm nie wieder einen anderen gehabt, jedenfalls nicht wirklich. Ein Mann wie er ist ein Held, besonders, wenn man sonst immer von Jungen mit zweifelhafter Moral und beschränktem Horizont umgeben ist, die Pornos schauen und sonst nichts in der Rübe haben. Sie denkt jeden Tag an Aaron, an seinen Körper, sein Gesicht und seine Worte, an die Geborgenheit in seinen Armen.

Maggies Tage an der North Dakota State University – NDSU, Heimat der Bisons und der Ort, an dem Aaron und Marie Knodel sich kennengelernt haben – sind düster. Sogar ihre Zimmermitbewohnerin heißt Raven – Rabe.

Schon im ersten Semester bekommt Maggie eine Verwarnung wegen nicht erbrachter akademischer Leistungen, im zweiten Semester wird sie zwangsexmatrikuliert. Sie geht von der Uni ab, zurück ins Haus ihrer Eltern, und hängt sechs Monate lang völlig durch. Dann zieht sie in eine Wohnung mit Sammy und Melani. Jobbt wieder bei *Buffalo Wild Wings*. Wenn man die Highschool-Zeit einrechnet, hat sie insgesamt fünfeinhalb Jahre dort gearbeitet, ist von einer einfachen Kassiererin zur Kellnerin aufgestiegen. Im Kellnern findet sie Sicherheit. Obwohl sie sich übergeben möchte, wenn sie an die Doppelschichten am Wochenende denkt, lenkt die stupide Routine sie von sich selbst ab.

Wenn Maggie auf Partys geht, trinkt sie zu viel und weint sich früher oder später auf dem kalten Fliesenboden eines fremden Badezimmers die Augen nach ihm aus. Sie schläft mit ein paar Typen. Lässt sich schlecht behandeln. Beim Sex hat sie Flashbacks und muss aufhören. Mitten im Ficken reißt es sie von dem anderen Körper weg, und sie springt in den Kreideumriss ihres eigenen Schattens. Oft fühlt sie sich schmutzig und will nicht berührt werden. Romantische Gesten wie Händchenhalten hasst sie. Kuscheln stößt sie ab. Sie fühlt sich benutzt wie schmutzige Unterwäsche. Sie hat einen Therapeuten namens Stone und nimmt jede Menge Medikamente.

Irgendwann zieht Maggie zurück zu ihren Eltern. Sie kündigt bei *Buffalo Wild Wings* und fängt bei *Perkins* an, einer Art Suppenküche in Moorhead. *Perkins* ist scheiße, das ganze Leben ist scheiße. Sie kann schon nicht mehr zählen, wie oft sie sich an der Uni eingeschrieben und die Uni dann wieder geschmissen hat. Sie hat viele hässliche Vormittage im Bett verbracht, an denen die Sonne durch die dünnen Jalousien fiel und die Decke spätestens ab zwölf Uhr überflüssig machte.

Irgendwann im Januar sitzt sie nachts allein in ihrem Zimmer und trinkt Captain Morgan. Sie öffnet ihre E-Mails. Es ist 23:44 Uhr. Sie tippt die ersten Buchstaben seines Namens ein, und das Programm ergänzt sofort seine Mailadresse. Sie hat ihm nicht mehr geschrieben, seit sie ein Jahr nach der Trennung seine Briefe zurückhaben wollte. Die hatte sie ihm zusammen mit dem Neruda-Buch und seinem Exemplar von *Twilight* versehentlich zurückgegeben. Sie hatten zusammengefaltet zwischen den Neruda-Gedichten gelegen.

In der E-Mail hat sie geschrieben, sie würde sich freuen, wenn er die Briefe noch hätte und sie ihr ins Wohnheim der Uni schicken könnte. Wenn er das nicht könnte – weil er sie beispielsweise weggeschmissen hätte –, wäre sie megasauer, würde ihn aber nicht hassen. Sie würde ihn nur hassen, wenn er ihr nicht auf diese Zeilen antworten würde. Was sie ihm schrieb, klang hauptsächlich gekränkt, aber auch ein bisschen flapsig und hoffnungsvoll, wie immer. Er antwortete ihr am nächsten Morgen, er habe versucht, sie anzurufen, und werde es in seiner Mittagspause noch einmal probieren. Sie sprachen dann miteinander, und er gab zu, die Briefe tatsächlich weggeschmissen zu haben. Maggie war traurig und verletzt, aber nicht wirklich sauer. So sehr sie es auch wollte, sie hasste ihn noch immer nicht.

Jetzt schreibt sie ihm, weil ihr irgendwer einmal gesagt hatte: *Wenn du immerzu an jemanden denkst, dann denkt der andere auch an dich.* Ein solcher Überschuss an Energie in der Atmosphäre muss doch erwidert werden.

*Ich frage mich ständig, wann wohl der richtige Zeitpunkt ist, um noch etwas zu sagen … Fast drei Jahre sind vergangen, und ich habe immer noch keine Ahnung, ob und wann er je eintritt. Bitte hilf mir, wieder klar zu denken. Wenn ich sagen würde, dass ich bereit bin, dich zu sehen, wärst du es dann auch?*

Sie wartet ein paar Minuten vor dem Bildschirm, denkt: Vielleicht kommt ja gleich was zurück. Sie wacht auf, und da ist nichts. Sie wacht immer wieder auf, und immer wieder ist da nichts.

Um den Erinnerungen und einem weiteren Sommer in Fargo zu entfliehen, fliegt Maggie im Jahr darauf nach Washington State zu ihrer Schwester Melia. Sie bleibt von August bis November. Versucht erneut zu heilen. Sie fühlt sich klein beim Anblick der immergrünen Nadelbäume: Wenn sie unter ihnen steht, schrumpft sie bis zur Bedeutungslosigkeit. Sie meldet sich bei dem Online-Dating-Portal PlentyOfFish an und geht ein paarmal aus, aber es funkt nicht.

Sie wartet die ganze Woche auf das Gespräch mit ihrem Therapeuten Dr. Stone. Verabredungen zum Kaffee legt sie rings um den Anruf. Sie spielt mit den Kindern. Stochert im Essen. Staunt, wie schön Washington ist, fragt sich aber zugleich, ob sie sich je wieder am Anblick der Natur erfreuen kann.

Alle wissen, dass Maggie depressiv ist, aber niemand weiß, warum. Wenn sie wüssten, dass es wegen eines Jungen ist, würden sie sagen, Maggie müsse über ihn hinwegkommen. Sie würden alle den Kopf schütteln und zu Protokoll geben, man dürfe wegen eines Jungen doch nicht vier Jahre lang traurig sein. Würden sie die ganze Wahrheit kennen und wissen, dass sie einem älteren, verheirateten Lehrer nachtrauert, würden sie sie verfluchen. Vor allem nach der Sache in Hawaii. Diese Art von Mist darf man nur einmal bauen. Beim zweiten Mal hat man seinen Ruf weg.

Eines Abends, nachdem sie gegessen und die großen Kinder ins Bett gebracht haben, wiegt Melia ihr Kleinstes im Arm. Maggie setzt sich an ihren Laptop und loggt sich bei Facebook ein. Sie entdeckt etwas in ihrem Newsfeed, das sie umhaut: ein Post von Alessandra Jimenez, die zwei Jahre älter ist als Maggie und an der West Fargo High arbeitet. Es ist absurd, dass so wenige Worte einen dermaßen aus der Bahn werfen können.

Unzählige Leute gratulieren Aaron Knodel, der als North Dakotas Lehrer des Jahres ausgezeichnet worden ist. Die Kommentare kommen in Echtzeit rein. Die Likes. Die Smileys, Regenbogen und Ausrufezeichen.

Maggie kriegt keine Luft mehr und rennt nach draußen. Sie ruft bei Sammy zu Hause in Fargo an, die sagt, sie habe es gesehen, aber gehofft, Maggie sehe es nicht.

Diese Auszeichnung – und das können Sammy und die anderen schwer nachvollziehen – fühlt sich für Maggie vor allem wie eine Demütigung an. Irgendwie reibt Aaron Knodel ihr damit noch einmal unter die Nase, dass sie in seiner Welt null Bedeutung mehr hat. Dass er sein Leben nicht nur fortsetzt, sondern jetzt erst richtig durchstartet, ganz egal, wie beschissen es ihr geht. Denn er sitzt nicht sehnsüchtig an sie denkend zu Hause, gefangen in einem Leben, für das er sich nur halbherzig entschieden hat. Er hat sie in allem belogen. Hat nicht gelitten. Er war einfach einer Laune gefolgt. Hat sie sich genommen, als er sie wollte, und sie weitab von zu Hause fallen gelassen, als er mit ihr fertig war.

Lange steht Maggie in der finsteren Nacht und sieht zu den riesigen Bäumen hinauf, die in die Dunkelheit ragen. Völlig aufgelöst raucht sie hintereinander weg eine halbe Schachtel Zigaretten.

Nach ihrer Rückkehr aus Washington stürzt sie erneut in ein schwarzes Loch. Wenn sie mal nicht viel zu spät aufsteht, duscht sie kalt, um ihren Kreislauf irgendwie in Gang zu bringen. Sie zieht sich an und macht sich fertig, aber dann breitet sich die Dunkelheit im Zimmer wieder aus wie ein übler Gestank. Sie setzt sich auf ihr Bett, legt sich auf ihr Bett, und ehe sie sich's versieht, ist es Zeit fürs Abendessen.

Sie denkt nicht wirklich an das Wort *selbstmordgefährdet*. Menschen, die wirklich an Selbstmord denken, nennen ihn nicht beim Namen. Sie denken daran, *wie* sie ihn begehen. Das Wie bedeutet nicht wirklich den Tod. Es steht nur für eine bestimmte Handlungsabfolge, die sie am Ende von allen Schmerzen befreit. Maggie stellt sich vor, wie sie sich mitten in der Nacht am Dachbalken der Garage erhängt. Ihr Plan ist es, kurz vorher die Polizei zu rufen, damit die sie vor ihren Eltern findet.

Sammy ist die Einzige, die etwas weiß. Sie weiß nichts von Maggies Plan, aber sie weiß, dass ihre Freundin massiv ins Trudeln gekommen ist. Sie fährt mit Maggie in ein Tierheim. Gemeinsam suchen sie eine Katze für sie aus, eine schwarz-braun getigerte. Sammy übernimmt einen Teil der Kosten. Maggie nennt sie Raja, was so viel wie »Hoffnung« auf Arabisch bedeutet.

Ein paar Abende später ruft Maggie Sammy an, die mit ein paar Kolleginnen bei einer Freundin ist. Maggie sagt: »Mir geht's supermies.« Maggie hat ein bisschen zu viel Cola mit Captain Morgan getrunken. Sammy fragt, ob sie den anderen von Aaron erzählen könne. Es ist Maggies Schauergeschichte. Eine gute. Und Sammy hat es verdient, diese Geschichte erzählen zu dürfen, schließlich hat sie ihrer Freundin oft genug zugehört. Weil Maggie ein bisschen betrunken und auch ein bisschen stolz darauf ist, wie skandalös ihre Geschichte daherkommt, sagt sie Ja. Sie möchte, dass ihre Geschichte in die Welt hinausgeht und gute Kritiken bekommt.

Sammy stellt ihre beste Freundin auf laut, um den versammelten Mädchen ihre Geschichte zu erzählen. Sie erzählt ihnen von allen pikanten Details, vom Fingern im Klassenzimmer, von der Ehefrau, die Bewährungshelferin ist, vom Blut auf der Decke. Aus Sammys Mund wirkt die Geschichte absurd. Maggie kann nicht glauben, dass diese Geschichte von ihr handelt.

Die Reaktionen fallen genau so aus, wie man es erwarten würde. »Ach du Scheiße«-Ausrufe und tiefes Atemholen. »Hey, ich kenne dich gar nicht«, sagt eine Stimme, »aber das ist echt verdammt krass. Dieser Typ ist voll der Mega-arsch.«

Maggie denkt an den Dachbalken in der Garage, an ihre Beziehung zum Essen und zum Alkohol und daran, wie sie in Washington nicht einmal mehr die Bäume sehen konnte, sie nicht wirklich sehen konnte, obwohl sie so wahnsinnig schön waren. Sie denkt daran, wie oft sie die Unterwäsche wechselt, auf der Suche nach einem Grad von Reinheit, den sie wohl nie wieder erreichen wird.

»O Mann«, sagt eine andere Stimme, »das ist wie ein Film auf Lifetime.«

Die Mädchen lachen, aber nicht auf die fiese Art. Sie hassen ihn stellvertretend für sie. Maggie fühlt sich be-schützt, aber trotzdem ganz allein, weil sie niemand je wie-der so beschützt hat wie er. Tatsache ist, und Maggie weiß das, dass andere Mädchen einen nicht beschützen können. Sie verlassen dich, sobald ein Mann, der ihnen gefällt, sie aufliest, sie erst zu seiner Auserwählten und dann zu einer Prinzessin macht, die sich nicht mehr mit dem Gesindel außerhalb der Schlossmauern abgeben muss. In einem Laden ganz in der Nähe hängt ein T-Shirt, auf dem steht: »WENIGSTENS SIND WIR NICHT SINGLE«. So was von Lifetime!

Maggie ist betrunken und aufgebracht. Mittlerweile haben Sammy und die Mädchen aufgelegt. Sie gehen aus, um sich später an andere Dinge zu erinnern. Sie werden Bier aus nach Eiern riechenden, zerkratzten Krügen trinken. Und wenn sie erst mal bei gedämpftem Licht und lauter Musik in der Bar sitzen, werden sie keinen Gedanken mehr an Maggie verschwenden. Dann dreht sich alles nur noch um ihren Lippenstift und um die Jungs, die sie dort sehen. Maggies Schauergeschichte bedeutet ihnen nichts. Sie bedeutet nur zwei Menschen etwas. Aaron und ihr.

Er ist Lehrer des Jahres. Er ist der Sonnyboy von North Dakota. Es ist genau wie an dem Abend des Basketballspiels damals in der Schule: Ihm gelingt ein Korbleger nach dem anderen, er schwebt förmlich vom Korb herab in den Beifall und auf seine Kinder und seine Frau zu, die wahrscheinlich selbst dann bei ihm bleiben würde, wenn sie wüsste, was er zu Maggie gesagt hat, als er zwischen ihren Beinen hing.

Es ist ungefähr zwei Jahre her, dass sie ihm das letzte Mal geschrieben hat. Jetzt, im Januar, kommt es Maggie vor, als wäre ihr Leben ein endloser Winter. Sie fragt sich, ob überhaupt noch irgendwer irgendwo einen schönen Winter haben wird, sobald die Feiertage vorbei sind. Die Menschen in Hawaii vielleicht. Sie klappt ihren Laptop auf. Das bläuliche Licht erhellt ihr Gesicht.

Sie möchte, dass er abstreitet, was die Mädchen am Telefon gesagt haben. Sie möchte, dass er ihr sagt, dass sie kein Opfer war, kein dummes Kind, das auf ihn reingefallen ist. Sie möchte, dass er ihr hilft, diesen ganzen Mädchen das Gegenteil zu beweisen. Sie haben es nicht verstanden. Dieses Hin und Her ist eine schräge Sache. In der einen Minute bist du dir seiner Liebe sicher. Die Mädchen haben keine Ahnung, wie es sich anfühlt, wenn du dann bei ihm bist. Sie sind neidisch oder verstehen es einfach nicht. Sie gehen mit irgendeinem Jungen, während du mit einem Mann zusammen warst. Dann hörst du Tage, Wochen, Jahre nichts von ihm. Und du sprichst mit den Mädchen. Sie stellen dir lauter Fragen und geben, ob du es willst oder nicht, ihr Urteil ab. Er behandelt dich nicht gut genug. Er zeigt dir nicht genug, dass er dich liebt. Ihre eigenen Freunde und Männer sind von Kritik natürlich ausgenommen. Einfach nur, weil sie seit Jahren dableiben, Glühbirnen auswechseln und ihnen Babys machen. Du weißt, du würdest keinen dieser Waschlappen geschenkt haben wollen. Beinahe hättest du es ihnen gesagt, aber stattdessen hörst du jetzt zu. Aaron ist seit Jahren weg, isst Pizza und benutzt am Abend Zahnseide, ohne dich. Einmal hatte er eine Miniaturnachbildung des *Denkers* dabei, die er in seiner Klasse als Trophäe benutzen wollte. Sein letzter »Lernen durch Engagement«-Schüler hatte versucht, sie zu verschönern, war aber kläglich gescheitert; der Schüler hatte das Holz einfach nur mit Farbe besprüht, sonst nichts weiter. Da hat Aaron dich gefragt, ob du sie retten, sie vielleicht neu anmalen könnest. Du hast sie eine Woche behalten, hast die alte Farbe runtergeholt, hast den kleinen Sockel bearbeitet, das billige Silber durch einen natürlichen Bronzeton ersetzt. Aaron hat gefragt, warum du so lange brauchen würdest. Hat beinahe genervt gewirkt. Aber an dem Tag, als sie fertig war, wusstest du, er würde stolz auf dich sein. Du hast dich großartig gefühlt, als du sie ihm gegeben hast. »Hier, bitte schön«, hast du gesagt, und seine Augen haben geleuchtet, so, wie du es dir von diesem Moment an immer wünschst, wenn du irgendwem etwas gibst.

»Wow«, hat er gesagt und die kleine Statue von allen

Seiten betrachtet. Er schaute dich an, wie griechische Götter sterbliche Mädchen angeschaut und ihnen dabei etwas von ihrem Glanz verliehen haben müssen. Du wurdest zu dem, was er in dir sah. Dann fielst du und bist vom Himmel gestürzt wie Ikarus. Du dachtest, es wäre wegen der Moiren, der Schicksalsgöttinnen, und der Eumeniden, der Rachegöttinnen, und so bist du jahrelang durch die Welt geirrt, ohne irgendetwas um dich herum wahrzunehmen, ohne schulisch voranzukommen, immer mit einem Gläschen zu viel im Haus deiner Eltern. Jetzt ist er also Lehrer des Jahres. Und die Rachegöttinnen haben gesprochen.

Darum schreibst du jetzt, um ihnen zu beweisen, dass sie sich irren. Er soll sagen, dass er dich damals geliebt hat und auch heute noch liebt. Lehrer des Jahres, das ist eine Farce. Er hat Marie seit dir nicht mehr angefasst. Jedes Mal, wenn er den Rasen wässert, stellt er sich vor, die Pfeilbäche wären seine Tränen. Er stellt sich vor, du bist da, lebst im Boden, streckst deine kleinen Hände zu ihm rauf und streichelst seine älter werdenden Knöchel.

Vor allem aber schreibst du ihm, weil er dich davon abhalten soll, dir das Leben kaputtzumachen.

Vom Captain Morgan ist nur noch ein bernsteinfarbener Rest im Glas. Du stellst dir vor, dass dir ein kleines Männchen vom Grund des Glases zuwinkt und den Daumen in die Höhe reckt. Du schließt die Augen und drückst auf Senden. Dann liest du dir die Mail noch einmal durch, die, einmal in der Welt, genauso wenig zurückgenommen werden kann wie der *Denker*.

*Ich habe Fragen, auf die ich Antworten will. Ich bin erwachsen geworden und sehe alles, was passiert ist, in einem anderen Licht. Es wäre nur zu deinem Besten, wenn du mir beweist, dass ich mich irre.*

Manchmal wünschst du dir so sehr, dass dich jemand zurückruft. Dass jemand anerkennt, dass du existierst. Du musst ein Feuer am Eingang der Höhle entzünden, in der die Schlange haust. Obwohl dein Therapeut gesagt hat, dass das Gewesene zeigt, dass du ein Opfer bist, keine zurückgewiesene Geliebte. Außer dir wissen das anscheinend alle. Sammys Freundinnen, die über die Freisprechfunktion mit dir geredet haben. Sogar die Jungen, mit denen du ausgegangen bist. Am Anfang haben sie Angst vor dir, dann aber ziehen sie beim Ficken nicht mal mehr die Schuhe aus.

Sammy und Maggie besuchen zusammen ihre Freundin Addison, die als Tätowiererin arbeitet. Aaron hat noch nicht geantwortet. Aber natürlich kennt Addison die Geschichte nicht. Sie fragt: »Warum dieses Tattoo?« Es lautet *I open at the close,* und der goldene Schnatz aus Harry Potter bildet das o in *open.* Maggie ist nicht einfach nur ein Fan. Einmal hat sie bei Eiseskälte eine Nacht im Zelt verbracht, um an Karten für den fünften Film ranzukommen. Sammy und sie haben sich auf der Toilette eines Coffeeshops die Hände aufgewärmt, indem sie sie unter das heiße Wasser hielten. Es ist mehr als nur Fankult, wenn dich eine Geschichte so sehr erwischt, dass du dir wünschst, die Figuren wären deine eigene Familie. Mit *Twilight* war es anders. In *Twilight* ging es für Maggie nicht um Familie, sondern darum, sich so zu fühlen, als wäre sie selbst gebissen worden.

*I open at the close* bedeutet, dass Maggie bereit ist weiterzuziehen. Sie lässt ihn endlich gehen, alles von ihm, auch seinen Geruch in ihrem Buch. Selbst wenn sie ein Opfer war, gehört das von nun an der Vergangenheit an. Sie setzt dem jetzt ein Ende.

»Das verstehe ich nicht«, sagt Addison.

Maggie atmet tief durch und beschließt, die Geschichte ein letztes Mal zu erzählen. Das ist ihre Abschiedsparty für das Mädchen, das sich in einen Vampir verliebt hat. Die drei Freundinnen nehmen Platz. Addison macht sich an die Arbeit, während Maggie erzählt. Die Nadel schmerzt, als würden ihr tausend kleine Männchen mit Minimistgabeln in den Arm stechen. Es ist beides, schlimmer und nicht annähernd so schlimm, wie sie erwartet hat.

»Ach du Scheiße«, kommentiert Addison. »Was für ein mieser Typ.«

Eine Woche später hat er ihr noch immer nicht geantwortet. Maggie sieht sich eine Folge *Dr. Phil* an, in der es um ein Mädchen geht, dessen Vater seinen Freunden erlaubt, es zu vergewaltigen. Die Tochter erinnert sich nicht daran, ob er dafür Geld bekommen hat oder nicht. Maggie schießt noch etwas durch den Kopf, das Addison gesagt hat. Sie war gerade dabei, das Tattoo abzutupfen, ihr Werk zu bestaunen und Maggie eine Strähne aus dem Gesicht zu streichen, als sie etwas sagte, das Maggie schon selbst gedacht und das ihr Therapeut ebenfalls angedeutet hatte. Aber irgendwie war es nie ganz zu ihr durchgedrungen. Vielleicht lag es an der Nadel.

»Du bist bestimmt nicht die Erste«, hat Addison gesagt, »und ganz bestimmt auch nicht die Letzte.«

In diesem Moment schaut Maggie runter auf ihr Tattoo. Die Haut rings um die Farbe ist gerötet, und noch sieht es nicht schön aus, auch wenn es das irgendwann soll. Sie könnte sich ohnehin nicht beschweren, weil es eine Freundin war, die es gestochen hat.

An diesem Abend geht Maggie zu ihrer Mutter in die Küche. Ihr laufen Tränen über die Wangen. Arlene sieht zu ihr auf. Sie hat kurze Haare, und ihr Gesicht strahlt ein stilles Vertrauen aus. Sie trinkt, aber wenn man es nicht wüsste, würde man es nicht merken.

Arlene bekommt einen Schreck. »Was? Was ist los?«

Sie denkt, einem der Kinder sei etwas passiert.

»Hol Dad«, sagt Maggie. »Wir müssen reden. Ich muss euch was sagen.«

Ihr Vater kommt aus dem Keller herauf. Anders als Arlene sieht er aus, als würde er etwas wollen, das nicht im Raum ist. Er lebt seine Verzweiflung in kleinen Gesten aus, die nach und nach ihre tödliche Wirkung entfalten. Das Sofa ist alt, das Licht gedämpft. Zuerst legt Maggie ein paar Regeln fest.

»Ihr dürft nicht durchdrehen, und bitte stellt mir nicht Tausende von Fragen, weil ich nicht weiß, ob ich schon bereit bin, sie zu beantworten.« Ihre Eltern nicken. »Im Abschlussjahr hatte ich eine unangemessene Beziehung zu meinem Lehrer Mr. Knodel.«

Arlene fängt sofort an zu weinen. »Was heißt das?«, bringt sie unter Schluchzen hervor.

Maggie sieht ihren Vater an. Auch er hat Tränen in den Augen. Sie ist nie Daddys kleines Mädchen gewesen, nicht im klassischen Sinn, weil sie einander zu ähnlich sind. Beide Sturköpfe und Schreihälse, aber Maggie kauft ihm Bier, und er repariert ihren Wagen und lässt nicht zu, dass irgendjemand sie von oben herab behandelt. Er tröstet und beschützt sie. Sie ist seine Jüngste. Männer wissen, was andere Männer denken und wollen und tun. Arlene hat keine Ahnung, aber ihr Mann weiß genau, wovon ihre Tochter spricht.

Maggie erzählt ihnen, sie seien intim gewesen, hätten aber nie richtig miteinander geschlafen. Das preiszugeben ist noch peinlicher. Irgendwie lenkt es die Aufmerksamkeit stärker auf die ganzen Kleinigkeiten, aus denen sich plumper Sex zusammensetzt, und schießt sie klingelnd und blinkend hin und her wie in einem Flipperautomaten.

Maggie sagt, sie werde es ihnen erzählen, weil sie nun bereit sei, ihn anzuzeigen. Das Beweismaterial liege in der Abstellkammer.

Später an diesem Abend geht Arlene alles durch, findet Maggies Spider-Man-Mappe und das mit gelben Klebezettelchen gefiederte *Twilight*-Buch. Es ist Sonntagabend, die letzten ruhigen Stunden, bevor die Woche beginnt, und die Stimmung im Haus ist erdrückend.

Arlene kniet über den Beweisen, fährt mit der Hand über die Dinge, die ihre Tochter von ihrem Lehrer bekommen hat. Sie liest alle Klebezettel und wühlt sich durch den ganzen Berg aus Kinderkram, vermischt mit Erwachsenenkram.

Maggie schaut unterdessen nach ihrem Vater. Sie findet ihn weinend in der Garage. Sie hasst sich. Sie hat das Gefühl, nichts von alldem jemals wieder aufbauen zu können. Er wird nie darüber hinwegsehen, was sie getan hat. So sehr er sie auch liebt, ein Teil ihrer Beziehung ist unwiderruflich zerstört.

Ihr Vater sagt kein Wort, breitet nur die Arme aus, und sie flüchtet sich hinein. Am Ende ist seine Umarmung eben doch die beste der Welt. Sie weinen zusammen, bis er sich langsam beruhigt, und sie auch.

Maggie betritt das Polizeirevier. Plötzlich ist sie sich jedes Details ihres Körpers bewusst. Ihres hin- und herschwin-

266

genden Hinterns in den schwarzen Leggings. Ihrer Bearpaw-Stiefel. Ihrer langen, unechten Nägel. In ein paar Wochen wird der Ermittlungsbeamte, der für ihren Fall zuständig ist, sie dafür runtermachen, dass ihre Nägel immer wie die einer Tusse mit großem Vorbau aussähen. Anfangs wird sie darüber hinweglachen, ihm dann aber doch die Wahrheit erzählen, dass sie nämlich unechte Nägel trägt, weil es viel schwerer ist, sich damit die Wimpern auszureißen.

Die Frau am Empfang schaut auf. Noch kann Maggie einfach wieder umdrehen. Sie sieht Aaron in seinem Klassenzimmer vor sich. Ungefähr um diese Zeit hatte vor sechs Jahren ihre Liebesgeschichte begonnen. Aaron ahnt nicht, was gleich passieren wird. Darin liegt ein kleines bisschen Macht. Sie schämt sich für ihre zitternden Hände. Die Frau wartet, dass sie etwas sagt.

In den vergangenen Tagen hat Maggie einer Freundin ihrer Schwester, die Polizistin ist, verschiedene hypothetische Fragen gestellt. Seit einer Weile fühlt sie sich unter Frauen sicherer als unter Männern, mit Ausnahme ihrer Brüder und ihres Vaters und ihres Therapeuten.

Noch kann sie wieder gehen. Sie kann Dr. Stone sagen, sie habe es sich anders überlegt, und er wird sagen, dass jedes ihrer Gefühle absolut in Ordnung sei.

Maggie räuspert sich, wie um sicherzugehen, dass sie eine Stimme hat.

»Ich bin hier«, sagt sie zu der Frau am Empfang, »um Anzeige wegen Verführung Minderjähriger zu erstatten.«

Dafür ist es jetzt zu spät, zu spät, zu spät. Sie zittert, ihr ist ganz heiß vor Angst. Die Frau am Empfang wirkt unbeteiligt. Unbeeindruckt, sie macht nur ihre Arbeit. Nahezu gelangweilt. Sie ruft irgendwen an.

Maggie wartet eine halbe Ewigkeit, bis endlich ein Beamter zur offenen Tür hereinschaut und sie in einen Nebenraum bittet. Sie erzählt ihm ihre Vampirgeschichte. Plötzlich ist ihr bewusst, dass es auf jede Kleinigkeit ankommt. Der Mann macht sich Notizen auf einem gelben Schreibblock. Die Vergangenheit gähnt sie an, streckt sich vor ihr aus wie eine Katze.

Sechs Monate nach Maggies Gang zur Polizei, fünf Jahre nach dem Ende der Beziehung zwischen Aaron Knodel und seiner Tochter stand Mark Wilken lange vor seiner Frau auf. Das war schon länger seine Art, keine Vorliebe, sondern eine Begleiterscheinung einer ihn lähmenden Depression. An diesem Morgen aber war er sogar noch früher auf den Beinen als sonst. Es war dunkel draußen, und er hatte keine Arbeit mehr, zu der er hätte erscheinen müssen. 2000 war er bei Fairway entlassen worden, wo er über zwanzig Jahre als Lagerarbeiter geschuftet hatte. Über die Jahre hatte er sämtliche Abteilungen durchlaufen: Lebensmittel, Obst und Gemüse, Gefrierprodukte, Rechnungsstellung.

Allen Berichten nach hatte er seinen Job gut gemacht. Von den Leuten im Lagerhaus hatte er die höchste Produktivität bei der niedrigsten Fehlerrate gehabt. Effizienz war zum tragenden Pfeiler seines Charakters geworden, zwar nicht in seinem Lebenslauf aufgeführt, aber in seine Identität eingeschrieben. Sein Job gab seinem Leben Sinn. Doch irgendwann machte Fairway seinen Standort in Fargo dicht, weil es in Sportartikel investieren wollte, und indem sie seine Stelle strichen, brachte Fairway die Wilkens so ziemlich um.

Mark versuchte, einen Job bei dem Lebensmittelgroßhändler SuperValu zu bekommen, schaffte aber den *Step Test* nicht. *Step Test* ist so ein Begriff, der den meisten Menschen nie zu Ohren kommt, aber wenn man in einem Lagerhaus arbeiten will, denkt man an nichts anderes. Der Test sieht vor, dass man mit einer Frequenz von vierundzwanzig Schritten pro Minute auf eine Stufe steigt, hoch und wieder runter, und dabei die Schrittfolge hoch-hoch-runter-runter befolgt. Das macht man für ganze drei Minuten. Im Anschluss wird dann die Herzfrequenz gemessen und abgeklärt, ob man ein Kandidat für einen Herzinfarkt am Arbeitsplatz ist oder nicht.

Mark und Arlene gingen jeden Tag in die Eislaufhalle, wo Maggie zum Training ging, und stiegen unzählige Male die Stufen rauf und runter. Sie trainierten ein ganzes Jahr. Immer wieder machte er den Test, und er scheiterte jedes Mal. Am Ende dieses demoralisierenden Jahres hatte ein Bürofutzi Mitleid mit ihm und winkte seine Bewerbung durch. SuperValu stellte ihn in Teilzeit ein, auf Abruf, was bedeutete, dass Mark jeden Abend um sechs anrufen und nachfragen musste, ob er am Tag darauf ins Lager kommen sollte. Was bedeutete, dass die Familie keine Reisen mehr planen konnte, nicht einmal Städtetrips über ein langes Wochenende. Am Anfang arbeitete er noch ein paar Tage pro Woche, irgendwann waren es nur noch ein paar Tage im Monat, und zuletzt bestellte man ihn nur noch einmal im Monat für ein paar Stunden ein. Bis er schließlich so gut wie gar nicht mehr arbeitete, aber jeden Tag seines Lebens mit dem Gedanken verbrachte, morgen vielleicht doch wieder loszumüssen.

Auf diese Weise zwang man ihn langsam, aber bestimmt, sich von seinem Beruf zu verabschieden. Ein Lichtblick war nur, dass er für seine zweiundzwanzig Berufsjahre die volle Regelaltersrente erhielt, wodurch ihm jedoch die Arbeit in einem gewinnorientierten Unternehmen untersagt war. So, als würde das Unternehmen sagen: Wir geben dir dieses bisschen zum Überleben, solange du nur bleibst, wo du bist, schön an deinem Platz. Betrink dich halt, wenn es nicht anders geht, aber kauf das billige Bier. Am Ende nahm er eine Stelle als Kurier in einem Krankenhaus an, machte den Boten für die Post im Haus, Manila-Umschläge mit rotem Verschlussbändchen. Er verdiente sieben Dollar die Stunde – brutto.

Keiner wusste, was genau in ihm vorging, denn er behielt die finsteren Gedanken für sich. Doch der Verlust ihrer Würde treibt selbst die stärksten Männer in den Wahnsinn. Er schlief nicht mehr und ging zu vielen Treffen der AA.

An diesem Morgen wachte Arlene auf und richtete ihren Blick auf Mark. Er sah erschöpft aus. Seine Augen wirkten glasig. Sie schaute zur Uhr und dann zurück zu ihrem Mann.

»Boots?«, sagte sie. Es war ihr Spitzname für ihn. Er nannte sie Lene.

Er kam zu ihr ans Bett und setzte sich neben sie.

»Du weißt, dass ich dich liebe, nicht wahr?«, fragte er.

Arlene nickte. »Und ich liebe dich«, sagte sie.

Sie machte ihm keine Vorhaltungen, weder für das, wofür er ohnehin nichts konnte – dass er seinen Job verloren hatte und danach depressiv geworden war –, noch für das, was er in der Hand hatte – das Grasrauchen und Trinken. Auch wenn die Sucht eine Krankheit war, wusste sie genau, wann er diese über sie und ihre Bedürfnisse stellte. Sie ermutigte ihn nicht, aber sie warf ihm seine Verfehlungen auch nicht vor. Das war nicht ihre Art.

Arlene stand auf und machte sich für die Arbeit zurecht. Mark blieb in ihrer Nähe. In Wahrheit gefiel es ihr, wie sehr er sie brauchte. Auf diese Weise fühlte sie sich geliebt.

»Könntest du heute vielleicht bei mir bleiben«, fragte er, »und mit mir frühstücken gehen?«

Sie sah ihn an. Ihr Mann war so abgemagert, dass seine Rippen vorstanden. Die vergangenen Monate waren hart für ihn gewesen, das wusste sie. Es gab Sachen, die er nicht mehr machte, betrunken Auto fahren zum Beispiel. Aber durch nichts von alldem schien es ihm besser zu gehen. Als hätte er das verloren, was ihm Halt gegeben hatte.

»Ich kann mir bestimmt einen halben Tag freinehmen«, sagte sie.

Sie fuhren zu *Sandy's Donuts*, tranken Kaffee und zupften den frischen Teig in kleinen Stückchen ab. Ein Mann, der allein am Nachbartisch saß, lächelte Arlene zu und wandte sich dann an Mark: »Behandelst du sie auch gut?«

Der Mann wollte nur ein bisschen plaudern. Für Arlene klang er, als würde zu Hause niemand auf ihn warten. Er wollte nur sagen, dass Mark sich glücklich schätzen konnte, eine hingebungsvolle, lächelnde Frau zu haben. Aber Mark schien die Bemerkung getroffen zu haben. Schweigsam und bedrückt beendeten sie ihr Frühstück.

Mark fragte Arlene auf dem Heimweg, ob es ihr etwas ausmachen würde, ihn an der Kirche abzusetzen, er wolle mit Pfarrer Bert sprechen. Ob sie ihn danach wieder abholen könne. »Kein Problem«, sagte sie, fuhr nach Hause und wartete auf seinen Anruf.

Pfarrer Bert erzählte Arlene später, Mark habe gefragt: »Meinen Sie, ich sollte in die Klinik fahren? Ich bin so niedergeschlagen.«

Pfarrer Bert hatte den Kopf geschüttelt. »Fahren Sie

nach Hause«, hatte er gesagt, »und ruhen Sie sich etwas aus.«

Vor den Fenstern der Kirche ragten lange Blaurauten, üppige violette Stockrosen und rosafarbene Sonnenhüte hinauf in den Himmel. In dem privaten Blumengarten des Pfarrers gab es auch Herzblattlilien, so satt und grün, wie Mark sie noch nie gesehen hatte. Es war, als leuchteten sie von innen.

»Pfarrer Bert«, sagte Mark und zeigte auf die Blumen, »glauben Sie, so sieht es im Himmel aus?«

Pfarrer Bert nickte lächelnd. »Jedenfalls stelle ich es mir so vor«, antwortete er.

Als sie später auf ihrer Terrasse saßen, versuchte es Arlene: »Du siehst so bedrückt aus. Bitte sag doch, was in dir vorgeht.«

Mark schüttelte den Kopf. Das könne er nicht, erklärte er. Er hatte vor, zu einem von Pfarrer Berts Nachmittagsgottesdiensten im Altersheim zu gehen, und fragte, ob sie ihn begleiten wolle. Doch Arlene verneinte. Sie war den ganzen Vormittag zu Hause geblieben. Nun musste sie zur Arbeit. Es fühlte sich okay an zu fahren. Mark würde zum Gottesdienst gehen und später am Abend noch an einem Treffen der AA teilnehmen.

Als sie nach der Arbeit heimkam, lag Mark im Bett und schlief. Er schreckte hoch. Riss die Augen weit auf. »Was ist los, was ist passiert?«, fragte er.

»Nichts, ich wollte nur nach dir sehen.«

»Lene?«

»Ja?«

»Leg dich ein bisschen zu mir.«

Sie ging zu ihm. Legte sich neben ihn. Versuchte, genau das zu sein, was er in diesem Moment brauchte, nicht zu viel und nicht zu wenig. Als sie hörte, dass er langsamer und tiefer atmete, stand sie auf, damit er sich ausstrecken konnte. Sie zog ins Wohnzimmer um und döste auf dem Sofa. Wenig später stand er hektisch auf, gab ihr zum Abschied nur einen flüchtigen Kuss. Er war spät dran. Arlene sagte noch, dass sie ihm ein gutes Treffen wünsche und dass sie ihn liebe.

Gegen Mitternacht erwachte sie auf dem Sofa. Mark war noch nicht da. Sie war nur deshalb nicht wirklich besorgt, weil die Leute nach den Treffen oft noch zusammen einen Kaffee trinken gingen. Vielleicht würde ihm ja ein Gespräch mit einem der anderen Mitglieder helfen. Arlene ging zu Bett, und als sie schließlich richtig aufwachte, war es gegen fünf Uhr. Der Schrecken, Mark nicht neben sich im Bett liegen zu sehen, ließ sie erschaudern, wie es kein Winter in Fargo je getan hatte. Das war der Moment, in dem sie zu zittern begann. Sie wollte ihren Bruder anrufen, weil der ein paar Leute kannte, die zu demselben Treffen der AA gegangen waren wie Mark. Aber es war noch zu früh, und so wartete sie, trank Kaffee, starrte auf die Uhr und betete zu Gott. Um sieben erreichte sie ihn, und er rief ein paar der Mitglieder an. Sie erzählten ihm, dass Mark nicht bei dem Treffen erschienen sei.

Die Nachricht lag Arlene wie Blei im Magen. Ihre nächste Hoffnung war, dass er den Wagen irgendwo geparkt und sich völlig abgeschossen hatte. Dass er jede Minute aufwachen und nach Hause kommen würde. Aber er hatte aufgehört zu trinken, wenn er das Auto nahm. Dieses Zugeständnis hatte er ihr zuliebe gemacht, weil er wusste, wie wichtig ihr sein Leben war. Sie rief bei der Polizei in Fargo, im Krankenhaus und im Gefängnis an. Sie wartete noch eine Weile, dann weckte sie ihre Tochter.

Maggie fuhr hoch, als ihre Mutter sie zitternd berührte. Sie wusste es. Sie wusste es sofort. Noch nie war ihr Vater nicht nach Hause gekommen. Die ganze Nacht wegzubleiben gehörte nicht zu seinen Fehltritten. Sie versuchte zu erspüren, ob es ihm gut ging. Und merkte, dass es nicht so war.

Arlene war in Panik. Maggie rief in weiteren Krankenhäusern und Gefängnissen an. Keiner wusste irgendetwas, und das trug nicht zu ihrer beider Beruhigung bei. Maggie erkundigte sich bei der Polizei von West Fargo, wie lange sie warten müssten, ehe sie eine Vermisstenanzeige aufgeben könnten.

Der Beamte der Notrufzentrale sagte, er werde einen Streifenwagen zu ihnen schicken. Zwanzig Minuten später standen drei Polizisten vor der Tür. Auf ihren Gesichtern hatte sich schlimmste Finsternis breitgemacht, und trotzdem, daran bestand kein Zweifel, war da auch all das, zu dem sie am Abend zurückkehren würden. Kinder und warmes Essen. Einer von ihnen begleitete die beiden Frauen ins Haus und bat sie, sich zu setzen.

»Ich habe schlechte Nachrichten«, sagte er.

»Was ist passiert?«, fragte Arlene.

Der Polizist rang nach Worten. Arlene flehte ihn an, doch bitte mit der Wahrheit rauszurücken.

»Er hat sich umgebracht, oder?« Das war Maggie.

Der Polizist nickte, offenbar in irgendeinem schrecklichen Teil seines Hinterkopfs erleichtert, dass diese junge Frau ihm erspart hatte, es selbst sagen zu müssen.

Er erzählte ihnen, wo es passiert war: auf dem katholischen Friedhof in Moorhead. Mark Wilken hatte sich mitten in der Nacht die Pulsadern aufgeschnitten und war verblutet.

Drei Mal sagte der Polizist zu Arlene, dass ihr Mann es so gewollt habe. Nach dem dritten Mal schrie Arlene ihn an: »Hören Sie auf damit! Der Mann, den ich geheiratet habe, hat das nicht gewollt!«

In den Tagen darauf machten Maggie und ihre Mutter die Erfahrung, dass ein Selbstmord die Menschen noch mehr als ein gewöhnlicher Tod glauben lässt, sie könnten über dein Leben reden, als würden sie es genauso gut oder besser kennen als du selbst.

Bei Mark Wilkens Totenwache wurden viele Blumen niedergelegt, nicht ganz so schön wie jene draußen vor der Kirche. Er, der nie wieder einen Menschen in einer seiner berüchtigten Umarmungen an sich drücken würde, lag mit friedlich gefalteten Händen vor ihnen. Die Leute sprachen von seinen Umarmungen, von der Sonntagsbratensoße, seinen funkelnden Augen, seiner Ruhe und Präsenz, aber auch von seiner wunderbaren Stimme. Mark hatte früher immer die Ansagen bei Maggies Eiskunstlaufshows übernommen. Und weil er aus diesen Shows ein ums andere Mal ein richtiges Ereignis gemacht hatte, laut und schmetternd und enthusiastisch, waren die anderen Mädchen und ihre Eltern allesamt begeistert von ihm gewesen. Als er damit aufgehört hatte, spürte die ganze Eislaufhalle den Verlust.

Bei der Totenwache waren alle entsetzt und untröstlich, aber Maggie wusste, sie würden an diesem Abend nach Hause gehen, diese Nebenbeitrauernden, würden über die anderen Dinge sprechen, die düsteren Dinge, wie und warum er es getan hatte, und dabei Ginger Ale trinken und Schweinekotelett essen und beim Zubettgehen nicht dieses Loch in sich spüren, das sich nie wieder schließen würde.

Maggie trat an den Sarg heran, beugte sich hinunter und schmiegte sich, vor Schmerz gekrümmt, an den kalten Leichnam ihres Vaters. Als sie sich wieder gefangen hatte und langsam akzeptierte, dass das der zweite Teil ihres Lebens war, dass alles endlich war, dass sie nun einsamer war denn je, sang sie ihm ein paar Zeilen aus *Blackbird* ins Ohr. Es war ein Lied, das er geliebt und ihr beigebracht hatte.

Arlene war den ganzen Tag lang benommen, spulte vor ihrem inneren Auge die Erinnerungen an ihre lange gemeinsame Geschichte ab, ihre Reisen und Tränen, sah ihre Kinder vor sich, wie sie noch klein waren, sepiafarben und schimmernd, und Mark als jungen Mann, der sie fragte, ob sie tanzen wolle, ob sie ihn heiraten wolle, der sie alles fragte, was man fragt, bevor man sich selbst fragt, wie man an diesen Punkt gekommen ist und an welchem Tag genau das eigene Leben so unerträglich schwer geworden ist. Häufiger als an jeden anderen Moment dachte Arlene aber daran, wie er sie vor ein paar Tagen gebeten hatte, sich zu ihm zu legen. Sie wünschte, sie wäre dort im Bett geblieben, in der warmen Kuhle neben dem Mann, der ihr alles gegeben hatte, was er von seinem Leben hatte geben können. Hätte sie ihn doch nur für immer festgehalten. Das Wort *Bedauern* reicht nicht aus.

Der erste Prozesstag ist ein kalter Dienstag im April des Jahres darauf. Maggie ist seit mehreren Monaten ohne Vater, wacht aber noch immer manchmal auf und hat es für den Bruchteil einer Sekunde vergessen. Sie wacht auf und ist versehentlich glücklich.

Der Himmel ist weit und blaugrau wie Stahl. Ein gefrorener Atemhauch. Der ideale Tag, um in einem Diner zu jobben. Der Gerichtssaal ist nicht halb so eindrucksvoll wie erwartet. Schlichte graue Wände, Teppichböden, Holzimitat. Ein Hexensabbat blasser Männer in dunklen Anzügen.

Jon Byers, der zweite Staatsanwalt, fühlt sich anscheinend unwohl in seinem schlecht sitzenden Anzug. In den folgenden Tagen wird er den Eindruck erwecken, alles hinzunehmen, was ihm vorgesetzt wird. Der Strafverteidiger hingegen ist angriffslustig und genau. Bei der Auswahl der Geschworenen geht er clever und strategisch vor. Am Ende werden vier Männer und acht Frauen in die Jury berufen. Offenbar kommt es zu Unregelmäßigkeiten. Die Staatsanwaltschaft lehnt eine Frau nicht ab, die während ihrer Befragung behauptet, eine junge Dame im Alter von siebzehn Jahren hätte es besser wissen müssen. Sie denke aber, fügt sie hinzu, sie könne sich den Sachverhalt unvoreingenommen anhören. Sie gehört zu den Frauen, die *junge Dame* sagen, als würden sie die jungen Damen dafür schuldig sprechen, unter dreißig zu sein. Diese Frau wird eine der Geschworenen.

Während des Eröffnungsplädoyers der Gegenseite steht der Strafverteidiger Hoy vor der Jury und erzählt ihr, es sei »sehr, sehr, sehr unwahrscheinlich«, dass ein Mann, der so erfolgreich sei und so geliebt und respektiert werde wie Aaron Knodel, sich der Dinge schuldig gemacht habe, die das Opfer ihm vorwerfe. Angesehene Männer wie er würden sich nie auf Oralsex mit einer jungen Frau einlassen, zu der sie sich hingezogen fühlten. Angesehene Männer würden jungen Frauen nicht erzählen, dass sie ihre kleinen Hände liebten.

Er sagt, das alles beruhe auf ihrem Wort. Niemand habe irgendwelche Spuren gesichert. Kein Kleid mit klebrigem Sperma.

Auf dem Weg in den Gerichtssaal warnt Maggies Rechtsbeistand sie vor, dass Marie Knodel auf dem Gang stehe. Die beiden Frauen sehen sie aus dreißig Metern Entfernung. Ihr Rechtsbeistand fragt: »Möchten Sie warten, bis sie weg ist?«

»Nein«, sagt Maggie, »ich habe keine Angst vor ihr.«

Maggie geht an Marie vorbei und wendet den Blick nicht von ihr ab. Maggie weiß, dass es falsch ist, aber sie nimmt es dieser Frau übel, dass sie zu ihrem Mann hält. Marie schaut hoch zur Decke, dann runter auf ihre Schuhe.

Hoy eröffnet seine Ausführungen damit, dass Aaron Knodel sich ganz besonders engagiert habe, um Maggie zu helfen. Er geht auf die eingeholten Verbindungsnachweise ein, die die Telefonate beziffern, die es zwischen Aaron und Maggie gegeben hat. Aaron habe stundenlang mit ihr telefoniert, und manche dieser Stunden weit nach Mitternacht, weil Maggie eines dieser Mädchen mit Problemen gewesen sei. Ihre Eltern seien Alkoholiker gewesen. Es folgen noch ein paar weitere Details darüber, um welche Art von Problemen es sich gehandelt habe. Als es zu Gerüchten gekommen sei, habe Aaron Knodel den Kontakt abgebrochen.

Maggie bestreitet im Kreuzverhör nicht, dass Aaron Knodel ein guter Lehrer sei und ihr geholfen habe.

»Er hat sich um die Kids gekümmert, von denen er dachte, dass sie Probleme haben, und ich war eines von ihnen«, sagt sie. Sie hält die Skapuliermedaille ihres Vaters in der Hand und umklammert sie so fest, dass es sich anfühlt, als würde sie sich damit ins Fleisch schneiden. Er hatte sie bei sich, als man ihn fand. Maggie trägt ein weißes Spitzenoberteil mit gerundeten Ärmeln und ein Seidentuch. Sie sagt: »Ich habe versucht, mein Handy zu verstecken, damit sie meine Nachrichten nicht sehen, und ich weiß noch, dass Aaron gemeint hat, ihm würden meine Hände gefallen, weil sie so klein und zart und jung seien.«

Der ganze Saal schaut sie an und erwartet, die Hände eines Supermodels zu sehen. Sie hat die Nägel kurz geschnitten. Ihre Hände zittern.

Aaron trägt einen grauen Anzug und eine breit gestreifte Krawatte, und er sieht Maggie so konzentriert an, als würde er versuchen, eine Matheaufgabe zu lösen.

Hoy fragt, ob Maggie vorhabe, eine Zivilklage zu erheben. Eigentlich kennt er die Antwort schon, denn wie Maggie später zu Ohren kommt, hat sein Sohn für die Kanzlei gearbeitet, in der Maggie einen Beratungstermin hatte. Sie hat keinen Vertrag mit dieser Kanzlei abgeschlossen, weil ihr die Anwälte dort gesagt haben, sie könne keinen rechtlichen Anspruch geltend machen.

Ja, sagt Maggie, sie habe bereits mit einem Anwalt darüber gesprochen, eine Zivilklage gegen Knodel und eventuell auch gegen den Schulbezirk West Fargo zu erheben. Aus Aarons Reihen ist ein Prusten zu hören, so, als bestätigte ihre Aussage, dass es ihr die ganze Zeit nur um Geld gegangen sei.

Hoy fragt, warum Knodel sich ihrer Meinung nach für sie interessiert habe. Maggie denkt daran, wie sehr sie zugenommen hat. Sie ist nicht mehr das Highschool-Mädchen, das sie war. Sie trinkt klebrige Cocktails. Ihr fehlt es an Motivation, wieder schlank zu werden. Sie geht mit Jungen aus, die sie schlecht behandeln. Als könnte er sich einfach keinen Reim darauf machen, sagt Hoy: »Einer der beliebtesten Lehrer Ihrer Highschool schickt Ihnen also aus heiterem Himmel Nachrichten und gesteht Ihnen seine Liebe?«

Selbst Maggie hat es zu der Zeit, als sie noch dünner und

jünger und glücklicher war, nicht glauben können. Es fällt ihr schwer, dem Strafverteidiger zu antworten, weil sie ihm recht gibt. Sie hat nie das Gefühl gehabt, gut genug für Aaron zu sein.

»Es hat nicht damit angefangen, dass er mir seine Liebe gestanden hat«, sagt sie. Sie beschreibt, wie alles angefangen hatte, ganz langsam bei Sonne und Schnee, als sie in Colorado gewesen war, und wie es peu à peu mehr geworden war. Aber man kann nicht auf die Schnelle erklären, wie sich die Dinge damals zugespitzt hatten. Maggie hat die Nachrichten nicht mehr. Sie hat sie auf seine Bitte hin gelöscht, und es ist zu viel Zeit vergangen, als dass der Telefonanbieter sie auf wundersame Weise wiederherstellen könnte.

Schon etwas selbstbewusster fährt sie fort: »Ich war baff. Ich fühlte mich besonders, ich fühlte mich gewollt. Ein älterer Mann war bereit, meinetwegen seine Frau zu verlassen.«

Jetzt ist sie sich ihrer Sache sicher und erzählt dem Saal, dass Aaron Knodel zuerst *ich liebe dich* gesagt habe.

Dann kommen sie auf *Twilight*, das Exemplar, das Maggie angeblich Aaron geliehen und das er ihr angeblich mit all diesen kleinen Zetteln zurückgegeben hat, auf denen er die Handlung des Buchs mit ihrer eigenen verbotenen Liebesgeschichte verknüpfte. Während ihrer Zeugenaussage erzählt Maggie dem Gericht: »Er heißt Edward – der Vampir –, und er verliebt sich in Bella. Doch er verbietet sich diese Liebe, weil er zerrissen ist zwischen seiner Liebe zu Bella und dem Wunsch, sie zu töten.«

Danach liest Maggie eine Anmerkung vor, die ihr Lehrer an den Rand einer ihrer Hausaufgaben geschrieben hat: »Aaron hat geschrieben: ›Das sehe ich genauso.‹«

Jon Byers fragt mit starkem Dialekt, der keinen Zweifel daran lässt, dass er aus Fargo stammt, auf welche Stelle sich Knodels Bemerkung beziehe.

Maggie zitiert aus ihrem *Twilight*-Essay: »›Diese Erfahrung hat mich nur noch darin bestärkt, dass das Alter keine Rolle spielt; Beziehungen entstehen aus Gemeinsamkeiten, nicht aus irgendwelchen Zahlen.‹«

Niemand bestreitet, dass Knodel den Gedanken, das Alter spiele in Herzensangelegenheiten keine Rolle, bei der Durchsicht ihrer Hausaufgabe mit einem *Das sehe ich genauso* versehen hat. Die Anschuldigung, er habe die Klebezettel geschrieben, aber schon.

Lisa Hanson, die Gerichtsgraphologin, sagt: »Ich habe Anhaltspunkte dafür finden können, dass die zu identifizierende Handschrift von Aaron Knodel stammt.« Sehr viel nachdrücklicher bestätigt sie, dass die Handschrift auf den Zetteln nicht mit den Vergleichsproben von Maggie Wilken übereinstimme. Am Ende gibt sie trotzdem zu viele ihrer Aussagen nur unter Vorbehalt ab.

Als Nächstes beschreibt Maggie den Abend in seinem Haus, den schönsten Abend ihres Lebens.

»Ich wollte ihm die Hose aufknöpfen, aber er hat Nein gesagt.« Sie weint, als sie das erzählt. Nicht, weil er sie vergewaltigt hätte, sondern weil er sie zurückwies. Weil er ihr das Gefühl gab, ein unanständiges Mädchen zu sein. »Ich wollte wissen, warum, und er hat gesagt, er wolle warten, bis ich achtzehn sei. Darum haben wir aufgehört. Ich war gekränkt. Ich hatte das Gefühl, etwas falsch gemacht zu haben. Und ich erinnere mich daran, wie wir einfach nebeneinandergelegen haben.«

Maggie hat das Problem, und das beobachten auch diverse Zuschauer an diesem Tag, dass sie zu aggressiv rüberkommt. Opfer haben nicht rabiat zu sein. Sie weint zwar, aber nicht sturzflutartig, nicht so, als wäre ihr Gewalt angetan worden. Sie weint nicht so, wie es angemessen wäre.

Als Hoy sie erneut ins Kreuzverhör nimmt, fragt er: »Interessiert Sie, wie dieser Prozess ausgeht?«

Maggie erwidert finster: »Inwiefern?«

»Überhaupt«, sagt er. Sie fühlt sich wie eine Stubenfliege, so wie er mit ihr spricht.

»Natürlich«, antwortet sie dann. »Ich will Gerechtigkeit. Aber ich habe schon getan, weshalb ich hier bin, und ich tue es jetzt in diesem Moment.«

Dann wendet sie sich kurz an Richter Steven McCullough: »Ich habe das Gefühl, dass mich jemand hier im Saal einzuschüchtern versucht, indem er mich anstarrt. Dürfen diese Leute überhaupt hier sein?« Sie richtet den Blick auf eine Frau hinter Aaron, die nicht Marie ist. Wahrscheinlich ist es eine seiner Schwestern. Die matronenhafte Frau sieht sie schon den ganzen Tag lang schräg an.

»Ja«, antwortet der Richter.

Maggie hat schon oft gehört, dass sie es anderen schwer mache, Mitleid mit ihr zu empfinden. Ein Arzt, der den Prozess verfolgt, flüstert so laut, dass alle es hören können: »Manche Leute tun für Geld einfach alles.«

Die Zeugen der Staatsanwaltschaft sind im Wesentlichen Maggies drei beste Freundinnen. Als erste Zeugin sagt Sammy aus. Zurechtgemachte Haare, große Augen, ausladende, lebhafte Gestik. Sie spricht über die Zeit, als sie Aaron Knodels »Lernen durch Engagement«-Schülerin war. »Wenn deine beste Freundin nicht mit dir Kaffee holen geht, sondern in der Klasse bleibt, dann ist das ein fettes Warnsignal.« Sie zeigt mit den Händen, wie fett das Signal ist. »Das ist nicht okay, habe ich damals gedacht.«

Etwas ruhiger sagt Melani, dass Maggie 2009 in sich gekehrt und verschlossen gewesen sei. Zu Hause habe sie sich abgeschottet. Sammy schätzt die Sache ähnlich ein, wenn auch mit mehr Ausrufezeichen: »Sie war schwer depressiv! Man hat es einfach gemerkt, dass sie unglücklich war. Sie sah ausgezehrt aus, hatte stark abgenommen, dann aber umso mehr zugelegt. Ihr Gewicht ist immer rauf und runter!«

Ein paar Jahre später wird Maggie herausfinden, was Melani wirklich denkt. Sie sagt zwar zu ihren Gunsten aus und betont immer wieder, für wie mutig und stark sie sie halte, hinter ihrem Rücken aber erzählt sie den Leuten, dass Maggie sich wie ein egoistisches Kind verhalte, dass sie ihre Freunde in eine beschissene Situation bringe, und das alles wegen einer Sache, über die sie eigentlich langsam mal hinwegkommen müsse.

Auch Shawn Krinke tritt als Zeuge der Anklage auf, doch seine Aussage fällt anders als erwartet aus. Er ist ein Kollege von Aaron und außerdem mit ihm befreundet. Bei der Befragung durch den Ermittlungsbeamten Mike Ness hat er dennoch angegeben, dass er sofort und ausschließlich an Maggie gedacht habe, als er von den Anschuldigungen erfahren habe. Dass es Maggie sein *müsse*. Die Staatsanwaltschaft geht davon aus, dass er bestimmte Dinge trotz seiner Freundschaft zu Aaron nicht abstreiten wird. Die ethische Bedenklichkeit des Ganzen, zum Beispiel.

Im Zeugenstand sagt Shawn Krinke jedoch nicht mehr das, was er zu Ness gesagt hat.

Krinke sagt: »Manche Schüler brauchen viel Aufmerksamkeit. Und als Lehrer schenkt man ihnen diese oft.«

Mehrfach wiederholt er seine Einschätzung und beteuert, er hätte Aaron darauf angesprochen, wenn er das Gefühl gehabt hätte, zwischen ihm und Maggie sei etwas Zweifelhaftes im Gange gewesen.

Maggie gibt im Zeugenstand an, sie habe Aaron einmal nach Hause gefahren, weil er zu viel getrunken hätte. Krinke dagegen behauptet, Knodel noch nie so betrunken erlebt zu haben, dass dieser nicht mehr selbst hätte fahren können. Niemand fragt nach, von welchem Grad der Betrunkenheit hier eigentlich die Rede ist. Es gibt Menschen, die fahren nach zwei Cocktails freiwillig nicht mehr. Und dann spielt auch immer eine Rolle, wie viel jemand gegessen hat. Wer zwei Kinder zu Hause hat, der kann es sich nicht leisten, seinen Führerschein abzugeben.

Als Nächstes präsentiert die Staatsanwaltschaft die Anrufe. Es seien sehr viele, dazu noch zu sehr später Stunde. Eine Kriminaltechnikerin mit Kurzhaarfrisur und einem lavendelfarbenen Top, das in dem tristen Gerichtssaal hervorsticht, projiziert die Liste per Overheadprojektor an die Wand.

Eingehende Anrufe, Aaron an Maggie: 46 Stück, 752 Minuten.

Ausgehende Anrufe, Maggie an Aaron: 47 Stück, 1405 Minuten.

Insgesamt 93 Anrufe, 2157 Minuten, im Zeitraum von Januar bis einschließlich März.

Ein Balkendiagramm in Blau und Rot zeigt, dass dreiundzwanzig dieser Anrufe nach zweiundzwanzig Uhr stattfanden.

Die Anklage wähnt sich siegessicher. Und ruht sich aus.

Dann aber ertönt die Fanfare der Verteidigung zur großen Parade: Ganze dreizehn »Charakterzeugen« bescheinigen Aaron Knodel nacheinander einen guten Leumund, elf von ihnen sind Frauen.

Sarabeth J. und Cassidy M. sind ehemalige Schülerinnen. Sie sind von Aaron Knodel nie belästigt worden. Nun sind sie hier, um zu sagen: Seht uns an, wir sind hübsch und cool, aber er ist uns nie an die Wäsche gegangen.

Ruth Joyce ist eine Kollegin mit Brille und blonden Haaren. Sie sagt, Aaron und Maggie hätten unmöglich allein in einem Raum sein können, ohne dass sie jemand erwischt hätte. Lindsey Cossette, eine Englischlehrerin, stimmt ihr zu. Maggie kannte sie nicht besonders gut, erinnert sich aber, dass Aaron gesagt hatte, Cossette sei misstrauisch, weil Maggie so viel Zeit bei ihm im Zimmer verbringe.

Auf Anraten des Staatsanwalts ist Maggie während der Zeugenaussagen nicht anwesend, für den Fall, dass sie als Gegenzeugin aussagen muss. Wozu es dann auch kommt. Trotzdem hört sie später von alldem. Was das Team der Staatsanwaltschaft ihr nicht erzählt, erfährt sie aus dem Fernsehen oder liest es online.

Eine Aushilfslehrerin gibt zu Protokoll: »Mr. Knodel ist der beste Lehrer, den ich in meiner Zeit an der West Fargo High School je erlebt habe.«

Dann kommt Crystal Sarstedt, blond und ein absoluter Hingucker. Sie ist nicht nur eine heiße Schülerin, die nie von Aaron belästigt worden ist, sondern auch noch eine frühere Miss North Dakota.

Byers grummelt. Er glaubt ganz offensichtlich, dass sie nur da ist, damit allen verklickert wird, dass Aaron ihr nicht nachgestiegen ist. Warum zum Teufel sollte er sich dann an Maggie rangemacht haben, die keine Miss North Dakota ist?

Jeremy Murphy betritt den Zeugenstand und sagt, er habe Aaron nie in der von Maggie behaupteten Form zur Rede gestellt und auch sonst keinen Verdacht gegen ihn gehegt.

Für Maggie ist es schier unglaublich, was all diese Leute gesagt haben. Sie ist völlig baff, als sie erfährt, dass man die eidesstattliche Erklärung eines gewissen Chris vorgelesen hat. Er hatte im Abschlussjahr mit ihr in Knodels Englischkurs gesessen. Sie waren locker befreundet gewesen und hatten auch mal eine Gruppenarbeit zusammen gemacht. In seiner Aussage stand, Maggie habe Aaron angemacht. Habe sich über dessen Tisch gebeugt.

Problematisch daran ist, und Maggie geht davon aus, dass jeder, der schon mal eine heimliche Affäre hatte, das weiß: In Aarons Nähe hat sie sich immer übervorsichtig verhalten. Sie hat nicht nur befürchtet, dass irgendwer Verdacht schöpfen könnte, sondern auch gewusst, wie schnell Aaron Angst bekam oder wütend wurde. Einmal waren sie auf dem Weg nach draußen gewesen, waren noch so weit wie möglich zusammen gegangen, bevor Aaron zum Lehrerparkplatz abbiegen musste, und sie hatte ihm leicht gegen den Oberschenkel geschlagen, weil er irgendeinen Witz gemacht hatte. Da war er zusammengezuckt, als hätte er einen Stromschlag bekommen. Er hatte sich umgeschaut und gesehen, dass niemand in der Nähe war. Und dann zu ihr gesagt: »Du darfst mich auf keinen Fall anfassen, sonst schöpft noch jemand Verdacht.« Sein Ton war ernst, aber auch verständnisvoll gewesen. Maggie hatte nicht versucht, mit ihm zu flirten, und das wusste er. Doch in ihrer Situation konnten sie es sich schlichtweg nicht leisten, dass irgendwer Spekulationen anstellte.

Es ist also völlig absurd, dass dieser Möchtegernfreund

Chris behauptet, sie habe mit Aaron geflirtet. Noch einsamer kann es gar nicht mehr werden, denkt sie, wenn einen selbst Menschen, an die man sich kaum noch erinnert, den Wölfen zum Fraß vorwerfen.

Als Maggie hört, was Candace Paczkowski sagt, weint sie beinahe. Obwohl sie als eine der strengsten Lehrerinnen galt, war sie zu Maggie immer nett gewesen. Eine untersetzte Frau mit einem roten Kurzhaarschnitt, die heute einen schwarz-weißen Blazer trägt. Als sie den Transzendentalismus behandelt hatten, war Maggie eine der wenigen gewesen, die durch Wortmeldungen ernsthaftes Interesse gezeigt hatten. Mrs. Paczkowski hatte sie nach der Stunde dabehalten und ihr gesagt, wie sehr sie ihre Mitarbeit und ihre Wortmeldungen schätze, und Maggie hatte sich klug gefühlt. Sie hatte den ganzen Heimweg über gegrinst.

Heute aber sagt Mrs. Paczkowski nicht für Maggie aus, sondern für Aaron.

Mrs. Paczkowski unterrichtete in dem Raum direkt gegenüber von Aarons und erzählt nun, sie habe jeden Tag um die Mittagszeit bei ihm vorbeigeschaut, um kurz nach ihm zu sehen und Hallo zu sagen. Kein einziges Mal sei Maggie dort gewesen. Außerdem gibt sie dem Gericht zu verstehen, dass die Lehrer viel zu beschäftigt seien, um irgendwen zwischendurch zu fingern.

Lora ist eines der Mädchen auf dem Blondinenfoto, das an dem Abend entstanden war, als Maggie Aaron vom *TGI Fridays* abgeholt hatte. Sie postete das Foto jedoch erst Ende März auf Facebook, und darum sagt die Verteidigung, der angebliche Entstehungszeitpunkt stimme nicht mit Maggies Profilseite überein.

Am Ende kommt der herbste Schlag von allen. Maggie

hat gewusst, dass sie aussagen würde. Als sie ihren Namen auf der Zeugenliste der Verteidigung gesehen hat, ist sie zur Toilette gerannt und hat sich übergeben.

Heather S. betritt den Zeugenstand und behauptet, sie und Maggie seien während der Zeit ihrer vermeintlichen Beziehung beste Freundinnen gewesen. Wäre da irgendetwas gelaufen, hätte sie es auf jeden Fall gewusst. Im Grunde nennt sie Maggie eine Lügnerin. Maggie, die im Büro des Direktors den Kopf für sie hingehalten hat. Maggie, die immer hinter ihr stand. Als Maggie später erfährt, was Heather an diesem Tag ausgesagt hat, muss sie unweigerlich daran denken, dass Heather Aaron einmal zu Weihnachten eine Kaffeetasse mit einem Bibelvers über Liebe geschenkt hatte. Damals erzählte Aaron Maggie, seine Frau habe das merkwürdig gefunden und gesagt, Heather habe ihm die Tasse nur geschenkt, weil sie mit ihm schlafen wolle. Und immer wenn er die Tasse benutzt habe, habe Marie gesagt: »Na, trinkst du wieder aus deiner Fick-mich-Tasse?« Maggie kann natürlich nicht wissen, ob das Gespräch zwischen Marie und Aaron wirklich so stattgefunden hat. Als sie zusammen gewesen waren, hatte Aaron ihr gestanden, dass er glaube, Sammy würde auf ihn stehen. Wodurch Maggie über Wochen eine irrationale Wut auf Sammy hatte und ihr nicht einmal sagen konnte, warum. Rückwirkend glaubt Maggie, Aaron habe sie entweder eifersüchtig machen oder ihr ihre Freundinnen madig machen wollen, damit niemand mehr bliebe, dem sie ihr Geheimnis erzählen könnte. Ihm war beides gelungen.

Während des Kreuzverhörs durch die Staatsanwaltschaft werden alle Lehrer gefragt, ob sie je nach zweiundzwanzig Uhr mit Schülern telefonieren. Candace Paczkowski und Amy Jacobson, die Aushilfslehrerin in Aarons Englischkurs, betonen, wie sehr Aaron seinen Schülern beistehe, und bringen zum Ausdruck, sie würden dasselbe tun, wenn ein Schüler in Not sei. Mrs. Paczkowski und die anderen Zeugen müssen Maggie bei ihrer Verteidigungsrede für Aaron nicht ansehen. Denn Maggie sieht sie erst in den Abendnachrichten, von dem Sessel aus, in dem ihr Vater früher immer gesessen hat. Sie weint und kotzt und weiß nicht, auf wen sie überhaupt noch zählen kann.

Zum Abschluss fragt Byers Mrs. Paczkowski: »Was ist mit der Uhrzeit der Anrufe? Haben Sie je gegen Mitternacht Anrufe von Schülern bekommen oder selbst welche getätigt?«

»Nein«, antwortet sie.

# Sloane

In der Anfangszeit des Restaurants veranstalteten Richard und Sloane eine Silvesterparty. Unter den Köchen, die an dem Abend arbeiteten, war auch Wes, Richards rechte Hand. Wes war sehr attraktiv, so ein dunkler Typ mit Raupenbrauen und kantigem Kiefer, der zugleich subversiv und sympathisch daherkommt. Und Wes schlief damals mit zwei anderen Angestellten, Jenny und Danielle, die nichts voneinander wussten. Er war auch mit einer Stammkundin des Restaurants im Bett gewesen. Wenn er ein Zimmer verließ, hatten die Leute wie so oft bei charmanten Männern das Gefühl, nun würde es sich gar nicht mehr lohnen, noch länger zu bleiben.

Sloane kannte Wes schon seit Jahren. Sexuell hatte er sie nie angemacht, aber was an diesem Silvesterabend kurz vor Mitternacht geschah, brannte sich ihr ein.

Sie bediente im ganzen Saal und kam sich vor wie ein Fisch im Aquarium – lebte für die Gäste, stellte sich herausgeputzt für sie zur Schau, schwebte ganz natürlich zwischen ihnen hindurch. Sie fühlte sich schön und dünn. Sie hatte seit Jahren nicht mehr erbrochen. Hatte gesündere Wege gefunden, schlank zu bleiben. Zwanghaft waren allerdings auch die noch. Denn sie ging oft ins Fitnessstudio, aß wenig und hatte rasch gelernt, kleine Übungen in ihren Tagesablauf einzubauen, unscheinbare Bewegungen etwa, die die Oberschenkel strafften und sich auch am Telefon oder beim Abräumen nach dem Essen machen ließen. Richard kam zu ihr.

»Das musst du sehen«, sagte er.

Sie folgte ihm in die Küche.

Es war fünf Minuten vor Mitternacht. Jenny und Danielle liefen in den Küchengängen auf und ab und suchten Wes. Auch die Kundin, mit der er geschlafen hatte, war in die Küche gekommen. Sie sahen hinter den Kühlschränken nach. Drei Frauen, die beim Glockenschlag denselben Mann küssen wollten.

»Wo ist er?«, flüsterte Sloane Richard zu.

Richard deutete auf den Tiefkühlraum. Sloane öffnete die Tür einen Spalt, und da lehnte Wes an der Wand neben den rubinroten Fleischtranchen, die von der Decke hingen.

Er legte den Finger an die Lippen. Sloane sperrte den Mund auf und mimte Ungläubigkeit. Er zwinkerte. Ein Lächeln huschte über sein Gesicht, schlitzohrig und zärtlich zugleich. Sie lächelte zurück, schloss die Tür und ging wieder in den großen Speisesaal. Schlag Mitternacht küsste sie ihren Mann. Alle Anwesenden lärmten, riefen »frohes neues Jahr!« und stießen mit Champagner an.

In den Jahren danach experimentierten Richard und Sloane damit, Dritte in ihr Schlafzimmer einzuladen. Meist waren es Männer. Es machte Richard an, wenn seine Frau in seiner Gegenwart mit einem anderen Mann zugange war. Manchmal war Sloane mit dem anderen aber auch allein, und Richard arbeitete. Dann hielt sie ihn mit kurzen Nachrichten auf dem Laufenden, damit er sich informiert und einbezogen fühlte.

Richard wählte den Mann aus. Er erwähnte jemanden,

mal im Bett, mal beim Kaffee, wenn die Kinder schon in der Schule waren. Sloane konnte sich an den Inhalt dieser Gespräche nie erinnern. Sie lehnte selten ab. Manchmal war sie überrascht von bestimmten Männern, die Richard für sie ausgesucht hatte, aber meistens leuchtete ihr seine Wahl ein. Wes hatte sie dabei nie in Betracht gezogen. Sie kannte ihn schon ewig. Er war attraktiv und hatte dichte, volle Haare. Sloane aber bevorzugte ihre Männer kahl und mächtig, so wie ihr eigener Mann es war.

Normalerweise löste der andere Mann weder in die eine noch in die andere Richtung etwas in ihr aus. Aufregend war einfach, dass ein Dritter mitmachte. Immer sahen sie gut genug aus, waren nett genug und intelligent genug. Nichts, was ihr auf den Magen geschlagen hätte. Doch sie selbst hätte sich diese Männer nicht ausgesucht.

Manchmal war die dritte Person auch eine Frau, so wie an ihrem siebenundzwanzigsten Geburtstag. Sloane waren Frauen lieber. Sobald zwei Männer im Spiel waren, hatte sie das Gefühl, auf einer Bühne zu stehen. Die ganze Aufmerksamkeit galt ihr, in jeder Szene war sie der Star. Manche Männer mochten es nicht, wenn ihre Eier oder ihr Schwanz die Eier oder den Schwanz ihres Mannes streiften, und sie hatte die Aufgabe, solche Unfälle zu vermeiden. Manchmal hatte sie das Gefühl, die einzige Spielerin auf einem Badminton Court zu sein und den Shuttlecock auf beiden Seiten des Netzes in der Luft halten zu müssen.

Alle Dreier gingen auf Richards Initiative zurück. Sie stellte sich in den Dienst seiner Vorlieben, auch wenn sie es ebenfalls genoss. Ging es um Sex, tat sie selten etwas nur für sich allein, außer einmal, da war sie kurz davor gewesen.

Es war mit Freundinnen in Sag Harbor. Sie tranken

Wodka in einer Bar an der Bucht, und Sloane sah, wie auf den Jachten im Hafen, jede für sich ein Juwel, die Lichter angingen. Sie hatte den ganzen Abend kaum etwas gegessen, ihr Bauch war flach. Obwohl es ihr besser ging und sie ihre Essstörung für so etwas wie einen Normalzustand hinter sich gelassen hatte, plagten sie noch immer dunkle Ängste, sobald es ans Essen ging. Davor, wie es in einem aufquellen konnte. Sie hatte nie Übergewicht gehabt. Es war nicht, als hätte sie fünfzig Kilo abgenommen und wäre noch wegen der damit einhergehenden Probleme verkatert, den Jahren mit Gummizughosen und wallenden Tuniken. In ihren Schwangerschaften hatte sie ein bisschen zugelegt und dann wie so viele Frauen Mühe gehabt, die überschüssigen Pfunde wieder loszuwerden. Aber die meiste Zeit hatte sich Sloane ihre Ringe problemlos anstecken können. Nur die Angst ging nie weg.

An den ersten Abend in Sag Harbor erinnerte sie sich nur vage. Alle tranken viel. Als Sloane an der Bar die nächste Runde holte, stieß sie auf zwei Bekannte, ein Pärchen. Sie hatten schon immer miteinander geflirtet, auch die Frau, und an diesem Abend war es nicht anders. Hinterher hätte Sloane nicht sagen können, wer von den beiden sich mehr gefreut hatte, sie zu sehen. Und sie flirtete zurück. Dann verschwanden alle auf ihren Zimmern.

Am nächsten Morgen rief Sloane Richard an und erzählte ihm von der Begegnung. Sie stellte sich vor, wie er in den Gängen der Küche herumwuselte und einen Hummer auslöste. Sie mochte die Gerüche in ihrer Restaurantküche.

Richard sagte, sie solle zum Zimmer des Paars gehen. Es war noch früh, aber die Sonne schien schon gleißend hell. Sie fühlte sich allem gewachsen, wenn auch nicht so ganz auf der Höhe. Sie fühlte sich dünn und hübsch. Manchmal reichte das für Sex. Sie schickte den beiden eine SMS. Die schrieben »komm runter« und gaben ihr die Zimmernummer durch.

Die Freundinnen, mit denen Sloane gekommen war, rauchten entweder draußen, oder sie waren mit Fahrrädern in der Stadt unterwegs. Sloane trug noch ihren Pyjama und zog ihre Joggingschuhe an. Vom Vorabend leicht verkatert, kam sie sich, als sie in Pyjama und Sneakers durch den klimatisierten Korridor ging, ein wenig lächerlich vor. Nicht gerade eine überzeugende Erscheinung. Sie ging schnell und nahm die Treppe, um nicht ihren Freundinnen über den Weg zu laufen. An der Zimmertür des Paars angekommen, sah sie sich noch einmal im Flur um, bevor sie klopfte.

Wenn Richard nicht dabei war, schickte sie ihm nicht nur Kurznachrichten, sondern nahm die Treffen manchmal auch mit der Handykamera auf. Richard und sie schauten sie sich dann später an.

Wenn sie mit anderen Leuten schlief, war sie oft völlig klar. Die negativen Teile ihres Lebens verdrängte sie. Frauen wie ihre Schwägerin, die ihr Schuldgefühle einredete, Probleme im Restaurant, Geldsorgen – all diese lästigen Nebensachen fielen einfach weg.

Am Anfang des Sommers hatte Sloane die drei Bände von *Shades of Grey* gelesen, und etwas in ihr hatte klick gemacht. Freundinnen erzählte sie, dass es sich anfühle, als wäre sie kurzsichtig gewesen und hätte plötzlich eine Brille aufgesetzt. Sie wusste, dass es albern war, die Sache so zu beschreiben. Wie eine Studentin im ersten Semester, die an einem Wochenende in den Ferien Nietzsche entdeckt und die ganze Welt mit einem Schlag in neuem Licht sieht.

Außerdem war es nicht Nietzsche, sondern eine Softporno-Trilogie.

In ihr schließt eine junge Frau einen Vertrag mit einem sexuellen Dom, der zufälligerweise auch ein wohlhabender, mächtiger und attraktiver Unternehmer ist. Sie wird seine Sub und lässt zu, dass er sie auspeitscht, in Handschellen legt und ihr Liebeskugeln in die Scheide schiebt. Nachdem sie die Bücher gelesen hatten, suchten Scharen von Frauen SM-Shops auf, kauften Reitpeitschen und ließen sie auf ihren Betten liegen. Diese anderen Frauen fühlten sich dank der Bücher wild und verwegen. Sloane aber kam sich vernünftiger vor. Ihr Lebensstil fühlte sich durch diese Bücher normaler an. Romantisiert sogar. Bevor sie sie gelesen hatte, war sie oft unsicher gewesen, was ihren Platz in der Welt anging. Wer war sie? Was war sie geworden? Was war sie *nicht* geworden? Anscheinend kamen und gingen die Menschen in ihrem Leben, hielten aber unbeirrt an dem fest, was sie hatten und wer sie waren, auch wenn sich das von Jahr zu Jahr zu ändern schien. Sloane lebte in Newport und war von Frauen umgeben, die spezielle Garderoben für ihre Sommerresidenzen besaßen, von Promis und Expräsidenten, die bei ihnen einkehrten, das Essen ihres Mannes aßen, in einer Bar Party machten und mit Menschen flirteten, mit denen sie nicht verheiratet waren, nur um danach in ihren Alltag, ihre heteronormativen und monogamen Beziehungen zurückzukehren. Sloanes Alltag dagegen war von *Shades of Grey* und der durchschlagenden Wirkung, die diese Bücher auf sie entfalteten, verändert und verzaubert worden. Ich führe ein cooles Leben, sagte sie sich, das ist meine Rolle, und es ist gut so.

So wie sie die Kontrolle über ihr Essverhalten übernommen hatte, übernahm sie jetzt die Kontrolle über ihre Geschichte. Wenn sie bis dahin einfach nur die Wünsche ihres Mannes erfüllt hatte, ohne ihr eigenes Begehren ernst zu nehmen, hatte Sloane jetzt eine neue Linse, durch die sie ihre Rollenverteilung betrachtete. Sie war eine Sub, und eine Sub fügte sich den Forderungen des Doms. Sie spürte, dass sie stärker danach gierte denn je zuvor. Als Richard zum ersten Mal vorgeschlagen hatte, sie könnte mit anderen Männern schlafen und ihm davon erzählen, hatte sie sich schwer damit getan. Nun gefiel ihr die Vorstellung, anders und unanständig zu sein. Früher hatte sie nie etwas gemacht, was Richard nicht vorgeschlagen hatte. Jetzt sah das anders aus.

Sie erzählte Ingrid, ihrer besten Freundin seit der Highschool, sie sei eine Sub, als sie ein Wochenende auf Fire Island verbrachten. Die beiden Frauen gruben die Zehen in den Sand, trugen Strohhüte mit breiten Krempen, und ihre langen Haare umspielten ihre Schultern.

Sloane schilderte, dass sie sich dank der Bücher hatte befreien können, wie sie sich schon von ihrer Essstörung befreit hatte. Sie aß gedünstete Venusmuscheln. Dippte sie in Butter. Für manche Menschen war das selbstverständlich. Sloane aber wusste, dass es immer etwas gibt, was für die einen selbstverständlich und für die anderen unerreichbar ist.

Sie spürte, dass Ingrid Fragen auf der Zunge lagen, die sie nicht stellen wollte. Auch Sloane hatte Fragen. Das ist einfach so, wenn man der besten Freundin etwas erzählt und plötzlich merkt, dass dieses Etwas nicht mehr ganz so schön glänzt, wie man eben noch meinte. Man kann abstürzen.

Niemand sagte laut: Kannst du dich auf diese Weise damit abfinden, dass dein Mann sehen will, wie du mit anderen Männern schläfst?

Sloane hörte die Frage trotzdem.

Sie schaute aufs Meer hinaus, das hier kleiner und grauer wirkte als in Newport.

»Ich weiß jetzt, wer ich bin«, erklärte sie Ingrid. »Ich kann die Menschen besser verstehen, weil ihre Stimmen nicht mehr gedämpft sind. Kennst du das, wenn andere reden und sich dir vorstellen, und du hörst die ganze Zeit nur deine eigenen Gedanken? Weißt du, diesen Lärm im Kopf höre ich nicht mehr. Jetzt höre ich den Menschen zu.«

Ingrid nickte.

»Ich kann mich plötzlich an Namen erinnern«, fuhr Sloane fort. »Und weißt du noch, dass ich immer sofort das Bett gemacht habe, wenn ich aufgestanden bin? Egal, wo wir waren? Jedes Bett, in jedem einzelnen Haus – selbst in irgendeiner Ferienwohnung?«

Ingrid grinste. »Klar«, antwortete sie.

»Jetzt kann ich an Betten vorbeigehen. Ich sage mir: Mach das Bett nicht. Ich sage: Mach. Das. Scheißbett. Nicht. Und dreimal darfst du raten, ich mache es wirklich nicht.«

In Sag Harbor öffnete das Paar die Tür. Der Mann trug ein Hemd und Shorts. Die Frau trug ein Tanktop über einer Leinenhose. Die Jalousien waren geschlossen, sie hatten Champagner bestellt. Kurz nachdem Sloane gekommen war, klopfte es an der Tür. Der Kellner vom Zimmerservice betrachtete die drei Menschen, die noch vor neun Uhr früh Champagner trinken wollten. Dann sah er zu Boden. Sloane lachte, als hätte sie schon ein Glas geleert.

Sie merkte, dass sie sich besser fühlte, als sie gedacht hatte, und küsste zuerst die Frau. Man muss immer zuerst die Frau küssen. Dann ging alles sehr schnell. Eins führte zum anderen, und als Sloane kurz innehielt und aufstand, um Richard eine SMS zu schicken, merkte sie, dass der Akku ihres Handys leer war.

»Mist!«

»Was ist denn?«, fragte das Paar. Die beiden lagen im Bett, warteten auf sie, lächelten und streichelten einander. Sloane legte sich wieder zu ihnen. Sie sagte sich, dass das kein Problem sein würde. Und blieb noch zwei Stunden, vielleicht sogar länger. Am Ende machte der Gedanke an Richard sie aber doch unruhig. Inzwischen war der Mann zu betrunken, um zu kommen, was Sloane richtig frustrierte. Sie gab sich alle Mühe, ihn zum Orgasmus zu bringen, aber es klappte einfach nicht. Sie ärgerte sich auch über seine Frau, die anscheinend gar keine Ahnung hatte, wie sie ihrem Mann Erleichterung verschaffen konnte.

Als es vorbei war, verabschiedete sie sich schnell und zog sich nur notdürftig wieder an. In ihrem Hotelzimmer erreichte sie Richard, der ganz aufgelöst war. Das hatte sie befürchtet.

»Das geht nicht, dass du dich nicht bei mir meldest«, sagte er. »Ich hab dann das Gefühl, du beziehst mich nicht ein. Das war fürchterlich für mich.«

Sloane hatte ein schlechtes Gewissen, und überhaupt ging es ihr ähnlich. Auch wenn Richard nicht dabei war, brauchte sie das Gefühl, dass er bei ihr war, in ihrem Herzen, im Handy neben dem Bett. Sie hatte sich mehr Befriedigung versprochen.

»Es tut mir so leid«, sagte sie. Richard legte auf, und Sloane machte einen Spaziergang. Sie konnte noch nicht auf den Punkt bringen, wer sie war und was sie eigentlich wollte, und die Entdeckung, dass es da noch mehr zu entdecken gab, löste in ihr nicht gerade Glücksgefühle darüber aus, dass ihr Leben so ausgewogen war. Sie machte sie nur müde.

Sloane konnte nicht sagen, wann es sich änderte, sie wusste nur, dass sich etwas geändert hatte. Wes war immer charmant gewesen; jede Frau, die ihm begegnete, lächelte hinterher. Sloane gegenüber war er jedoch nie charmant gewesen. Er hatte nie seine Zähne gezeigt.

Irgendwann in diesem Sommer fing es mit kaum spürbaren Dingen an. Er neckte sie beispielsweise. Bewunderte ihre Beine, wenn sie einen Rock trug.

Richard merkte das. Am Anfang machte er nichts. Aber Sloane spürte es in der Küche. Sie kam herein, Wes sagte etwas, sie lachte, sie sahen sich an, und dann drehte sie sich zu Richard um und merkte, dass der sie von der anderen Seite des Raums aus beobachtete. Sie konnte das Gefühl nicht anders in Worte fassen: Es war, als würde ein Stern sie entzünden.

Das Gefühl wurde von der Tatsache verstärkt, dass all dies in einem Restaurant stattfand. In ihrem Restaurant. Restaurants haben immer etwas Bühnenhaftes. Jeder verkleidet und vergnügt sich. Während die Besitzer, Köche und Kellner jeden Abend eine Vorstellung geben. Sloane war die Hauptdarstellerin, der groß gewachsene, attraktive und intelligente Chefkoch flirtete mit ihr, und ihr Mann, Besitzer und ebenfalls Chefkoch, sah zu. Und obwohl Richard das gut fand, ja sogar erregt davon war, war doch immer auch ein bisschen Eifersucht im Spiel. Diese Eifersucht machte ihn an, und das machte wiederum Sloane an. Es gab ihr ein Gefühl der Macht.

Inzwischen waren fast zehn Jahre vergangen, seit sie gesehen hatte, wie Wes am Silvesterabend vor drei verliebten

Damen in den Tiefkühlraum geflohen war, aber sie sah das Bild immer noch vor sich. Im Grunde hatte er sich nicht groß verändert, nur kam Sloane neuerdings in den Genuss seines Charmes. Er war immer noch mit einer der Frauen aus jener Nacht zusammen. Es war Jenny, und Sloane kannte sie. Wes und Jenny hatten drei gemeinsame Kinder, waren aber nicht verheiratet. Sloane nahm an, dass sie eine offene Beziehung führten, allein schon, weil Wes Wes war und weil sie wusste, dass Jenny immer mal wieder was mit Frauen gehabt hatte. Als Richard sie einmal nachts fragte: »Was hältst du von Wes?«, dachte sie nicht gleich an Jenny.

»Wes und ich, meinst du?« Sie lagen im Schlafzimmer. Sloane war gerade mit ihren abendlichen Fitnessübungen fertig. Brücken à la Jane Fonda für einen knackigen Po machte sie immer, oft auch noch seitliche Leg Lifts und Sit-ups. Diese und andere Übungen machte sie auf einem Teppich neben dem Bett, seit sie den Kampf gegen ihre Ess-störung aufgenommen hatte. Sie brauchte dafür nur fünf bis zehn Minuten, ließ sie aber nie aus, auch nicht, wenn sie betrunken, bekifft oder beides war.

»Was hältst du davon?«, fragte Richard.

»Klar«, sagte sie und sah zur Decke hoch. »Warum nicht?«

Ein paar Wochen danach waren Wes und sie zufällig allein im Restaurant. Gut, da waren noch andere Leute, Hilfskellner und so, aber die zählten nicht, weil sie nicht zu Sloanes Bekanntenkreis gehörten. Richard hatte ihr gerade einen Abschiedskuss gegeben. Er fuhr mit den Kindern zum Grillen.

Erst kurz zuvor hatte sich Sloane eine neue Tätowierung an der Hüfte stechen lassen. Die Stelle war noch gereizt, und ebendiese Empfindlichkeit erregte sie.

Sie fand Wes in der Küche, wo er gerade einen Fisch filetierte. Bartstoppeln verdunkelten sein Gesicht. Er sah immer ein bisschen schlampig aus. Sloane flirtete von Natur aus gern, gleichzeitig war ihre Sexualität aber sehr fein austariert. In manchen Augenblicken verstärkte sie ihr Wesen, in anderen schwächte sie es ab. Wes gegenüber musste sie nichts dergleichen tun. Es turnte sie an, dass sie ganz sie selbst sein konnte.

»Hi«, sagte sie.

»Selber hi«, sagte er und sah zu ihr auf. Sie spürte ein Kribbeln zwischen den Beinen.

»Ich hab ein neues Tattoo.«

»Ach ja?«

Beide lächelten. Sie fragte, ob er es mal sehen wolle. Das Haus von Richard und Sloane lag nebenan, und Wes hatte dort oft Dinge vorbeigebracht oder einen Kaffee mit ihnen getrunken. Ihn jetzt mitzunehmen fühlte sich völlig sicher und normal an.

Sloane schickte Richard eine SMS. Sagte ihm, was sie vorhatte. Sie wusste, dass er es gutheißen würde. Dass er es mochte, wenn sie selbst die Initiative ergriff, nachdem er einen Vorschlag gemacht hatte. Dass er gern auf seine Macht verzichtete. Und es machte sie glücklich, wenn sie ihm eine Freude machen konnte.

Im Schlafzimmer zog sie den Bund ihrer Hose so weit nach unten, dass Wes das Tattoo sehen konnte. Er kniete auf Hüfthöhe vor ihr. Sie spürte seinen Atem auf ihrer Haut und dann auch die Stoppeln seines Barts.

Beide hatten Orgasmen, als hätten sie schon seit vielen Jahren gemeinsam Orgasmen gehabt. Das Gefühl der Normalität wurde jedoch von dem Wissen durchkreuzt und belebt, dass sie trotz allem etwas Unerlaubtes taten. Sloane war high und glücklich. Als sie sich wieder angezogen hatten, griff sie nach ihrem Handy. Sie erzählte ihrem Mann, wie es gelaufen war. Richard schrieb zurück, es sei schwer auszuhalten, beim Essen mit den Kindern die ganze Zeit einen Ständer zu haben. Sie grinste, und dann unterhielten Wes und sie sich über das Leben, über Kinder, das Restaurant und was Soundso beim Abendessen mache. Nichts war je so natürlich gewesen.

Es folgten Monate, in denen Sloane den lustvollsten und rauschhaftesten Sex ihres ganzen Lebens hatte. Richard ging es genauso. Es war nie einfach gewesen, den richtigen Dritten zu finden. Den richtigen Typ Mann. Faszinierende und gut aussehende Qualitätsmänner in ihrem Alter waren verheiratet, oder sie interessierten sich nicht für die Art von Arrangement, nach dem Richard suchte. Darüber hinaus hatten Fremde Sloane im Bett oft vergrault. Ihr Grunzen und ihre Macken. Dass manche Männer sie von hinten nahmen und ihr dabei fordernd eine Hand an die Hüfte legten, während die andere das Anzugshemd anmutig am Hintern zusammenzog. Solche Sachen turnten sie total ab. Die Brutalität der einen und der Gestank der anderen.

Mit Wes gab es nie Probleme dieser Art. Es gab keine Komplikationen. Der Sex war fordernd, aber auch liebevoll. Beide Männer vögelten Sloane viel, gemeinsam und einzeln. Sie küssten sinnlich. Es war wunderschön, ihren Mann zu küssen, während ein atemberaubend attraktiver Mann sie leckte. Oder anders herum. Es war herrlich, mit einem anderen Mann zu vögeln, während ihr Mann anerkennend zusah. Sie fühlte sich keine Sekunde lang unrein. Sie fühlte sich geliebt. Sie spürte, dass Richards und ihr Begehren auf eine Art und Weise verschmolzen, die sie nie für möglich gehalten hätte. Vor allem aber fühlte sie sich lebendig.

Manchmal dauerte der Sex nur eine halbe Stunde. Kein Marathon mit Seidenbettwäsche und Kerzen. Der Sex war vorbei, wenn sie gekommen waren. Sloane brauchte meist am längsten, weil ihre Treffen ihre Fantasie vielleicht schon tagelang beschäftigt hatte, aber wenn es dann so weit war, spielten ihre Nerven ihr einen Streich. So nannte sie das. Sie sagte: »Okay, Jungs, belassen wir es dabei.« Wenn Wes weg war, brachte sie sich selbst zum Orgasmus, manchmal mit Richard oder allein, und kostete noch einmal aus, was da in ihrem Bett gerade passiert war. Wenn sie Zeit hatten, zogen sich die drei hinterher an und tranken noch einen Kaffee. So lief es auch, wenn Sloane und Wes sich allein trafen. Sie unterhielten sich, als säßen sie abends mit Freunden zusammen.

Seit ihr Verhältnis dieses neue Stadium erreicht hatte, sprach Wes selten von seiner Partnerin Jenny. Sloane kannte das von Männern. In ihrer Gegenwart löschten sie ihre eigenen Frauen aus. Sie nahm dennoch an, dass Jenny Bescheid wusste. Da Wes ein rücksichtsvoller Mann war, ging sie davon aus, dass er für sie die richtigen Entscheidungen traf.

Sloane befürchtete, das, was sie hatten, könnte irgendwie gefährdet werden. Denn Wes hatte ihrer Ehe und ihrem Selbstwertgefühl ungeahnten Auftrieb gegeben. Nun warteten zwei heterosexuelle Männer auf sie, wollten sie die ganze Zeit. Sie fühlte sich mächtig.

Eines Abends fragte sie Wes: »Hast du Jenny eigentlich mal gefragt, ob sie mitmachen möchte?« Sie hatten gerade richtig Spaß gehabt, als sie den Vorschlag machte. Sich über irgendeine Sache amüsiert, die ein gemeinsamer Freund angestellt hatte. Doch dann merkte Sloane an Wes' Reaktion, dass Jenny nicht wusste, wo er diesen Abend verbrachte. Dass sie es auch all die anderen Nachmittage und Nächte nicht gewusst hatte.

Als sie später mit Richard allein war, sagte Sloane: »Ich glaube, sie weiß von nichts.«

»Muss sie doch aber«, entgegnete er.

»Glaub ich nicht.«

Richard wollte das, was sie hatten, nicht kaputtmachen. Sloane ging es nicht anders. Aber ein Schalter war umgelegt worden, und das konnte sie nicht rückgängig machen. Es war wie bei den Leuchttürmen vor ihrem Fenster – die wurden auch nie abgeschaltet. Sie fühlte sich nicht wohl. Etwas wurmte sie. Lange Zeit begleitete sie die Angst davor herauszufinden, dass Jenny wirklich nichts wusste. Dass Jenny zu Hause war, mit den Kindern Kekse backte, im Garten Unkraut jätete, Geldsorgen hatte und nichts von dem wusste, was ihr Partner an diesen Tagen machte. Sloane hatte Angst, erwischt und als schlechter Mensch beschimpft zu werden. Und so kam es auch.

Es war Winter, aber nicht kalt. Sloane ging mit einem Nachbarshund Gassi. Richard war im Ausland. Er fehlte ihr, doch sonst war sie ganz cool und entspannt. Sie kümmerte sich um das Haus, fand Zeit zum Lesen und traf sich mit Freunden. Später wollte sie noch auf den Markt und ihren Kindern irgendwas Witziges mitbringen. Vielleicht könnten sie einen Kuchen backen, mit Glasur und Streuseln. Später wurde ihr klar, dass einem oft genau dann ein Amboss über den Schädel gezogen wird, wenn man fröhlich und unbeschwert ist.

Kurz vor der Kurve, hinter der das Meer in Sicht kommen würde, plingte ihr Handy. Und Sloane las: »Ich habe

Wes' Handy. Ich habe deine SMS gesehen. Ich habe die Fotos gesehen.«

Die SMS war eine Antwort auf Sloanes Frage, wann Wes und sie das nächste Treffen arrangieren könnten. Sloane hatte eine anzügliche Bemerkung gemacht: »Freue mich schon auf nachher ...«

Plötzlich überkam sie das Gefühl, die ganze Straße habe Augen. Die Winterbeeren an den spröden Zweigen. Sloane kam sich nackt vor. War von sich selbst angewidert. Sie fühlte sich nicht wie eine Mutter, eine Ehefrau, eine Unternehmerin – nicht einmal wie ein gesunder Körper. Sie war ein Stück Dreck.

Weil sie Angst hatte, ohnmächtig zu werden, umklammerte sie die Hundeleine. Versuchte, sich auf das Tier zu konzentrieren. Der Hund wusste nicht, was für ein Mensch neben ihm stand. Sie schämte sich wahnsinnig, aber sonst war da nichts. Sloane spürte nichts als Leere in sich. Sie bestand nur aus ihren Kleidern, einem Poncho und guten Jeans. War sie wieder gestorben?

Obwohl sie um den Menschen trauerte, der sie gern gewesen wäre, wusste sie, dass es das Klügste war, sofort zurückzuschreiben. Sie sah sich um, wollte wissen, ob Jenny ihr auf der Straße entgegenkam oder in einem parkenden Wagen saß und sie beobachtete.

»Du hast da was falsch verstanden«, schrieb sie dann. Las die Worte auf dem Display noch einmal und hasste sich.

Sloane wusste – und sie konnte sich vorstellen, dass auch Jenny es wusste –, dass man solche Dinge fast nie falsch versteht.

Sie stand auf der Straße, und ihr Selbsthass wuchs und wuchs, bis er alle Sträucher und Bäume überragte. Bis zu diesem Tag hatte Sloane sich eingeredet: Vielleicht ist alles gut, vielleicht weiß sie Bescheid. Vielleicht weiß sie nur ungefähr Bescheid, lässt sich eines Tages aber doch darauf ein.

Jetzt konnte Sloane sich nicht länger belügen. Mehr noch, in diesem Augenblick wurde ihr klar, was sie die ganze Zeit gewusst hatte. Dass Jenny nie auch nur die leiseste Ahnung gehabt hatte. Und dass sie selbst immer nur versucht hatte, sich das einzureden.

Wieder kam eine SMS. Jenny schrieb, sie wolle Sloane nie wiedersehen, nie mehr ein Wort mit ihr sprechen oder etwas von ihr hören. Trotzdem müsse sie wissen, ob sie gesundheitlich auf der sicheren Seite sei.

Sloane sackte der Magen in die Kniekehlen.

Ihr war klar, dass es nicht um sie ging. Doch sie wollte Jenny und Wes retten, wollte ihn beschützen. Ihm helfen, sagte sie sich.

Sloane antwortete nicht. Jenny hakte nach. Sie müsse wissen, schrieb sie, ob Sloane irgendwelche Krankheiten habe. Sie müsse es wissen, jetzt sofort.

Sloane stritt noch einmal alles ab. Sie und Wes hätten unangemessen geflirtet, mehr nicht. »Mehr nicht«, schrieb sie Jenny. Wandte den Blick nicht von den Worten auf ihrem Display. Der Hund zerrte nicht an der Leine. Er saß da und wartete.

Es gab zwei Wahrheiten. Die erste lautete, dass sie nicht das Gefühl hatte, sie müsse sich um Jenny kümmern, weil Wes die richtigen Entscheidungen für seine Partnerin treffen würde. Die zweite Wahrheit, die vielleicht wahrer als die erste war, lautete, dass zwei Männer weniger über so etwas nachdenken als eine Frau. Vielleicht war diese Wahrheit irgendwie sexistisch, aber Sloane wusste, dass Männer sehr egoistisch sein können. Solange ihre Bedürfnisse befriedigt werden, ist ihnen der Preis egal. Es war Sloanes Aufgabe als Frau, dafür zu sorgen, dass die andere Frau aufgefangen wurde.

Und dann war da noch eine dritte Wahrheit: Dass es Wes in ihrem Leben gab, hatte Sloane zu einem ganzen Menschen werden lassen. Dank ihm war das, was sie mit ihrem Mann machte, okay gewesen. In mancher Hinsicht wusste sie nicht, wie sie ohne ihn weiterleben sollte.

Der Kontakt wurde praktisch sofort abgebrochen. Sloane wollte, dass Richard mit Jenny sprach. Richard sagte, er werde es sich überlegen. Dann verging einige Zeit, bis er meinte, es sei wohl am besten, die Sache auf sich beruhen, das Ganze sacken zu lassen. »Wir sollten uns nicht in eine andere Beziehung einmischen«, erklärte er.

»Das haben wir längst«, sagte Sloane.

Monatelang wusste Sloane nicht, ob Wes und seine Partnerin zusammenbleiben würden. Sie machte sich Sorgen um die Familie, um die Kinder. Das Gerücht lautete schlicht und einfach, Sloane habe eine Affäre mit Wes gehabt. Wie so oft spielte es keine Rolle, wie komplex alles in Wirklichkeit gewesen war, ganz zu schweigen von der Wahrheit.

Sloane war todunglücklich. Wes fehlte ihr, der Mann, bei dem sie Schutz und Trotz gefunden hatte, weil er ihr nicht das Gefühl gab, ihr Leben sei völlig abnormal. Natürlich blieb ihr Richard, ihre Stütze, doch Wes war jemand von draußen gewesen, durch den sie ihre Entscheidungen hatte rechtfertigen können. Er war ein enger Freund geworden. Und dank ihm hatte sich das, was Richard von ihr wollte, weniger nach Sex und mehr nach Liebe angefühlt.

Im Grunde wollte sie, dass Richard Jenny erklärte, dass er sie dazu gebracht hatte – was ja nur die Wahrheit war. Sie wollte, dass er ihr sagte: Pass auf, nicht Sloane ist hinter

Wes her. Wir waren uns über eure Beziehung nicht im Klaren. Wir beide haben das als Paar zu verantworten. Es war nicht Sloane. Das Bild, das du von ihr hast, ist falsch.

In Wirklichkeit aber war es gar nicht Sloane, die so über die Sache dachte. Es war ihre beste Freundin Ingrid, die sagte, Richard muss mit dieser Frau reden. Genau das muss er machen.

Einige Monate später begegnete Sloane der ganzen Familie auf der Fähre. Sie war allein und merkte, dass sie einen Kloß im Hals hatte. Und eine Heidenangst. Zum Glück wühlte Jenny gerade in ihrer Handtasche. Wes und die Kinder unterhielten sich und schauten aufs Wasser hinaus. Sie deuteten auf irgendetwas, dann entdeckte Jenny es auch. Alle lachten. Sloane sah, dass sie glücklich waren. Es war nicht von Bedeutung, dachte sie. Es ist vorbei. Es ist nichts Schlimmes passiert. Kurz meinte sie, Wes habe sie aus dem Augenwinkel gesehen, aber wenn, ließ er es sich nicht anmerken. Jenny ebenso wenig, und so lachten sie weiter und unterhielten sich wie jede glückliche Familie. Sloane stieg schnell in ihren Wagen und blieb für den Rest der Überfahrt dort sitzen. Sie war ungeheuer erleichtert. Sie fragte sich, ob Wes sie nicht doch gesehen hatte; sie hatte den Eindruck, aber sicher war sie nicht. Vielleicht sah sie überhaupt niemand.

# Lina

Seine nächste SMS kommt um vier Uhr nachmittags. Die Kinder sind zu Hause, und es ist die Zeit am frühen Abend, zu der Lina üblicherweise das Abendessen aufwärmt, Wäsche in den Trockner lädt und ein paar Spiegel putzt. Würden sie sich am nächsten Tag treffen, wäre jetzt der perfekte Moment, um vom bevorstehenden Abend zu träumen.

Aber er kündigt es nie an, wenn er sich mit ihr treffen will. Er schreibt ihr in dem Moment, in dem ihn das Verlangen packt. Es ist grausam, zermürbend. Manchmal erwacht sein Verlangen, wie jetzt, um vier Uhr nachmittags, wenn beide Kinder zu Hause sind und sonst niemand da ist, der auf sie aufpassen könnte.

Einen Aufschub gibt es dann nicht. Männern wie ihm sagt man nicht, dass sie sich noch etwas gedulden müssen. In zwei Stunden hat sich ihr Verlangen wieder gelegt. Wenn Lina nicht innerhalb von zwanzig Minuten einwilligt, wird er den riesigen Kleiderschrank seiner Frau öffnen und sich mit Blick auf ihre Spitzen-BHs einen runterholen. Sein Sperma wird einen geisterhaften Fleck auf der braunen Macy's-Einkaufstüte hinterlassen, von der er dann die nasse Ecke abreißen und in den Schlafzimmerpapierkorb werfen wird. Wo auch der ganze Tag landet, auf den Lina in den letzten Wochen wie besessen hingefiebert und für den sie sich beim Barre-Training abgerackert hat.

Tatsache ist – und das ist Lina an klaren Tagen, in klaren Momenten bewusst –, dass er nur an sie denkt, wenn es sich für ihn gerade anbietet, wenn er betrunken ist oder gelangweilt oder wenn es sich sonst irgendwie gerade mal ergibt. Er trifft sich nur mit ihr, wenn er sich dafür nicht anstrengen muss, wenn ausgeschlossen ist, dass er erwischt wird oder mit der Arbeit in Verzug kommt, wenn es ihn nicht zu viel Sprit kostet. Aber selbst das ist keine Garantie. Mal meldet er sich, mal eben nicht. Es macht Lina fertig, doch zugleich hat sie es akzeptiert.

Sie steht in der Küche und schneidet Tomaten. Sobald die Klinge durch sie hindurchfährt, erst durch die dünne Haut und dann ins üppige Fleisch, muss sie an Sex denken; in letzter Zeit denkt sie bei allem an Sex. In ihren Träumen sieht sie sich in knietiefer Brandung mit Aidan knutschen und ficken, sieht, wie er sie leckt, wie sie sich auf einer Decke im Wald lieben, mit Laub im Haar. Sie stellt sich vor, was sie das nächste Mal anziehen wird, wenn sie ihn sieht, wie er vielleicht den Saum ihres schwarzen Kleids hochschieben wird, wie der Stoff über ihre Schenkel gleitet, bis sein Daumen das Bündchen ihre Slips ertastet. Sie träumt von rot glühenden Sonnenuntergängen, obwohl sie sich früher darüber lustig gemacht hätte. Früher, vor ihrer Verliebtheit. Vor ihrem *Rückfall* in die Verliebtheit.

Aber wenn er ihr um vier Uhr nachmittags schreibt, ist schlagartig Schluss mit solchen Fantasien. Sie könnte heulen bei dem Gedanken, wie schön es wäre, wenn er ihr doch gestern oder meinetwegen auch heute Morgen geschrieben hätte. Sodass sie nur einmal die kribbelnde Vorfreude und die Schmetterlinge genießen könnte, ohne diese gottverdammte Panik. Wie schön wäre es, wenn sie ihm so wichtig wäre, dass er ihr wenigstens einen Tag Zeit geben würde, um sich die Beine zu rasieren.

Er schreibt: »Schon was vor?«

Er ist auf seiner Baustelle, sagt den Männern, welche Grube sie heute ausheben sollen; oder er sitzt bei einem kalten Bier in der nächsten Bar; oder er ist in der Bar auf dem Klo, während er gerade tippt.

*Scheiße.*

»Schon was vor?« heißt, das weiß Lina, ich ficke dich sofort, wenn du es in der vorgegebenen Zeit hierherschaffst.

»Schon was vor?«

»Heute Abend noch nicht.«

»Am Fluss.«

»Am Fluss«, bestätigt sie. »Bis gleich.«

Das Problem sind die Kinder. Alle Frauen – viele sind es nicht –, die auf sie aufpassen könnten, sind beschäftigt. Lina weiß es, weil sie jede Einzelne von ihnen fragt, per Anruf, SMS oder Facebook. Ihre Eltern haben die Kinder gestern erst genommen, sie werden Lina für eine schlechte Mutter halten. Das würde sie in Kauf nehmen, aber auch ihre Eltern sind unterwegs.

Dann ruft doch noch eine der Frauen zurück. Lina hat ihr auf die Mailbox gesprochen und ihr fünfzehn Dollar pro Stunde angeboten. In dieser Gegend ist das viel Geld. Die Frau sagt zu.

Sie fühlt sich wie berauscht. Sie hat eine Babysitterin gefunden und eine Pizza bestellt, dann ist sie zu dem Betrieb gefahren, wo ihr Exmann arbeitet, hat ihren Pontiac samt Schlüssel dagelassen und sich seinen großen Chevy Suburban genommen, in dem sie jetzt zum Fluss fährt. Sie hat panische Angst, es nicht rechtzeitig zu schaffen.

Kurz nach fünf schreibt er: »Ich warte.«

Scheiße, denkt sie. Scheiße, was mache ich jetzt?

Sie schreckt davor zurück, ihm zu schreiben, wo sie gerade ist, weil er dann schreiben wird: Komm besser nicht. Beim Gedanken an diese Worte wird ihr fast übel.

Durch das Phentermin, das Elontril und das Cymbalta in ihrem Blut hat sie das Gefühl, jeden Moment einen Herzinfarkt zu erleiden. Dann kommt eine SMS von Ed, irgendetwas Nerviges. Halt's Maul, Ed, denkt sie. Manchmal gibt es nichts Schlimmeres, als auf eine SMS zu warten und dann eine von der falschen Person zu kriegen, wobei jede Person, die nicht die ersehnte ist, die falsche ist.

»Bin fast da«, schreibt sie Aidan.

»Lass mal, Baby. Wird zu spät.«

»Nein, bin doch fast da. Bitte.«

»Komm besser nicht«, antwortet er. Die Worte treffen sie direkt ins Herz.

»Bitte, ich bin auf dem Weg«, schreibt sie verzweifelt, die eine Hand am Steuer, während sie mit der anderen versucht, möglichst schnell und fehlerfrei zu tippen.

»Zu viel los hier am Fluss«, schreibt er.

Sie ist jetzt fünf Minuten nördlich vom Smith Valley und damit gleich an der Stelle, wo sie auf die County Line Road abbiegen muss. Gleich.

»Bitte«, schreibt sie. »Ich bin fast da.«

Minutenlang keine Antwort. Sie blinzelt immer öfter. Kann sich kaum noch auf die Straße konzentrieren. Sie bezahlt eine Babysitterin, die sie sich nicht leisten kann, hat Pizza bestellt, ihren Exmann und ihre Kinder belogen. Sie ist fünfundsechzig Kilometer gefahren, mit zwei Autos, eins davon geleast auf Kilometerbasis. Sie kratzt in ihrem Gesicht an etwas herum, das gar nicht da ist. Sie kann nicht glauben, dass sie weiterfährt. Und wird jetzt trotzdem nicht umdrehen. Er muss sich mit ihr treffen – er muss. Sie betet zu Gott.

»Aidan? Bitte.«

Hoffentlich ist ihre Verzweiflung nicht zu offensichtlich. Bitte, lass ihn kommen, betet sie. Lass ihn da sein, bitte, Gott. Du hast mir so wenig Glück geschenkt im Leben. Ich will nur diesen Mann treffen, nur noch dieses eine Mal.

Wenn sie nach Hause fahren muss und all das hier umsonst gewesen ist, stirbt sie. In diesem Moment glaubt sie das wirklich.

Und dann: Bing!

»Nimm ein Zimmer im *Best Western*.«

Es gibt ein *Best Western*, das auf dem Weg liegt, neben dem *Super-8-Motel* und dem Goodwill-Sozialkaufhaus. Sie erwischt gerade noch die Abfahrt. Instinktiv kennen ihr Herz und ihr Unterleib den richtigen Weg. Sie prüft ihr Make-up im Spiegel, rückt ihre Unterwäsche zurecht. Ihre Brustwarzen sind hart. Sie zittert, aber sie fühlt sich blendend.

Bis die Frau an der Rezeption des *Best Western* sagt, dass sie keine Barzahlungen annähmen. Lina kann doch unmöglich eine Kreditkarte ihres Exmannes benutzen, um mit Aidan zu schlafen.

Die Rezeptionistin heißt Gloria. Sie hat glattes dunkles Haar und trägt einen Pony. Lina hasst jeden, der ihr nicht hilft. Die ganze Welt ist gegen sie und will ihr Glück verhindern.

Sie schreibt Aidan: »Bist du schon da? Kannst du am Fluss bleiben, bitte? Ich komme gleich.«

Nach Norden durchs Smith Valley, dann nach fünf Minuten auf die County Line Road abbiegen – als wäre es die Wegbeschreibung zum achten Weltwunder.

Sie rast, fährt hundertdreißig, hundertfünfundvierzig, und plötzlich ist sie da, und sein Auto steht da, und sie ist so unglaublich glücklich, eine alles überstrahlende Euphorie bricht über sie herein. Die Ärzte behandeln ihre Depression mit Medikamenten, deren Namen sie nicht aussprechen kann. Bei jedem Besuch bekommt sie eine neue Packung Tabletten. Wenn sie nur wüssten, wenn sie doch nur einem Mann wie diesem verordnen könnten, sich immer an seine Verabredungen zu halten. Das ist alles, was sie braucht, um schmerzfrei zu leben.

Sie trägt ein schwarzes Oberteil, Jeans und eine Lederjacke. Er hat seine Arbeitsklamotten an.

Er geht um ihren Wagen herum zur Beifahrertür. Sie ist glücklich, aber auch ein bisschen sauer. Sie kann nicht anders. Die ganze Woche hat sie ihm auf Facebook geschrieben.

Er öffnet die Tür und steigt ein.

»Ich weiß, dass du meine Nachrichten gelesen hast«, sagt sie. »Und du hast nicht geantwortet.«

»Ich habe echt viel zu tun, Baby.«

»Du hast nicht mal Zeit für ein *einziges* Wort?«

Sie sitzen stumm nebeneinander.

»Liebst du deine Frau?«

»Sie ist schon in Ordnung.«

Nachdem sie einige Minuten geschwiegen haben, nimmt er ihre Hand und streichelt ihren Arm. Lina muss sich fast übergeben.

Irgendwo kräht ein Hahn und erinnert sie an die Farm ihrer Großeltern. Sie zeigt ihm das Hintergrundbild ihres Handys – ein Bild, auf dem ihre Kinder mit ihren Großeltern zu sehen sind. Am liebsten würde sie ihnen die Farm abkaufen. Stattdessen werden sie sie wohl ihren Eltern überlassen, und die werden sie mit Sicherheit verkaufen.

Sie lehnt den Kopf an seine Schulter, während er ihren Arm streichelt. Sie spielt mit den Fingern an seinen Grübchen. Am meisten fürchtet sie sich davor, dass er nur Sex mit ihr wollen könnte und sonst keine Gefühle für sie hat, doch in Momenten wie diesem weiß sie, dass er etwas für sie empfindet. Dass er sie liebt.

Sie ziehen auf den Rücksitz um und schauen sich bis zum Schluss an. Sie hat Angst davor, was er über ihr Gesicht denkt, dass er sie nicht hübsch findet, aber sie hält seinem Blick stand. Wie beim letzten Mal im Hotel. Nur dass sie sich diesmal jedes Detail genau einprägt. Jede Bewegung soll sich in ihr Gedächtnis einbrennen, damit sie sich später nachts an der Erinnerung wärmen kann. Am meisten mag sie:

Wie er sie, wenn sie auf ihm sitzt, unter sich bringt, und dabei die ganze Zeit in ihr bleibt.

Wie er sie so festhält, dass sie sich nicht bewegen könnte, selbst wenn sie es wollte.

Wenn er sich langsam und rhythmisch bewegt.

Wenn er so hart und schnell zustößt, dass sein Penis manchmal rausrutscht und die Stelle zwischen Vagina und Anus berührt.

Wenn sie sich ihm entgegenstemmt, um ihm einen Teil der Arbeit abzunehmen, so, als wäre sie eine talentierte Liebhaberin.

Dass er so groß ist. So groß, dass sie sich nicht wie eine zweifache Mutter, sondern wie ein Teenie beim ersten Mal fühlt.

Wenn sie ihn im Kofferraum des Kombis reitet, ihre Hände auf den Boden gestützt, ihr Arsch in seinen Händen. Rauf und runter, wie eine Krabbe, ein Tier, das nur für diese eine Bewegung geschaffen wurde.

Seinen Griff, wenn er beim Lecken ihre Hände mit nur einer Hand umschließt.

Seinen Mund, wenn er sich damit über sie hermacht, als würde er warmen Kirschkuchen verschlingen.

Wenn er ihn rauszieht und auf ihren Schamhaaren kommt.

Wenn er, nachdem er gekommen ist, ihre Brüste küsst, an ihren Nippeln saugt und es ihr mit dem Finger macht, damit sie auch oder noch ein zweites Mal kommt.

Wie er ihr die Finger reinsteckt. Das Gefühl, wenn seine Finger zärtlich in ihr auf und ab gleiten.

Wie er kreisförmig ihre Schamlippen liebkost, dann einen Finger dazwischenschiebt. Dann wieder Kreise, dann wieder der Finger.

Ed war immer mit der Hand an ihrem Arm entlanggefahren und hatte gefragt: »Na, Lust?«

Den ersten Schritt machen bedeutete für ihn fragen. »Willst du mich verarschen?«, hatte sie gesagt. »Wirf dich auf mich, oder pack mich und küss mich, sei ein *verdammter Mann*.«

»Aber so bin ich nicht«, hatte Ed dann geantwortet.

»Aber so will ich es«, hatte Lina erwidert. Das ist nicht zu viel verlangt. Wenn dich jemand liebt, dann ist es nicht zu viel verlangt, dass er dich küsst und sich bemüht, so mit dir zu schlafen, wie du es dir wünschst.

Aber scheiß auf Ed, das ist vorbei. Ed war mal.

Nach dem Sex mit Aidan an diesem Tag, nachdem sie zweimal gekommen ist, schaltet sie das Radio ein und sagt: »Die Cubs haben am Sonntag ordentlich eins auf die Mütze gekriegt.«

»Hm«, sagt er.

»Oh! Habe ich schon erzählt, wie Danny gestern in der Badewanne gesessen hat und es plötzlich im Wasser geblubbert hat? ›Danny!‹, habe ich gesagt. ›Hast du gerade in die Wanne getutet?‹ Und er: ›Mama! Ich hab gerade in die Wanne getutet!‹«

Aidan lacht. Er will etwas sagen, aber sie unterbricht ihn: »Schhh, nur kurz, ich will das über die Cubs hören«, und dreht das Radio lauter. Für sie ist das ein großer Triumph. Diejenige zu sein, die vorgibt, der andere wäre nicht das einzig Wichtige im Leben. Er grinst. Sie dreht den Kopf zum Fenster und blickt auf den braunen Fluss und die Bäume. Er zieht ihr Gesicht zu sich und küsst sie. Er küsst wie kein Zweiter. Sie fühlt sich wie in *Die Braut des Prinzen*. Ein paar Monate später wird sie ihre Freundinnen anschreiben und fragen, wer von ihnen Lust habe, den Film zu gucken und anschließend mit Wein im Whirlpool zu versacken. Nur zwei werden antworten – die eine muss zwei Wochen im Voraus Bescheid wissen, um sich den Tag freinehmen zu können, die andere schickt einen traurigen Smiley und schreibt, dass ihr Mann an diesem Wochenende Geburtstag habe.

Eigentlich kann sie den Moment gar nicht genießen, wenn Aidan sie so küsst. Ihr Gehirn ist verstopft mit den Gedanken, dass ihre gemeinsame Zeit irgendwann enden wird. Dass sie sich genau diese Momente deshalb einprägen muss. Manchmal sagen Leute, darunter der Arzt, der ihr das Progesteron verschreibt, zu ihr: »Lina, die Welt da draußen ist so groß. Sie wartet nur auf dich.« Solche Sprüche hasst sie, denn diese Leute sind glücklich in ihrem Leben.

Dass er sie zuerst geküsst hat und nicht umgekehrt, verleiht ihr ein Gefühl der Überlegenheit. Liebe, das weiß

Lina, ist immer auch Kampf. Jeder will um jeden Preis derjenige sein, der weniger leidet als der andere. Auch nach dem Sex hat sie sich überlegen gefühlt, als sie vorgegeben hat, die Cubs würden sie mehr interessieren als das, was Aidan sagen wollte. Aber jetzt holt die alte Bedürftigkeit und Angst sie wieder ein. Sie kommt sich vor wie ihre Mutter.

Leise murmelt sie, er solle nicht gehen. Er solle sie weiter küssen. Er gibt ihr eine Reihe von kurzen, aber herrlich leidenschaftlichen Küssen. Lustvoll stöhnt sie auf und sagt: »Mehr, mehr, *mehr.* Damit es für den ganzen Monat reicht, bis wir uns wiedersehen.«

Der nächste Kuss ist der unglaublichste Kuss ihres Lebens. Er zieht sie an sich und küsst und küsst und küsst sie. Dabei verlässt seine Zunge ihren Mund nicht eine Sekunde. Sie stöhnt. Sein Küssen ist so heftig, dass sein Mund sie nach unten zwingt, in seinen Schoß, wo sie sich stöhnend weiterküssen.

Etwas anderes hat sie nie gewollt. Lina ist überzeugt, dass der Wunsch, von dem Menschen begehrt zu werden, den man gerade für den allerattraktivsten hält, ein elementarer Trieb des Menschen ist. Nur dass viele Menschen diesen Trieb meist unterdrücken.

Ein letzter Kuss. Dann steigt Aidan aus, um zwischen den braunen Bäumen pinkeln zu gehen. Er holt sich ein Bier aus seinem Pick-up, lehnt sich an die Tür, macht die Flasche auf und bleibt noch ein paar Minuten.

Später wird sie ihm in einer SMS schreiben: »Danke, dass du gekommen bist und heute so viel Zeit mit mir verbracht hast.«

Wenn man sie fragt, wie lange es war, wird sie antworten: »Puh, ich würde sagen, so eine knappe halbe Stunde.«

# Maggie

Mit einem Rosenkranz in der Hand betritt Aaron Knodel den Zeugenstand.

Sein Anwalt beginnt mit dem Verhör. Man könnte eine Stecknadel fallen hören, so still ist es im Gerichtssaal. Hoy stellt die Dickens'schen Fragen nach dem Geburts- und aktuellen Wohnort. Aaron Knodel beschreibt sich als heimatverbunden. Er beschwört die dunklen Flüsse und die ewig langen, durch endlose Weiten führenden Straßen North Dakotas herauf. Er sei in Beulah geboren, als Kind eines Lehrerehepaars; sein Vater sei gestorben, da sei er sieben gewesen, und seine Mutter habe danach einen Arzt geheiratet. Sechs Geschwister von zwei Ehemännern, außerdem noch adoptierte Geschwister von den Marshallinseln. Er sei an der Beulah High School sowohl in verschiedenen Schulclubs als auch im Sport aktiv gewesen. 1997 habe er seinen Schulabschluss gemacht und sei dann zum Elektrotechnikstudium an die NDSU gegangen – nur um dann als Lehrer zu enden, fügt er hinzu. Man hört Gelächter im Gerichtssaal, wie es oft auf die Anekdoten beliebter Männer folgt.

Seine Eltern hätten ihn inspiriert, Lehrer zu werden, besonders die Erinnerungen an seinen verstorbenen Vater und die Geschichten über dessen Güte und Weisheit. Mit Marie sei er in seinem dritten Jahr an der NDSU zusammengekommen und nach dem Abschluss zusammengeblieben. Er habe einen Job als Lehrer an der Shanley angetreten – der katholischen Highschool, an der Arlene und Mark Wilken sich ineinander verliebt hatten.

Das Verhör ist in Wirklichkeit ein Gespräch, leicht und unterhaltsam. Zwei Männer, die über den Aufstieg des einen plaudern. Hoy fragt, wann Aaron und Marie geheiratet hätten.

»Das war – also, jetzt, wo ich unter Eid stehe, muss ich ja aufpassen, nichts Falsches zu sagen – am 26. Juli 2003.«

Wieder Gelächter.

Sie sprechen über Aarons drei Kinder. Eins ist zehn, eins acht und eins zwei Jahre alt. Der Abstand zwischen dem Achtjährigen und dem Zweijährigen ist auffällig groß. Ein paar von Maggies Leuten sind der Meinung, dass es Paare gibt, die Kinder sorgfältig im Zweijahresabstand planen, und andere, die das aus dem Bauch heraus entscheiden, und wieder andere, die mit sorgfältig geplanten Abständen anfangen und dann im Dienste einer höheren Macht noch ein drittes hinterherschieben.

Sie sprechen über Aarons Selbstverständnis als Lehrer. Er erzählt dem Gericht, was er den Kids am ersten Tag eines neuen Schuljahres sagt.

»Ich sage ihnen immer als Erstes, dass ich keine Ahnung habe, was in ihrem Leben los ist. Ich weiß, ihr Leben spielt sich nicht innerhalb der Klassenzimmerwände ab. Mir ist also klar, dass in ihrem Leben Probleme auftauchen können, die dem, was ich tue und mit ihnen erreichen will, im Weg stehen. Wenn da also etwas auftaucht, das dem im Weg steht, sollen sie mich bitte wissen lassen, wie ich ihnen helfen kann.«

Sie sprechen darüber, wie sein Tagesablauf zur Zeit der

vermeintlichen Straftat aussah, das Aufstehen, das Absetzen der damals zwei Kinder im Kindergarten und die Fahrt zur Schule. Er räumt ein, es nicht jeden Tag pünktlich in die Schule geschafft zu haben. Das schlechte Gewissen ist nicht zu übersehen.

Hoy ist smart und kühl. Er fragt seinen Mandanten: »Gab es eine Ihnen zugewiesene Zahl von Schülern, die jeden Morgen um acht Uhr dreißig in Ihrem Klassenzimmer oder Ihrer Beratungsklasse zu sein hatten?«

Woraufhin Aaron antwortet: »Keine zugewiesene Zahl, aber eine zugewiesene Gruppe von Schülern. Ja.«

»Das trifft es noch genauer«, sagt Hoy. »Danke.«

Maggie und die Staatsanwaltschaft sind in Sorge, die Leute könnten bei Verlassen des Gerichtssaals denken, dieser Aaron Knodel sei ein gewissenhafter und genauer Typ.

Hoy fragt, mit wem er die Mittagspause verbracht habe.

»Zum Leidwesen meiner Kolleginnen, die fanden, wir würden uns abschotten, waren da nur wir drei Englischlehrer, Shawn Krinke, Mr. Murphy und ich.«

Maggies Seite weiß, was gespielt wird, was die Gegenseite bewirken und sagen will. Hier ist ein Mann, der die Grenze wahrt, wenn es um das andere Geschlecht geht. Er hat es nicht nötig, mit Kolleginnen zu Mittag zu essen. Er hat eine liebevolle Frau und drei Kinder zu Hause. Wo immer genug saubere Geschirrtücher bereitliegen, immer genug Eier im Kühlschrank sind. Vielleicht erinnert es die Geschworenen an ihr eigenes gewöhnliches Leben, denn was wäre, wenn einem von ihnen plötzlich drohen würde, fünfunddreißig Jahre seines Lebens im Gefängnis zu verbringen, weil irgendein dahergelaufenes Mädchen ihn beschuldigt, eine sexuelle Beziehung mit ihm gehabt zu haben? Was, wenn sie nur in ihn verliebt ist? Was, wenn einer der Geschworenen dieser verheiratete Typ wäre, dieser gute Samariter mit Prinzipien und Kindern und einem Flachbildfernseher und einem über etliche Jahre aufgebauten Leben? Steuern pünktlich gezahlt, jedes Jahr im April. Weihnachtsdekoration knapp vor den Nachbarn auf- und wieder abgehängt. Höfliche Kinder mit sauberen Fingernägeln und Pizzaabende. Toller, leidenschaftlicher Vater und professioneller Ersatzvater. Nicht zu vergessen: Lehrer des Jahres. Das macht ein Mann nicht tagein, tagaus, nur damit irgendein Mädchen mit dem Finger auf ihn zeigen und sagen kann: Dieser Mann hat mich in seinem Klassenzimmer gefingert, er hat mich im ausgebauten Keller seines Hauses oral befriedigt, während seine Kinder oben geschlafen haben und seine Frau – die eigentlich nie wegfährt – auf Geschäftsreise oder bei einem Bowlingabend war. Auf keinen Fall. Möge Gott diesem Mann helfen.

»Und worüber haben sich die Männer in ihrer Mittagspause unter Männern so unterhalten?«

»Das ist einer der Gründe, weshalb wir ... Ich will nicht ... Es ist ein großer Fachbereich. Fünfzehn Lehrkräfte, davon zwölf Frauen, und die drei Männer haben eben nicht zwangsläufig dieselben Interessen wie sie. Darum haben wir uns in unserem Grüppchen über Fantasy Football und Männerkram unterhalten.«

Hoy fragt nach einem typischen Tag im Leben eines Lehrers. Dem minutiösen Ablauf. Ein paar Minuten, sagt Knodel, verbringe er an seinem Lehrerpult auch damit, sich die Sorgen seiner Schüler anzuhören. Ja, es gebe einen Schulpsychologischen Dienst an der Schule, und ja, die Lehrer würden die Schüler auch dorthin verweisen, aber manchmal gehe es einem Schüler eben darum, mit Aaron Knodel zu reden. Manchmal dächten sie, er habe die Lösung.

Nachdem sein eng getakteter Zeitplan hinreichend auseinandergenommen wurde, um aufzuzeigen, wie wenig Zeit einem Mann wie Aaron Knodel für das Verführen Minderjähriger bleibt, sagt Hoy: »Reden wir über das, weswegen wir hier sind.«

»Okay«, antwortet Aaron.

»Diese Anschuldigungen. Wann haben Sie mitbekommen, dass bestimmte Anschuldigungen gegen Sie vorliegen?«

»Das war am 14. Februar, am Valentinstag.«

»In welchem Jahr?«

»Zweitausendund… Vor vierzehn Monaten. 2014.«

»Und wie kam es dazu?«

Aaron beschreibt, der Unterricht sei gerade zu Ende gewesen, als der stellvertretende Direktor das Klassenzimmer betreten habe. Das sei der Moment gewesen, der den einen Teil seines Lebens von dem darauf getrennt habe. Der stellvertretende Direktor Greg habe gesagt: »Hey, Aaron, kann ich kurz mit dir sprechen?« Und er habe erwidert: »Klar doch.« Woraufhin Greg ihn in ein Zimmer neben seinem Klassenzimmer geführt habe. Greg schien gute Laune zu haben, und so habe er keine Sekunde gedacht, es handle sich um etwas Schlimmes. Vielleicht wolle man ihn auszeichnen.

Das war an der Sheyenne, der neuen Highschool in West Fargo, an die Aaron gewechselt war, um einen kürzeren Arbeitsweg zu haben und an der Schule zu unterrichten, die seine Kinder später besuchen würden.

»Ich sah Mrs. – oder Dr. – Fremstad, die Direktorin der Highschool, und den Hilfskommissar im Zimmer sitzen. Und als ich hineinging, bemerkte ich, dass der Hilfskommissar ein sehr ernstes Gesicht machte. Woraufhin ich sagte: ›Wow, ist alles okay? Sie schauen sehr ernst.‹ Im ersten Moment dachte ich, es wäre jemand gestorben und sie würden mich deshalb sprechen wollen. Dann sagten sie, ich solle mich setzen.«

Sie versicherten ihm, es sei niemand gestorben. Sie sagten ihm nicht, wie die Anschuldigungen gegen ihn lauteten, sondern nur, dass welche vorlägen. Er sei für sechs Monate beurlaubt worden. Gegen Ende der sechsmonatigen Zwangspause habe er gerade das Haus gesaugt, als das Telefon geklingelt habe. Es sei seine Schwester gewesen. Schon ihr dritter Anruf. Er habe geahnt, warum sie anrufe, und statt zurückzurufen, habe er die Website des *Fargo Forum* aufgerufen und gesehen, dass er dieser ... *dieser Straftaten* beschuldigt werde.

Hoy fragt, ob er versucht habe, an die SMS zwischen Maggie Wilken und ihm heranzukommen, und Aaron sagt, das habe er. Er habe sich mit Sprint in Verbindung gesetzt, aber dort habe man ihm nicht helfen können. Die Nachrichten seien einfach vor zu langer Zeit verschickt worden.

Als Nächstes stellt Hoy ihm Fragen zu Maggie. Aaron kann sich kaum erinnern, welche Kurse sie in der neunten und zehnten Klasse bei ihm besucht hat, aber er erinnert sich, dass sie in der Zwölften in seinem Englischkurs war. Er bestätigt, dass sie nach den Weihnachtsferien mehr Kontakt miteinander gehabt hätten, als sie um einen verstorbenen Cousin getrauert habe. Dann habe sie ihm erzählt, sie sei in Algebra II durchgefallen, was sie gebraucht hätte, um ihren Abschluss zu machen. Dann habe sie ihm erzählt, ihre Eltern seien Alkoholiker und es gebe ständig Zoff, weil sich Maggie deshalb mit ihnen streiten würde, und weiterhin habe sie erzählt, sie sei aufgebracht gewesen, weil ihr Bruder und ihr Vater zusammen Marihuana geraucht hätten. Darüber hinaus hätten sie noch die typischen Teenagersorgen beschäftigt: Probleme mit Freundinnen, mit der Schule und dem anderen Geschlecht, Angst.

Daraufhin verfallen der Angeklagte und sein Anwalt in eine Art Fachgespräch über Risikoschüler. An der West Fargo und der Sheyenne gibt es mehrere Programme, die diesen Kids helfen sollen. Eines nennt sich »Changing the World – Five Students at a Time«, ein anderes ist das »RTI«, das Programm »Reaktion durch Intervention«. Hinter dem ersten steht ein bisschen Mathematik, die Idee nämlich, dass achtzig Prozent der Schüler es wahrscheinlich allein schaffen, zwanzig Prozent aber zusätzliche Hilfe brauchen. Die Maggies und Co. Deswegen beschließen Lehrer, in einer Klasse von, sagen wir mal, fünfundzwanzig Kids, fünf Schüler ausfindig zu machen, die zusätzliche Hilfe gebrauchen könnten. In einem nächsten Schritt tauschen sich diese Lehrer dann bei wöchentlichen Besprechungen über einzelne Strategien aus.

Hoy, offensichtlich gelangweilt von der methodischen Lehrer-des-Jahreshaftigkeit seines Mandanten, sagt: »Sie müssen mir nicht den gesamten pädagogischen Hintergrund erläutern.«

Aber Aaron ergänzt noch ein paar Punkte. Die beste Strategie für die Arbeit mit diesen Kids habe er von einem Mathematiklehrer namens Duane Broe. Broe habe es »Zwei mal zehn« genannt. Habe man seine Risikoschüler ausfindig gemacht, versuche man, jeden Tag nach Schulschluss, und zwar zehn Tage in Folge, mindestens zwei Minuten mit ihnen zu reden. Ziel sei es gewesen, eine Verbindung zwischen Schüler und Lehrer und damit zwischen Schüler und Schule aufzubauen, erklärt Aaron.

»Und worin besteht aus pädagogischer Sicht die Relevanz einer Verbindung zwischen Schüler und Lehrer?«

»Die Studien dazu besagen fast alle dasselbe«, antwortet Aaron. »Nämlich dass Schüler, die sich ihrer Schule verbunden fühlen, eine phänomenal höhere Abschlussquote vorzuweisen haben.«

Maggie wird zu einem dieser Pilotprojektkids. Kaum dass Knodel die Strategie einmal angewendet hat, zeigt sich, sie funktioniert: Maggie sucht den ganzen Januar über Kontakt zu ihm, nicht nur nach dem Unterricht, sondern auch per Telefon und SMS. Wie geplant, baut sie nach und nach eine erstaunlich enge Bindung zu ihm auf.

Aaron sagt: »Ich habe ihr nicht gesagt, dass das okay ist, aber ich habe ihr auch nicht gesagt, dass es nicht okay ist.«

Hoy fragt, warum er das getan habe. So viele SMS mit einer Schülerin ausgetauscht und so viele Stunden mit ihr telefoniert, viele davon deutlich später, als es normal gewesen wäre.

Aaron hatte nur die besten Absichten. Er habe ihr wirklich helfen wollen.

Hoy spielt den Advocatus Diaboli und sagt: »Okay, aber was ist mit den Anrufen?«

Aaron beschreibt, dass Maggie Wilken immer mehr in Not geraten sei. Er habe nicht mit ihr telefonieren wollen, habe aber befürchtet, dass sie sonst völlig abdrehen würde. Sie sei ein Wirbelsturm gewesen. Er habe gehofft, sie etwas bremsen zu können.

Hoy fragt, worüber sie in diesen vielen Stunden gesprochen hätten. Wie viel davon Beruhigungsarbeit gewesen sei und wie viel »Was ist deine Lieblingsfarbe?«.

Aaron sagt, an die meisten Gespräche könne er sich nicht mehr erinnern, woraufhin Hoy nach den acht Telefonaten fragt, die länger als eine Stunde gedauert hätten, drei davon länger als zwei Stunden, zwei davon Anrufe von Aaron bei Maggie. Einmal hätten sie ganze vier Stunden miteinander telefoniert. Aaron erklärt, da sei sie in Not gewesen. Er verwende das Wort Not zwar nicht gern, aber im Grunde sei es doch eine absolut brisante Sache gewesen, wahrscheinlich wieder ihre Eltern, deren exzessiver Alkoholkonsum, und er habe ihr da durchhelfen müssen.

Einmal, sagt Aaron, habe sie sich heftig mit ihrem Vater gestritten und gesagt, sie wolle von zu Hause abhauen. Da hatte sie ihren Vater und ihren Bruder gerade beim gemeinsamen Marihuanarauchen erwischt. Sie hatte es gerochen.

»Was haben Sie während dieser Telefonate zu tun versucht?«

»Ich … ich glaube, ich hatte keine … Wie man mit so etwas umgeht, ist ja ziemlich heikel. Ich wollte nicht zu ihr sagen: Und das ist, was du … das hier solltest du tun. Du musst das und das machen. Manchmal habe ich ihr ein paar Optionen aufgezeigt. Ich glaube, als es um die Sache mit dem Marihuanarauchen ging, hat meine Frau mir geraten: Sag ihr einfach, sie soll die Polizei anrufen. Das war eine der Optionen, über die ich mit ihr gesprochen habe. Sie wollte nichts davon hören, aber wir … Darum habe ich … ich habe ihr meistens einfach zugehört. Ich war um ihr Wohl besorgt und wollte sichergehen, dass ihr nichts zustößt, und sie hat mir immer zu verstehen gegeben, ich bräuchte mir keine Sorgen machen. Also habe ich ihr vor allem zugehört.«

Kurz gesagt: Maggie hatte derart massive Probleme, dass sie wahnsinnig viel Aufmerksamkeit brauchte, stundenlange Telefongespräche, und zwar mit ihrem Lehrer, nicht mit ihrer besten Freundin.

Er beschreibt die Auswirkungen, die das auf seine Familie hatte. All diese Telefonate. Natürlich war er präsent. Er war derselbe wunderbare Vater und Ehemann, gibt jedoch zu, nicht immer aufmerksam genug gewesen zu sein. Gegen Ende Februar habe er sich zunehmend überfordert gefühlt. Er habe den Kontakt einschränken wollen, ohne das Mädchen einfach hängen zu lassen. Also sagte er manchmal Dinge wie: »Vielleicht können wir ein andermal darüber reden, wenn es kein Notfall ist, ja?« Er ignorierte hier und da eine Nachricht oder einen Anruf, um ihr einen Wink zu geben. Er war besorgt um sie, aber er konnte nicht ihr Ersatzvater sein. Oder irgendetwas anderes.

Obwohl da noch etwas anderes sei.

Byers legt Widerspruch ein, weil Aarons Antwort darauf reine Spekulation sei, woraufhin Hoy seine Frage umformuliert: »Haben Sie an irgendeinem Punkt geahnt, dass Maggie Wilken diese Beziehung übers Telefon anders sehen könnte als Sie?«

»Ja«, sagt Aaron.

Er erklärt, wie Mr. Murphy irgendwann mit dem Gerücht zu ihm gekommen sei, er und Maggie hätten eine moralisch fragwürdige Beziehung. Daraufhin habe er während Murphys Zeitungskurs mit Maggie gesprochen. Er habe gesagt, ihm sei da ein Gerücht zu Ohren gekommen, und er nehme an, sie habe das Gerücht in die Welt gesetzt. Das habe Maggie abgestritten. Er habe gesagt, er glaube ihr nicht, aber unabhängig davon, was nun die Wahrheit sei, könne er außerhalb des Klassenzimmers keinen Kontakt mehr zu ihr haben.

Als Nächstes wird eine Zeichnung vom Haus der Knodels an die Wand projiziert, die Maggie angefertigt hat, um zu beweisen, dass sie dort war. Aaron sagt, sie stimme nicht.

Genau wie die unerwünschten Vampire in *Twilight* habe er sie nie eingeladen. Die Verteidigung ergänzt, Maggie habe sich die Beschreibung aus dem Internet besorgt, als das Haus zum Verkauf gestanden habe.

Hoy mischt Fragen nach Aarons sexuellen Kontakten mit Fragen zu seinem Lebensstil im Allgemeinen. Beide Arten von Fragen stellt er locker und schnell, als gäbe es keinen Unterschied, und Aaron antwortet freundlich.

»Wo haben Sie und Ihre Freunde sich getroffen? Welche Art von Spielen haben Sie sich angesehen? Haben Sie Maggie Wilken je gebeten, Sie vom *TGI Fridays* abzuholen? Ist es zwischen Maggie Wilken und Ihnen je zu einem sexuellen Kontakt gekommen? Hat sie Ihnen je ihr *Twilight*-Buch geliehen? Haben Sie die kleinen Klebezettel geschrieben, die in dem Buch waren, das sie Ihnen nicht geliehen hat?«

Jedes Nein ist klar und hart. Manchmal ist da auch ein selbstbewusstes und umfassendes Nie.

Aaron kommt dann auf den 7. März zu sprechen, den Samstag vor seinem eigentlichen Geburtstag, als es im *Spitfire Bar & Grill* eine kleine gemütliche Überraschungsfeier für ihn gegeben hatte. Um ihn dort hinzulocken, hatte seine Frau sagen müssen: »Na los, triff dich endlich mal wieder mit deinen Jungs auf ein paar Runden Blackjack! Du machst viel zu selten was für dich allein!«

Die Feier war gegen null Uhr dreißig zu Ende, kurz vor Restaurantschluss. Aaron und Marie stopften Ballons für die Kinder in den Wagen, die mit einer Babysitterin zu Hause geblieben waren. Auf dem Heimweg erreichte ihn um null Uhr fünfundvierzig ein Anruf von Maggie Wilken. Ihr Vater oder ihre Mutter, Aaron erinnert sich nicht genau, war betrunken und wollte den anderen Elternteil, der ebenfalls betrunken war, irgendwo abholen.

Nach einer Pause legt die Verteidigung ein Beweisstück vor, auf das die Staatsanwaltschaft mit einem Einspruch reagiert. Es ist ein Foto, auf dem Aaron und sein Ältester einen Kuchen in die Kamera halten, den Marie ihrem Mann zum Geburtstag gebacken hat.

Byers fragt nach der rechtlichen Relevanz. Hoy sagt, das Bild sei insofern relevant, als man sich doch fragen müsse, ob Marie, hätte sie eine geschmacklose SMS entdeckt, ihrem Mann tatsächlich noch am selben Tag einen Kuchen gebacken hätte? Byers wendet ein, der Angeklagte könne nicht mal mit Sicherheit sagen, an welchem Tag dieses Foto aufgenommen worden sei; er sagt, es könne am 8. oder am 9. März gewesen sein. Wäre es der 8. gewesen, würde der Kuchen absolut Sinn ergeben. Am Morgen des 9. hingegen habe Marie, Maggies Aussage zufolge, die geheime Nachricht entdeckt und wäre wahrscheinlich nicht mehr in der Stimmung gewesen, einen Kuchen zu backen.

Wie jeder gute Anwalt ist Hoy geübt darin, die Befragung nach jedem stattgegebenen Einspruch trotzdem wie geplant fortzuführen. Er fragt Aaron, ob es damals noch eine dritte Feier gegeben habe – wobei die erste die im *Spitfire* und die zweite die zu Hause mit Marie und den Kindern war –, und Aaron sagt Ja, am Wochenende darauf.

»Marie und ich haben beide im März Geburtstag, genauso wie zwei meiner Cousins. Darum haben wir beschlossen, unsere besseren Hälften ins *Divas and Rockstars*, diese Karaokebar, zu entführen, meine Schwester aus Wahpeton ist extra mit ihrem Mann raufgekommen, und wir haben uns dort grauenhaft singende Menschen angehört.«

Nach dem 9. März gibt es keine Anrufe mehr von Aaron bei Maggie. Er ist sich nicht sicher, ob das eine bewusste Entscheidung war, erinnert sich aber noch, dass ihn diese ganze Bedürftigkeit völlig überfordert habe. Dass er sich zurückgezogen habe, habe nicht an einer SMS gelegen, die seine Frau angeblich gefunden habe, während er am Morgen des 9. März unter der Dusche gestanden habe.

Er erinnere sich aber, an diesem Morgen Kontakt zu Maggie gehabt zu haben. Einer seiner Söhne – er wisse nicht mehr, welcher – sei krank gewesen, darum habe er sich einen Tag freigenommen. Er habe aber dennoch kurz in die Schule fahren müssen, um die Aufgaben für seine Vertretung vorzubereiten. Auf seinem Weg dorthin habe er Maggie angerufen. Zufälligerweise sei auch sie an diesem Tag zu Hause geblieben – irgendwas sei zu der Zeit wohl rumgegangen –, und so habe sie wissen wollen, was sie nacharbeiten müsse. Er habe etwas gesagt wie: Ich bin mir noch nicht ganz sicher, ich fahre gerade in die Schule, um die Aufgaben für die Vertretungsstunden vorzubereiten.

In der Schule habe er dann mit ein paar Kollegen gesprochen. Er habe gesehen, dass sie seine Tür geschmückt hätten, weil an dem Tag sein echter Geburtstag gewesen sei. Er wisse noch, dass er bis neun in der Schule geblieben sei, erinnere sich aber nicht mehr, wer die Vertretung für ihn übernommen habe.

Hoy fragt: »Haben Sie noch irgendwelche anderen Erinnerungen an diesen Tag?«

»Ja, an dem Tag gab es einen heftigen Schneesturm.«

Hoy fragt: »Sie leben seit über einem Jahr mit diesen Anschuldigungen, was also haben Sie gelernt?« Aaron antwortet, er habe gelernt, dass er ein sehr engagierter Lehrer sei, manchmal sogar auf Kosten seiner eigenen Familie, und dass selbst dann, wenn man unermüdlich versuche, das Richtige zu tun, nicht immer alles nach Plan verlaufe.

Das sei okay, so sei das Leben. Denn wie sage seine Frau immer? Man lebe nicht, um zu arbeiten, man arbeite, um zu leben.

»Ich danke Ihnen«, sagt Hoy. »Keine weiteren Fragen.«

Als Marie Knodel schließlich den Zeugenstand betritt, blitzt unter einer dunklen Kostümjacke ein leuchtendes lila Oberteil hervor. Sie hat sehr glatte braune Haare. Ihre Augenbrauen beschreiben einen dramatischen Bogen, was aussieht, als würde sie sie die ganze Zeit entsetzt nach oben ziehen. Es ist erschreckend, dass eine Frau selbst in dieser misslichen Lage das Bedürfnis hat, schön auszusehen und sich schön zu fühlen. Man kann nicht bei Gericht aufkreuzen, ohne sich zurechtgemacht zu haben, weil sonst vielleicht einer der Geschworenen nickt und denkt, die Sache sei ja nur allzu verständlich.

Selbst jene, die Aaron Knodel für unschuldig halten, könnten solche abschätzigen Gedanken haben. Die Leute, die glauben, Maggie Wilken gehe es nur um Geld, sind oft auch die, die glauben, Frauen, die irgendwann nicht mehr auf ihr Äußeres achteten, seien selbst schuld, wenn ihre Männer sie verließen.

Hoy tritt näher und sagt: »Eigentlich möchte ich Sie ja Marie nennen, aber Sie, Mrs. Knodel, sind mit Aaron Knodel verheiratet, richtig?«

Sehen Sie, liebe Geschworene, will Hoy ihnen damit zu verstehen geben, dass wir alle hier Freunde sind? Marie ist eine Freundin. Selbst Maggie Wilkens ehemalige Klassenkameraden sind unsere Freunde.

Marie Knodel erzählt dem Richter, sie sei auf einer Milchfarm im Herzen von Minnesota aufgewachsen. Nach ihrem Highschool-Abschluss habe sie an der NDSU Strafrecht studiert. Sie arbeite als Bewährungshelferin und sei für über einhundert Straftäter zuständig, die das gesamte Spektrum möglichen Fehlverhaltens abdeckten, angefangen von kleineren Vergehen bis hin zu schweren Straftaten.

Als Hoy sie fragt, wie viele Kinder sie habe, weint sie, so wie auch später noch ein paarmal.

Hoy meint, sie solle sich die Zeit nehmen, die sie brauche.

»Ich weiß, dass das nicht einfach ist. Wir werden versuchen, es so schnell wie möglich hinter uns zu bringen. Erfordert Ihr Job, dass Sie am Wochenende die Stadt verlassen müssen?«

»Nein«, sagt sie und fängt sich wieder.

»War das je erforderlich?«

»Nein.«

»Sind Sie wegen Ihrer Arbeit am Wochenende jemals verreist?«

»Nein, nie.«

Marie fährt am Wochenende nie weg, und Aaron arbeitet die ganze Zeit. Sie beschreibt, dass er sich schon immer über das normale Maß hinaus für seine Schüler und seinen Beruf eingesetzt habe. Einmal habe er ihr beispielsweise erzählt, dass er Bücher für einen seiner Schüler kaufen wolle, weil der sie sich nicht leisten könne. Die Bücher hätten insgesamt sechshundert Dollar gekostet. Sie hätten sich deswegen gestritten. Es sei nichts Neues für sie gewesen, dass er alles für seine Schüler tue.

»Da es insbesondere diesen Fall betrifft: Wussten Sie im Schuljahr 2008/2009, dass Aaron sich einer Schülerin annehmen wollte, die seiner Meinung nach Hilfe brauchte?«

»Ja.«

»Kannten Sie ihren Namen?«

»Nein, an ihren Namen kann ich mich nicht erinnern – *konnte* ich mich nicht erinnern.«

Aber sie habe gewusst, dass Aaron Anrufe von Maggie bekommen und Maggie selbst angerufen habe. Sie habe auch von den Nachrichten gewusst. Einige davon habe er in ihrem Beisein geschrieben. Hoy fragt, ob sie sich an irgendeine dieser Situationen erinnere.

Ja, sagt Marie, sie erinnere sich an den Abend der Überraschungsfeier im *Spitfire*. Maggie Wilken sei aufgelöst gewesen, weil ihr Vater oder ihre Mutter betrunken das Haus verlassen hätte. Sie habe nur Bruchstücke des Gesprächs mitbekommen und zu Aaron gesagt, er solle die Polizei anrufen, falls er glaube, jemand sei in Gefahr. Ob Maggies Mutter oder ihr Vater betrunken gewesen sei, daran könne auch sie sich nicht erinnern. Sie seien ja beide Alkoholiker gewesen. Nein, sagt sie, Aaron habe nicht versucht, irgendetwas vor ihr zu verbergen. Sie zahle die Telefonrechnungen, zahle genau genommen alle Rechnungen; sie sei diejenige, die sich hinsetze, die Schecks ausstelle und die Briefmarken anlecke. Sie habe Zugang zu den Verbindungsnachweisen gehabt.

Hoy fragt sie nach Maggies Behauptung, dass sie Aaron an dem verschneiten Geburtstagsmorgen eine Nachricht geschickt habe. Ebendie Nachricht, die dazu geführt habe, dass Marie ihren Mann zur Rede gestellt habe.

»Nein«, sagt Marie, »nichts dergleichen ist passiert.« Hoy hält noch mal das Foto mit dem Kuchen hoch, den Marie angeblich im Laufe des Vormittags gebacken hatte.

Dann geht Hoy darauf ein, warum Maggie Maries Handynummer haben sollte. Maggie hat behauptet, dass Aaron gesagt habe: »Falls du je einen Anruf von dieser Nummer bekommst, darfst du auf keinen Fall rangehen.« Es sei eine ihrer Regeln gewesen, genauso wie: »Du darfst dich nie zuerst bei mir melden.«

Marie erinnert sich an eine Situation, in der Aaron mit Maggie telefoniert habe. Alles sei mal wieder ganz dramatisch gewesen, und Aarons Akku fast leer, weshalb er gesagt habe: »Pass auf, du schreibst dir jetzt die Nummer meiner Frau auf, und falls ich gleich weg bin und du mich noch mal sprechen musst, rufst du da an.«

Darum habe Maggie ihre Nummer gespeichert, so Marie. Nicht weil Aaron sie ihr mit den Worten »das ist meine Frau« gegeben habe, zum Einspeichern unter *Auf keinen Fall rangehen*.

Während des Kreuzverhörs erfährt das Gericht, dass Marie Knodel nicht mit dem Ermittlungsbeamten der Staatsanwaltschaft kooperiert hat. Die Staatsanwaltschaft fragt sie, warum sie sich geweigert habe, sich vom Bureau of Criminal Investigation befragen zu lassen, und Marie sagt, sie habe verschiedene Sachen über Mike Ness gehört, den leitenden Ermittlungsbeamten der Staatsanwaltschaft. Am Telefon habe er außerdem nicht besonders objektiv gewirkt. Sie mit ihrer Ausbildung in Sachen Strafverfolgung hätte schon sehr dumm sein müssen, hätte sie ohne einen Anwalt mit ihm gesprochen.

Byers sagt, durch ihre Ausbildung habe Marie sicher gewusst, dass sie, hätte sie Ness dasselbe gesagt wie jetzt unter Eid dem Richter, gar nicht hätte hier sein müssen. Ihre Zeugenaussage ziehe Maggies Anschuldigungen und ihre zeitliche Darstellung der Abläufe dermaßen in Zweifel, dass die Staatsanwaltschaft den Fall womöglich gar nie vor Gericht gebracht hätte, wenn sie Maries Seite der Geschichte schon während des Ermittlungsverfahrens in Erfahrung gebracht hätte.

»Ich dachte nicht, dass meine Aussage das verhindern würde«, erklärt Marie.

In seinem Schlussplädoyer wird Byers später andeuten, worin der Vorteil für sie lag, sich ihre Seite der Geschichte für den Gerichtssaal aufzuheben. Während der gerichtlichen Voruntersuchung zur Beweiserhebung habe Marie, über den Anwalt ihres Mannes, Zugang zu allen Sachverhalten des Falls gehabt. Byers wird anführen, Marie habe mit Sicherheit gewusst, dass sie die Möglichkeit haben würde, sich die von der Staatsanwaltschaft ausgearbeitete Darstellung der Abläufe und die Aussagen der Zeugin eingehend anzusehen. So habe sie sich eine Zeugenaussage zurechtlegen können, die die Anschuldigungen von Maggie Wilken entkräfte. Durch ihr Vorwissen sei sie sich mit Sicherheit darüber im Klaren gewesen, dass es für sie nur eine Möglichkeit geben würde, ihre Geschichte zu erzählen, die wichtigste ihres ganzen Familienlebens.

»Zum Beispiel die Tatsache«, fährt Byers fort, »dass Sie Maggie Wilken anscheinend freiwillig Ihre Handynummer gegeben haben.«

»Ich habe sie ihr nicht gegeben.«

»Sie haben Ihrem Mann erlaubt, es zu tun?«

»Ja.«

»Und die Staatsanwaltschaft ist bis zum Beginn dieses Prozesses nicht darüber in Kenntnis gesetzt worden?«

»Nein.«

»Aber warum sollte Ihre Handynummer dann in Maggies Handy unter *Auf keinen Fall rangehen* eingespeichert sein?«

»Ich weiß es nicht.«

Byers fragt, ob noch mehr Schüler ihre Nummer gehabt hätten, und Marie verneint. Er fragt, ob sie von den Anrufen und der Länge der Anrufe gewusst habe. Sie sagt, sie habe gewusst, dass es lange Telefonate gegeben habe, jedoch nicht, wie lange genau. Byers fragt, ob sie gewusst habe, dass dreiundzwanzig Telefonate nach zehn Uhr abends stattgefunden hätten.

»Ich wusste von den Anrufen«, wiederholt sie.

»Jedes Mal, wenn ich Ihnen eine Frage stelle, antworten Sie wie aus der Pistole geschossen: ›Ich wusste von den Anrufen.‹ Meine Frage lautete: Wussten Sie, dass dreiundzwanzig Telefonate bis weit nach zehn Uhr abends geführt wurden?«

»Nein.«

Es wird sehr still im Saal, man spürt das Gewicht dieser Reaktion.

Als Nächstes befragt Byers sie zu Raumaufteilung und Einrichtung des Hauses. Er fragt nach den Laken auf dem Bett im Kellergeschoss und nach den Farben des Überwurfs. Er stellt diese Fragen, weil Maggie diese Zeichnung des Hauses angefertigt hat. Auf alle Fälle wohnen die Knodels inzwischen in einem neuen Haus im schöneren Teil der Stadt, ganz in der Nähe der Sheyenne High School. Neue Servietten und Serviettenhalter. Ein drittes Kind.

Die Verhandlung wird über das Wochenende unterbrochen. Als sie am Montag wieder aufgenommen wird, wiederholt Byers viele der bereits am Freitag gestellten Fragen, um die Sachverhalte bei den Geschworenen noch einmal aufzufrischen. Byers wiederholt eine von Hoys Fragen und will von Marie wissen, ob sie am Wochenende jemals beruflich verreisen musste. Wieder sagt sie Nein. »Und privat?«, fragt Byers. Er zielt auf das Bowlingturnier an einem gewissen Samstag in Mandan ab, ein Turnier mit Kollegen, das Marie schon vor 2009 und auch nach 2009 besucht hat. Sie sagt, ja, sie sei fast jedes Jahr hingefahren, aber in diesem einen Jahr nicht.

Auf Nachfrage bestätigt Marie erneut, von den Anrufen gewusst zu haben. Byers fragt: »Wussten Sie von mehr als neunzig Telefonaten und all diesen Stunden?«, worauf sie antwortet, die genaue Zahl sei ihr nicht bekannt gewesen, aber ja, die Telefonate schon, und auch, dass es mehrere gewesen seien.

Byers kommt auf die Klebezettel zurück. Marie sagt aus, Aaron schreibe ihr und den Kindern und überhaupt viele Zettel, aber die in dem *Twilight*-Buch seien nicht von seiner Hand verfasst. Ob sie sich sicher sei? Ja, bekräftigt sie, ihrer Meinung nach sei das nicht die Handschrift ihres Mannes.

»Erinnern Sie sich an den Inhalt dieser Zettel?«, fragt Byers.

»Ja.«

»Würden Sie sagen, es ist offensichtlich, dass derjenige – wer auch immer es war –, der diese Zettel geschrieben hat, irgendeine Art von Beziehung mit der Person hatte, der er geschrieben hat?«

»Nein, das kann ich so nicht sagen. Ich habe das Buch nie gelesen. Ich kenne den Kontext nicht.«

»Für Sie klingt also beispielsweise der erste Zettel, auf dem steht: ›Seit ich das erste Mal nachts von dir geträumt habe, wusste ich, ich bin dir verfallen‹, nicht so, als hätte derjenige, der da schreibt, eine Beziehung mit der Person?«

»Es klingt nach einer Affäre«, sagt Marie, »aber es klingt nicht nach … Meiner Meinung nach ist es nicht seine Handschrift.«

»Ich habe gehört, dass Sie das gesagt haben. Da ich ja nun weiß, dass Sie der Meinung sind, dass es nicht die Handschrift Ihres Mannes ist, würde mich interessieren, was Sie von der Person halten, die diese Zettel geschrieben hat?«

»Ich habe mich nicht sehr lange mit dem Inhalt dieser Zettel beschäftigt. Ich habe sie mir angesehen, und meiner Meinung nach war es nicht seine Handschrift, sodass ich mich nicht weiter mit ihnen beschäftigt habe.«

Byers fragt, ob irgendwelche der wiederkehrenden privatsprachlichen Kürzel auf den Zetteln Marie an Dinge erinnern würden, die sie von ihrem Mann kenne, worauf sie antwortet, dass dies definitiv nicht der Fall sei.

»Dann malt er also keine Smileys, wenn er Zettel schreibt?«, fragt Byers.

»Nein.«

»Wie sieht es mit diesem ›Hmmmmm‹ aus?«

»Nein.«

»Wie sieht es mit dem ›ich‹ in ›ich denke‹ aus? Das entspricht nicht dem, wie Ihr Mann es schreibt?«

»Meiner Meinung nach nicht«, antwortet Marie. »Nein.«

»Sie sagen also aus, diese Sache mit den drei Pünktchen, das ist nicht typisch für Ihren Mann?«

»Nein … nicht, dass es mir je aufgefallen wäre, nein. Das ist jedenfalls kein besonderes Markenzeichen von ihm.«

Byers wiederholt einige seiner Fragen. Es ist schwer zu sagen, ob er eine Strategie verfolgt oder hofft, dass Marie Knodel ins Straucheln gerät und sich widerspricht. Vielleicht kann er aber auch einfach nicht fassen, dass ein anderes menschliches Wesen nicht einsehen will, wie absurd diese ganze Situation ist.

»Mal angenommen, ein Erwachsener hätte einer Minderjährigen diese Nachrichten geschrieben, immer im Hinterkopf behaltend, dass Sie gesagt haben, es sei nicht Ihr

Ehemann gewesen, aber angenommen, ein Erwachsener hätte das einer Minderjährigen geschrieben, würden Sie dann zustimmen, dass es unangemessen ist?«

»Ja«, stimmt Marie zu.

»Danke. Kommen wir zur letzten Frage. Ich denke, ein einfaches Ja oder Nein reicht als Antwort. Sind Sie 2009 umgezogen, weil Sie wussten, was Ihr Ehemann in Ihrem Haus getan hat?«

»Nein, wir sind umgezogen, weil …«

»Einfach nur Ja oder Nein.«

»Zur Erklärung möchte ich …«, setzt Marie an.

Der Richter unterbricht sie und antwortet stellvertretend für die beklagte Partei: »Nein.«

Jon Byers, der direkt im Anschluss einen Mordfall zu betreuen hat, bittet die Geschworenen in seinem Abschlussplädoyer, sich die unzähligen Stunden von Telefongesprächen in Erinnerung zu rufen. Er sagt, er könne sich nicht erinnern, jemals vier Stunden lang mit seiner Frau telefoniert zu haben, und bitte die Geschworenen, sich selbst zu fragen, wie viele vierstündige Telefonate sie in ihrem Leben geführt hätten. Aaron Knodel aber habe diese unvorstellbar lange Zeit mit seiner Schülerin telefoniert, von 23:30 bis 3:30 Uhr. Erwecke das den Eindruck, hier habe sich ein Lehrer einfach nur ein bisschen mehr reingehängt? »Nehmen Sie ihm das nicht ab!«, sagt Byers. Er erinnert die Jury an die Zeilen auf den Klebezetteln. All diese kleinen Nachrichten. Jon Byers führt auf, Aaron Knodel habe wahrscheinlich darauf gesetzt, dass niemand dieser problembeladenen jungen Frau glauben würde. Dass der Umstand, dass sie eine problembeladene junge Frau sei, sie zum perfekten Opfer mache.

Hoy beginnt sein Abschlussplädoyer damit, dass es für

Aaron Knodel schlicht unmöglich gewesen sei, vor, während oder nach der Schule eine sexuelle Beziehung mit Maggie Wilken zu haben. Er schießt sich auf die Logistik ein. Verwandelt Sex in eine Sache, die sich nicht jenseits bestimmter Grenzen abspielt. In Bezug auf Maggie sagt er zu den Geschworenen: »Ich möchte Ihnen doch den Schluss nahelegen, dass Erinnerungen mit der Zeit zu Wunschvorstellungen werden können und nicht zwingend ein Abbild der Realität sind.«

Was bitte schön weißt du über junge Frauen, denkt Maggie. Wir erinnern uns nicht an das, was uns am besten in den Kram passt. Wir erinnern uns an das, was wir nicht vergessen können.

# Sloane

Die Situation mit Wes erledigte sich auf dieselbe Art, wie sich ein Gehirntumor erledigt, sobald du dir eine Kugel in den Kopf jagst. Er war so plötzlich und unanfechtbar aus ihrem Leben verschwunden, dass sie kaum Zugang zu dem damit verbundenen Schmerz hatte. Und schon bald wurde die Leerstelle mit anderen Dingen gefüllt, nicht unbedingt auf positive Weise, aber so, dass man es für eine Entwicklung halten konnte.

Im Frühjahr sah Sloane ihren Bruder. Er kam zu Besuch mit Frau und Kindern. Ihr Vater kam auch. Sloane war immer stolz darauf gewesen, wie die Männer in ihrem Leben sich in der Welt bewegten. Aber diesmal fühlte es sich anders an. Sie waren gerade erst eingetroffen, da nahmen ihr Vater und ihr Bruder schon an einem Vater-Sohn-Golfturnier teil, das sie auch gewannen. Breit grinsend stolzierten sie vom Platz. Edle Poloshirts, polierte Schuhe. Sloane sah diese Männer an und konnte nur noch daran denken, dass die beiden damals, als sie achtzehn Kilo weniger gewogen hatte, als sie ein wandelndes Skelett in einem Rock gewesen war, überhaupt nichts gesagt hatten. Dass ihre Schwägerin sie, nachdem Sloane in einem gemeinsam gemieteten Ferienhaus in den Carolinas den Müllschlucker eines Waschbeckens benutzt hatte, wie einen Hund angeschrien und keiner ein Wort gesagt hatte.

Wenn sie an ihre Kindheit dachte, konnte sie sich zwar an die physische Anwesenheit der beiden erinnern, an mehr aber auch nicht. Hemdknöpfe aus Perlmutt, Krawatten mit eingestickten Initialen, die Phase, in der ihr Bruder und sie ihren Namen in Graffitischrift gemalt hatten. Welche Rolle man als Vater oder Bruder zu spielen hatte, war offenbar längst festgelegt. Das Sonnenlicht fiel in feinen goldenen Strahlen auf den Golfplatz, das Grün war überwältigend hell.

Sloane wusste, dass man nicht in der Zeit zurückreisen kann, um eine Erinnerung erneut zu durchleben. Das Tor, das man auf dem Weg zu der eigenen Kindheit passieren muss, ist hoch und massiv; es zu öffnen erfordert mehr Kraft, als man denkt. Es birgt auch seine Tücken: Man muss die richtige Jahreszeit des richtigen Jahres abpassen. Man kann nicht einfach so hindurchstolpern, um herauszufinden, weshalb man Angst vor Wölfen hat.

Während dieses Besuchs erinnerte sie sich – oder vielleicht hatte sie sich auch schon früher daran erinnert, aber an dem Tag auf dem Golfplatz stieß sie das Tor zu dieser Erinnerung endgültig auf – an eine Situation, als sie acht oder neun und Gabe elf oder zwölf gewesen und er mitten in der Nacht zu ihr ins Zimmer gekommen war. Das war in ihrem großen Zimmer gewesen, das mit dem stillgelegten Kamin, dem Stuck und all dem Rosa aussah, als gehörte es einer Prinzessin. Vor ihrem Umzug unters Dach. Sie schlief bei offener Tür, und plötzlich stand jemand in ihrem Zimmer. Beugte sich über ihr Bett. Sie wachte auf und hörte, wie dieser Jemand mit ihr sprach.

Seine Stimme war leise. Irgendwie leiser als die Stille im Haus.

»Hey«, sagte er, »willst du ... mit mir rummachen?«

Da Sloane schon geschlafen hatte, mussten sich ihre Augen erst an die Dunkelheit gewöhnen, ehe sie erkennen konnte, dass es ihr Bruder war, der da über ihr stand, nicht irgendein Perversling.

Ganz unaufgeregt sagte sie: »Nein.«

Als wäre sie müde oder müsste über andere Dinge nachdenken oder hätte etwas anderes zu tun. Sie wollte nicht, dass er sich doof fühlte. Dass er sie nicht mehr mochte. Er war ihr großer Bruder, und sie sah zu ihm auf. Also sagte sie ganz unaufgeregt Nein, und er verließ genauso unaufgeregt das Zimmer.

Als sie ihn und ihren Vater auf dem Golfplatz sah, kam diese Erinnerung auf merkwürdige Weise hoch, so, als wäre sie immer da gewesen, aber zugleich auch nicht.

Später ging Sloane mit den beiden kleinen Töchtern ihres Bruders auf das Putting-Grün, während Gabe sich zusammen mit seinem älteren Sohn die Driver anpassen ließ. Die Mädchen waren schön und lieb, aber sie verstanden eine grundlegende Wahrheit nicht: Sie hatten Glück gehabt und waren in die richtige Familie hineingeboren worden. Sauberes Wasser und Skiurlaube. Sloane ahnte, dass sie wohl auch später nicht zu dieser Erkenntnis gelangen würden. Auf absehbare Zeit nicht. Denn das war nicht die Art von Lektion, die ihnen eine gute Nanny beibringen konnte wie jede andere Regel.

Hört mal, ihr Süßen, wollte Sloane sagen, es gibt Männer und Frauen da draußen, die euch nicht verraten sollten, es aber trotzdem tun werden. Sie wollte ihnen beibringen, wie man bestimmte Taten überlebt. Sloane wollte immer Klartext reden, vielleicht weil sie aus einer Familie kam, die meinte, zu ihrer aller Besten das genaue Gegenteil tun zu müssen. Bestimmt könnte sie mit dem, was sie wusste, Leben retten. Aber das hier waren nicht ihre Kinder. Sie liebte sie, aber sie konnte sie nicht vor den Schrecken der Welt bewahren.

»Tante Sloane?«, sagte das ältere Mädchen in seinem bezaubernden weißen Kleid mit Wellenschliffkragen.

»Ja, mein Schatz?«

»Daddy hat erzählt, dass du sein Auto kaputt gemacht hast, als du sechzehn warst.«

Etwas in Sloane begann zu pulsieren, amorph und unheilbringend, doch äußerlich blieb sie cool, ihre Haare waren perfekt.

In der Ferne sah sie ihren Bruder mit einer Flasche Poland Spring in der Hand. Sie sah ihn als Teenager vor sich. Konnte die Unfallnacht sofort heraufbeschwören. In dem Moment fiel es ihr leicht, alles wieder abzurufen. Das Kreischen von Metall ist immer hässlicher, als man es sich vorstellt. Es klingt, als würde man einem Roboter die Gedärme herausreißen. Sie erinnerte sich an den auf der Seite liegenden Wagen, ihren blockierten und höllisch schmerzenden Nacken, den Blick hoch zu einer Decke aus Stahl. An ihren Freund auf dem Beifahrersitz, der aussah, als wäre er tot. Nur eine Sekunde lang. Doch eine Sekunde reicht aus, um zu glauben, der Mensch neben einem sei tot. Bis sie verstand, dass ihr Freund noch lebte und dass sie selbst es sein musste, die tot war. Die Lichter der Route 684 flackerten grell und monströs. Kein Geräusch weit und breit. Inmitten dieser Panik erwartet man, dass die eigenen Eltern plötzlich auftauchen, um einen zu retten, aber Sloane merkte, sie erwartete das nicht. Und einen Moment später war sie ihre eigene Mutter. Sie fuhr den Wagen, der ihre Großmutter getötet hatte. Sie erwachte und sah ihre Mutter – die Wangen noch warm, der Blick aber starr und glasig – tot neben sich, schon in einer anderen Welt. Befreit von der Verantwortung für ihre Tochter.

Sloane war nach dem Unfall noch mehr zu einem Skelett geworden, hatte das Salz von Salzstangen gelutscht und Unmengen Diätlimonade getrunken. Niemand hatte etwas gesagt. Sollte sie ihren Nichten all diese Dinge erzählen? Dass die Ärzte konstatiert hatten, es sei offenbar ihre Art, sich zu bestrafen, was doch eigentlich eine männliche Strategie sei? Dass es größtenteils so wirkte, als wären die Menschen dankbar, wenn eine Frau zugab, dass sie schlecht war, und sich selbst bestrafte? Dass die Leute nur dann bereit waren zu helfen? Sie hätte es ihnen zu gern gesagt.

»Tante Sloane?«, setzte das ältere Mädchen noch einmal an. »Erzählst du uns von dem Unfall? Wie du Daddys Auto kaputt gemacht hast?« Die Jüngere kicherte.

Sloane lächelte. Sie schaute noch immer in die Ferne, zu ihrem Bruder, und spürte, wie die Wut in ihr aufstieg. Und die Traurigkeit. Hätten sie doch nur mehr miteinander geredet. Jetzt besuchten sie einander bloß noch an schönen Orten, wo jeder seine Leichen im Keller hübsch verschlossen hielt.

Sie sah ihn vor sich, ihn und seine adlernasige Frau, wie sie lachten und ihren Kindern erzählten: »Wisst ihr, ihr Süßen, eure Tante Sloane ist eine ziemliche Katastrophe. Einmal hat sie sogar den Wagen von eurem Daddy kaputt gefahren.« Ohne auch nur hinzuzufügen: »Aber verratet ihr nicht, dass ihr das wisst.« Vielleicht hatten sie ihre Kinder sogar angestachelt, sie mal danach zu fragen.

Früher hatte Richard oft gesagt: »Ich kann nicht fassen, dass dich niemand gefragt hat, ob alles in Ordnung ist.« Er hatte ihr Halt gegeben, wenn sie den Vorfall noch einmal durchging, wenn sie herausfinden wollte, warum sie die Sorge der anderen nicht wert gewesen war. »Und sie haben nie gemeint, ›Gott sei Dank, du lebst‹?!«, hatte Richard sie oft gefragt, als hoffte er, wenn er nur den richtigen Tag erwischte, würde sie antworten: »Ach so, doch, haben sie, das war mir nur entfallen.«

An diesem Tag aber, als ihre jüngste Nichte, die ihr bis zum Knie reichte, über einen Vorfall lachte, der sie auf gewisse Weise getötet hatte, spürte Sloane, wie etwas in ihr aufbegehrte. Vielleicht war die wahre Ursache ihrer Wut das, was ihr Bruder in dieser einen Nacht in ihrem Zimmer gefragt hatte. Die Art, wie er ihre Vorstellung von unschuldiger Liebe für immer ausgelöscht hatte. Sie hatten nie rumgemacht, natürlich nicht, deshalb hatte Sloane diese Erinnerung auch begraben können. Damals war nichts passiert, so wie auch in der Unfallnacht im Grunde nichts passiert war. Ein ganzes Leben aus »nichts weiter passiert« und überall ringsherum nur Sonnenschein und leuchtend grünes Gras.

Sie legte dem älteren Mädchen die Hände auf die Schultern, schaute beide Mädchen an und sagte: »Hört zu.«

Am Horizont des Golfplatzes ging die Sonne unter. Sloane wusste, dass alle Frauen an einem bestimmten Punkt zu Tieren werden, und zwar dann, wenn sie es am meisten brauchen.

»Hört zu, ihr zwei. Ich habe damals einen Freund nach Hause gefahren. Und wisst ihr was? Dann bin ich in einen Unfall geraten, aber es war ein *Unfall*, und ich hätte mich schwer verletzen können, aber das habe ich nicht. Ich hätte getötet werden können, aber ich habe überlebt. Ich lebe. Und ich stehe heute hier. Könnt ihr mich sehen? Habt ihr das verstanden?«

Die Mädchen nickten, ein langsames, nachdenkliches Nicken. Nervös schauten sie weg. Ihr Vater war irgendwo in der Ferne. Aber er sah nicht zu ihnen herüber.

# Maggie

Am Morgen der Urteilsverkündung wird eine der Geschworenen ins Krankenhaus eingewiesen. Zunächst ohne weitere Erklärungen. Richter Steven McCullough versammelt die übrigen elf Geschworenen in einem Zimmer und fragt: »Sind Sie in einem der fünf Anklagepunkte gegen Aaron Knodel zu einem Urteil gekommen?«

Der Richter erzählt dem Fernsehen und der Presse, was sich ohnehin jeder denken kann: Es sei absolut ungewöhnlich, dass einer der Geschworenen während der Beratung auf einmal ins Krankenhaus gebracht werden müsse. Er fragt die Vertreter beider Seiten, wie sie die Situation handhaben wollen. Byers plädiert für eine Feststellung der Ungültigkeit des Verfahrens wegen Verfahrensverstoß. Maggie sagt, sie sei bereit, in einem zweiten Prozess erneut auszusagen. »Bitte nicht«, sagt Hoy.

»Jeder von uns hat inzwischen reichlich Zeit, Mühe und Energie, kurz jede Menge Leben in dieses Verfahren investiert, und es würde mich wirklich ärgern, wenn es jetzt für ungültig erklärt wird, obwohl sich das vermeiden lässt«, fährt er fort und zitiert einen Gesetzestext, in dem es heißt, dass in einem Strafprozess auch eine Jury von weniger als zwölf Geschworenen ein Urteil sprechen dürfe.

»Es mag sein, dass sich die Staatsanwaltschaft einen anderen Ausgang des Prozesses gewünscht hat, Tatsache ist aber, dass der Fall von allen Seiten beleuchtet wurde und diese Jury sehr viele Stunden und Tage darauf verwendet hat, zu einem Urteil zu gelangen.«

Byers weigert sich zuzustimmen, dass die aus weniger als zwölf Geschworenen bestehende Jury in allen Anklagepunkten ein Urteil fällen dürfe, sodass der Richter für einige der Anklagepunkte eine Feststellung der Ungültigkeit des Verfahrens einleitet. Er bitte darum, dass die elfköpfige Jury zurück in den Gerichtssaal kommen und das Urteil verkünden möge, das sie vor der Krankenhauseinweisung des zwölften Jurymitglieds gefällt habe.

In drei von fünf Anklagepunkten hatten sich die Geschworenen bereits auf ein Urteil geeinigt – in Punkt eins, zwei und fünf.

Anklagepunkt eins: Aaron Knodel habe Maggie Wilkens Scheide mit den Fingern penetriert. Dieser Vorgang habe angeblich zwischen fünf und zehn Minuten gedauert. Sie habe mit dem Rücken zu ihm gestanden, er habe seine Hand in ihre Hose geschoben und sich dabei, so Maggies Beschreibung, von hinten an ihr gerieben. Das Ganze habe damit geendet, dass ein Lehrer die Türklinke heruntergedrückt und Aaron seine Hand weggezogen, einen Satz zurück gemacht und Maggie mit einer wie einstudiert wirkenden Geste einen Test in die Hand gedrückt habe.

Anklagepunkte zwei: Aaron Knodel habe seine Schülerin ein weiteres Mal wie unter Punkt eins angegeben mit dem Finger penetriert. Angeblich habe er während dieses Vorfalls in seinem Klassenzimmer auch Maggies Hand auf seinen Penis gelegt. Laut Maggie habe er sie geküsst, ihre Hand dann auf seine Brust gelegt und gesagt: »Spürst du, wie mein Herz rast?« Dann habe er ihre andere Hand auf die ausgebeulte Stelle seiner Hose gelegt und gesagt:

»Spürst du, wie geil du mich machst?« Dies sei an dem Tisch neben den Schränken passiert.

Anklagepunkt fünf ähnelt den ersten beiden Punkten, die Tat habe eber in Maggies Wagen stattgefunden. Maggie sagt, sie habe Aaron Knodel vom *TGI Fridays* abgeholt, weil er angetrunken gewesen sei, und habe ihn zu seinem Wagen gefahren, den er in der Nähe seines Hauses geparkt hätte, damit er, wie er ihr erklärt habe, nicht unter Alkoholeinfluss die befahreneren Straßen nehmen müsse. Ihrer Aussage zufolge habe er ihr während der Fahrt die Hand in die Hose geschoben, woraufhin sie beinahe ein parkendes Auto gestreift habe.

Hier und da hört man ein Räuspern. Gleich werden Menschen über zwei Leben entschieden, mit denen sie nichts zu tun haben.

Maggie hält weiterhin die Skapuliermedaille ihres Vaters in der Hand.

»Wir, die Geschworenen, befinden den Angeklagten Aaron Knodel in den Punkten eins, zwei und fünf einstimmig für nicht schuldig.«

Alle Augen richten sich auf den Angeklagten. Alle wollen sie sehen, was nach dem Urteilsspruch in seinem Gesicht zu lesen ist.

Erleichterung natürlich. Aber ist es die Erleichterung eines rechtschaffenen Mannes, den man unnötig gequält hat? So jedenfalls sehen es die meisten an diesem Tag. Aufschlussreicher ist aber vielleicht die Sicht jener, die in ihm etwas anderes sehen, die die Erleichterung eines schuldigen Mannes sehen. Denn jeder sieht Aaron Knodel so, wie er ihn eben sehen möchte oder – und das ist vielleicht beunruhigender – wie es ihm von jemandem, den er respektiert, eingeredet worden ist.

Eine mögliche Sichtweise derer, die Knodel für schuldig erachten: Er ist ein hinterhältiger Mistkerl, nur geringfügig besser als ein gewöhnlicher Pädophiler. Er hat die Verliebtheit dieser jungen Frau benutzt, sein eigenes Zutun perfekt dosiert, sich in einen Kentaur verwandelt – halb verheirateter Lehrer, halb Geliebter und Freund.

Eine andere Sicht auf den Angeklagten: Er ist ein guter Mann, den eine junge Frau fast zu Fall gebracht hätte, ohne dass ihn oder sie furchtbar viel Schuld träfe. Dann ist der Angeklagte nicht abgrundtief bösartig, ja vielleicht hat er sogar versucht, ihr fernzubleiben, doch sie hat ihn bedrängt.

Und dann haben wir da diesen Mann vor uns, einen Lehrer mit einem gewaltigen Ego. Er ist attraktiv, das bestätigen sogar seine Schülerinnen mit geröteten Wangen. Er hat eher ein bisschen zufällig angefangen, Maggie zu simsen, weil er sie schön und klug und engagiert fand. Ein bisschen wild ist sie auch, hört Led Zeppelin und schaut die *Trailer Park Boys*, hat aber blonde Haare und trägt Slips mit Spitze unter ihren Jogginghosen. Die SMS entwickelten ein Eigenleben, wie das bei SMS eben so ist, und es gefiel Aaron Knodel, und dann gefiel es ihm nicht, und dann gefiel es ihm wieder, und schlussendlich gefiel es ihm nicht. *Twilight* las er, weil es ihn anturnte, für einen Vampirlover gehalten zu werden. Er zog sich zurück, als sie vorpreschte, und dann gab es Tage, da spürte er, wie sie ihm entglitt, und mit ihr eine weitere Chance auf etwas Jugend. Also schrieb er ihr: »Ich glaube, ich verliebe mich gerade in dich.« Und meinte eigentlich: Ich bin in den verliebt, der ich durch dich wieder bin, darum verlass mich bitte nicht. Denn dieses neue Ich stirbt, wenn dein Interesse an mir stirbt.

Um seine eigene Idealisierung aufrechtzuerhalten, lud

er sie zu sich nach Hause ein, und es gefiel ihm, aber danach hasste er es – sie verliebte sich zu sehr in ihn. In den darauffolgenden Monaten musste er die Sache zwischen ihnen langsam beenden, ihr Herz wie Hornhaut abschälen. Dafür musste er Mitleid erregen. Er musste der Mann sein, der seine Frau nicht liebte und von seiner Frau nicht geliebt wurde. Er musste der Mann sein, der wegen der Kinder blieb. Doch obwohl er schon dabei war, ihr Herz loszuwerden, gab es manchmal Zeiten, da saß er im Auto, langweilte sich, und statt Musik oder einen NPR-Sender zu hören, rief er dieses Mädchen an, bei dem er sich kurz nicht wie jemand fühlte, der furzte, beim Pokern verlor und sich Sorgen wegen der Hypothek machte.

In den Anklagepunkten eins, zwei und fünf wurde er für nicht schuldig befunden, sogar von der Geschworenen, die ins Krankenhaus eingewiesen wurde. Die übrigen zwei Anklagepunkte – drei und vier – beziehen sich darauf, was an jenem Abend in seinem Haus passiert ist, als sie so unbefangen zusammen sein konnten wie sonst nie. Er wird der Penetration ihrer Scheide mit dem Finger und des Oralverkehrs beschuldigt. In diesen Punkten ist die Jury nicht zu einem Urteil gekommen. Es geht das Gerücht, die Geschworene im Krankenhaus habe sich als Einzige geweigert, ihn auch in diesen zwei Punkten für nicht schuldig zu befinden. Die Anwesenden im Gerichtssaal erfahren, dass die Staatsanwaltschaft die Feststellung der Ungültigkeit des Verfahrens für alle fünf Anklagepunkte beantragen kann oder nur für die beiden Anklagepunkte, in denen die Jury nicht zu einer Entscheidung gekommen ist.

Der Richter sagt, die Geschworene sei in die Notaufnahme gebracht worden, weil sie plötzlich nicht mehr in der Lage gewesen sei, die Mitglieder ihrer eigenen Familie wiederzuerkennen. Zudem habe sie sich geweigert, dem Gericht eine Blutprobe zur Verfügung zu stellen. In den Tagen darauf dringen interessante Informationen aus dem Krankenhaus zum Gericht und von dort in die Öffentlichkeit durch. Zum einen hatte die Geschworene dem Gericht während des Auswahlverfahrens der Jury nicht mitgeteilt, dass sie in der Vergangenheit selbst sexuell missbraucht worden war. Zum anderen sickert durch, sie habe die Beamten, als man sie weggebracht habe, angeschrien, dass es an ihr sei, die Kinder zu beschützen.

Richter McCullough dankt den Geschworenen und entlässt sie. Aaron steht auf und gibt einer älteren Frau einen Kuss auf die Wange. Maggie sieht ihn nicht an. Sie kann es nicht. Fühlt sich wie ausgeweidet. Sie ist angewidert, dass er mit den Fingern, die in ihr gewesen sind, einen Rosenkranz umschlossen hat, dass er diesen Rosenkranz gegen die Skapuliermedaille ihres Vaters hat antreten lassen. Plötzlich wird ihr klar, wie lächerlich sie sich mit alldem gemacht hat. Weil sie glaubte, die Zettel würden ihn zur Strecke bringen, glaubte, niemand könne die Botschaft auf diesen Zetteln ignorieren. *Bedingungslos – wie unsere Liebe!*

Später wird der Richter das dreifache Nicht-schuldig-Urteil bestätigen und den Antrag auf Ungültigkeit des Verfahrens in den übrigen beiden Punkten für zulässig erklären. Und Aaron Knodel wird wieder als Lehrer an der Sheyenne High School eingesetzt werden.

Warum nur, fragt sich Maggie, hat niemand geglaubt, die Zettel seien von ihm? Warum hat niemand erkannt, wie gemein sie waren? Warum ist es niemandem in den Sinn gekommen, dass ein problembeladenes Kind seinen Lehrer idealisiert und dass dieser jene Bewunderung für seine Zwecke genutzt und besudelt haben mag? Ein Lehrer, der sofort leugnete, die folgenden Zeilen geschrieben zu haben:

»Manchmal fühlt es sich einfach viel zu gut an, das Falsche zu tun.«

»Dieses Warten auf dich ist einfach *unerträglich*!«

»Weißt du noch, wie sehr deine Hände gezittert haben? Es fühlt sich großartig an, deine Aufregung zu spüren!«

»Als ich das erste Mal nachts von dir geträumt habe, wusste ich, ich bin dir verfallen!«

»Du bringst das Beste und das Schlimmste in mir hervor ... und liebst mich trotzdem!«

»Siebzehn ... du wirkst älter. Wie viele Tage noch?«

Maggie beißt sich so fest in die Wange, dass sie das Blut schmecken kann. Am liebsten würde sie ihrem Vampirlehrer die Zunge ausreißen. Stattdessen verlässt sie mit dem, was von ihrer Familie noch übrig ist, den Saal.

Auf dem Weg hinaus hört sie, wie eine der Geschworenen zur Presse sagt, sie hoffe, Knodels Familie müsse nie wieder solche Qualen durchleben.

# Lina

Wie ein Uhrwerk: Noch in derselben Sekunde, da Lina mal nicht an ihn denkt, merkt er es. Über mehrere Landstraßen Indianas hinweg spürt er, dass sich die Zügel lockern, und schickt ihr einen traurigen Smiley. Sie ist gerade in ihrem Hotelzimmer eingeschlafen, als das Vibrieren sie hochschrecken lässt.

»Warum ziehst du so ein langes Gesicht, Aidan, was ist los?«, antwortet sie ihm fast sofort. Wie gut sich das für ihn anfühlen muss, denkt sie. Es muss ein herrliches Gefühl der Macht sein, wenn man weiß, dass ein Knopfdruck reicht, egal, was man will.

»Dachte, du hast vielleicht ein Bild für mich«, schreibt Aidan.

Lina hat tatsächlich ein ganzes Album mit Bildern für ihn angelegt. Vor zwei Tagen stand sie im Solarium nackt auf der Auslegware mit den braunen Cremeflecken, im grünlichen Schein der summenden Bänke, der aus den anderen Kabinen sickerte, hielt das halb kaputte Handy über ihren Kopf und schoss ein Foto von ihrem Körper. Das schickt sie ihm jetzt und betet, dass ihr Handy nicht den Geist aufgibt, bevor sie eine Antwort bekommt, und dass andere Leute ihr nichts von ihrem Akku klauen, indem sie ihr Nachrichten schicken. Denn jeder, der nicht Aidan ist, ist wie Seepocken am Fuß – einfach lästig.

Aidan schreibt: »Ein neues heißes Bild wäre nett.«

Du Arsch, denkt sie, lacht aber im selben Moment, denn je mehr er von ihr will, desto besser, und je weniger er sich beeindrucken lässt, desto mehr will sie ihn beeindrucken. Sie schickt ihm ein Bild von ihrer Intimfrisur.

Er schreibt: »Sexy Dessous wären nett.«

Sie legt all ihr Kleider ab, bis auf das für ihn gekaufte schwarze Spitzenhöschen und den dazugehörigen Push-up. Sie legt sich aufs Bett und macht ein paar Selfies, von denen sie ihm das beste schickt.

Gleich wird ihr Akku leer sein, aber sie hat ihren iPod dabei, der noch einigermaßen aufgeladen ist. Mit dem iPod kann sie auf ihren Facebook-Messenger zugreifen. Also bittet sie Aidan, auf den anderen Kanal zu wechseln. Es wäre für ihn ein Leichtes.

Lina schreibt: »Bitte wechsle zu Facebook, mein Akku ist gleich alle!«

Sie hat kein Aufladegerät dabei. Ganz egal, wie gut sie sich darauf vorbereitet, ihn zu sehen, das Universum grätscht ihr immer dazwischen. Mal sind es die Kinder, die ganz dringend ein bestimmtes Kuscheltier brauchen, das sie gerade in die Waschmaschine gesteckt hat, mal springt ihr Wagen nicht an.

Sie zieht auch ihre Unterwäsche aus. Wenn sie nackt ist, spürt er vielleicht ihre Empfänglichkeit in der Atmosphäre. Sie schließt die Augen und stellt sich vor, wie er jeden Moment an die Tür von Zimmer 517 klopft. Das Zimmer hat sie sich vorsichtshalber genommen. Eigentlich hatte sie bei ihm in der Gegend eine Freundin treffen und mit ihr etwas trinken gehen wollen, dann hatte die Freundin kurzfristig abgesagt, aber Lina hatte das Zimmer schon gebucht, und die Kinder sind bei Ed, sodass sie einfach blieb. Sie erzählte Aidan, wo sie steckte, erzählte ihm, dass sie keine fünfzehn Kilometer von seinem Haus entfernt war. Sie wusste, die Chancen standen schlecht, dass er zu ihr kommen würde, aber in seiner Nähe zu schlafen fühlte sich immer noch besser an, als die Nacht irgendwo anders zu verbringen.

»Bitte wechsle zu Facebook«, wiederholt sie.

Aber er tut es nicht und schreibt auch nicht mehr zurück. Das Bild reicht ihm anscheinend. Lina tröstet sich damit, dass er mit einem Foto von ihr eingeschlafen ist. Sie versucht, auch wieder in den Schlaf zu finden, braucht aber sehr lange. Jetzt ärgert sie sich doch, umsonst so viel Geld für ein Hotelzimmer ausgegeben zu haben.

Am Morgen packt sie langsam ihre Sachen, noch immer in der Hoffnung, von Aidan zu hören. Dass er vielleicht aufwacht und schreibt: »Tut mir leid, bin eingeschlafen! Wo bist du?«

Irgendwann gibt sie die Hoffnung auf und checkt aus. Zum Glück scheint die Sonne, denn sonst, das weiß sie, würde sie die Depression direkt wieder einholen. Sie fährt durch Mooresville, hört Musik, und auf einmal hält sie es nicht mehr aus.

»Kann ich dir gerade eine Nachricht schicken?«, schreibt sie und meint damit: Kann ich sagen, was ich will, oder ist deine Frau in der Nähe?

Er schreibt: »Ja, kannst du.«

»Ich weiß, ich sollte nicht, aber ich will dein Gesicht wiedersehen, dich küssen, wieder spüren, wie es ist, wenn wir uns ineinander bewegen.«

»Ich weiß, ich sollte nicht« ist sein Spruch; sie mag es, wenn er etwas von ihr wiederholt und sie etwas von ihm.

Er antwortet: »Warum denn?«

Jetzt muss sie sein Ego streicheln. Sie versteht diesen Mann besser als er sich.

»Weil es so toll mit dir ist und weil ich etwas für dich empfinde.«

Sie möchte am liebsten schreiben: Ich liebe dich so sehr. Ich würde mich um deine Kinder kümmern, als wären es meine eigenen.

Er antwortet ihr nicht, und nun ist ihr Akku wirklich runter bis auf ein letztes schmerzhaftes Fitzelchen. Mit kreischenden Bremsen hält sie auf dem Parkplatz vor Advanced Auto Parts, einem Anbieter von Kfz-Ersatzteilen. Sie kauft dort ein Autoladegerät für ihr Handy, mit dem sie auch Musik abspielen kann, und selbst das ist nur für das nächste Mal, wenn Aidan und sie wieder im Wagen miteinander schlafen.

Sie schreibt: »Yippie! Hab endlich ein Ladegerät.«

Sie hört nichts von ihm.

Sie schreibt: »Ich liebe es, wenn sich Probleme so einfach lösen lassen! Herrlicher Tag hier in Mooresville!«

Sie hört nichts von ihm.

Sie schreibt: »Dann bin ich eben nur deine gute Freundin, wenn es das ist, was du willst. Wird allerdings schwer für mich, weil ich immer etwas für dich empfinden werde. Ist da so okay für dich?«

Er schreibt: »Bist du auf dem Heimweg?«

»Noch in Mooresville. Muss erst 16:30 Uhr zurück sein.«

»WTF! Was machst du so lange da?«

»Hey, mein Großer, verfluch mich doch nicht gleich!«

Das Spiel läuft, sie ist wieder drin.

»Sorry, Kid.«

»Ist schon okay, Großer. War nur Spaß.«

»Warum sagst du, dass ich fett bin?«

»Du bist nicht fett. Du hast einen großen Schwanz und schöne Muskeln, Mr. Hart. Hihi.«

»Was soll das Hihi? Nur ein großer Spaß?«

»Nein, ich mein es ernst. Könntest du ein paar Kinozeiten für mich raussuchen?«

Eine Weile hört sie nichts von ihm, aber das ist okay, schließlich rollt der Ball wieder, und sie spürt, wie sich die Spannung zwischen ihnen erneut aufbaut. Sie kann ihn selbst in seiner Angst lesen. Aus einer Drogerie schreibt sie ihm: »Hast du schon mal das wärmende Gleitgel von KY probiert?«

Er schreibt: »Nein, wofür soll das gut sein?«

»Ich wüsste da ein paar Stellen, wo ich es draufschmieren und dann ablecken würde.«

Er redet was von Seen, und sie redet was von Schrumpfen, und er sagt was von kleiner werden, und sie sagt, sie kann ihn größer machen, und er fragt: »Ach ja, wie denn?«

»Das möchtest du gerne wissen, was?«

Wieder hört sie für ein paar Minuten nichts von ihm, aber sie hat sich das Ladegerät ja nicht umsonst gekauft, also schreibt sie: »Find's doch am besten selbst raus.«

Es ist ein herrliches Spiel. Jede SMS soll ihn anfüttern. Mit jeder Nachricht setzt sie alles auf eine Karte. Sie konzentriert sich darauf, keinen Fehler zu machen, ihn nicht zu verschrecken. Jeder Buchstabe ist Strategie. Jedes Satzzeichen ist Strategie. Ihr ganzes Leben hängt von seinen Antworten ab. Ihr Herz strahlt, glüht, leuchtet kirschrot. Sie weiß, dass sie ihn, genau wie ein Autoverkäufer seine Kunden, einfach nur dazu bringen muss, ihr gegenüberzustehen, und schon ist die Sache geritzt.

Sie schreibt: »Hab grad einen kreativen Anfall und hab was Lustiges gekauft.«

»Was denn?«

»Komm doch her, dann zeig ich's dir.«

»Gib mir einen Tipp.«

»Es ist was zum Draufschmieren und Ablecken, was für ganz besondere Stellen. Wo treffen wir uns?«

»Im Haus deiner Mutter.«

»Sehr witzig, du willst es also in meinem alten Bett mit mir treiben?«

»Eigentlich lieber hinterm Kino.«

Dort hatten sie ihr erstes Date. Und er erinnert sich daran! Aber jetzt reicht es. Sie liebt diese Spielereien, doch sie will nicht zusehen, wie der Zeiger der Uhr immer weiter vorrückt. Sie hat nicht ewig Zeit. Hat sie nie.

»Los, wir treffen uns an der Kreuzung in Five Points, und dann fahr ich dir hinterher.«

»Ich weiß nicht, wohin«, schreibt er.

»Bin jetzt in Five Points«, schreibt sie ein paar Minuten später.

Sie wartet dort, holt scharf Luft, spürt, wie ihre Lust ihr fast den Atem nimmt.

Nach einer halben Ewigkeit sieht sie endlich seinen Wagen die Straße entlangkommen. Er winkt ihr so halb zu und gibt ihr zu verstehen, dass sie ihm folgen soll. Und sie ist so zufrieden mit sich, weil er sich für sie ins Zeug gelegt hat. Er hat sich das Hirn zermartert, bis ihm ein Ort eingefallen ist. Ihr Gesicht hellt sich auf, als sie merkt, dass er die Felder seiner Großmutter zwischen Five Points und dem Fluss ansteuert, wo er und seine Brüder auf einem wunderschönen Stück Land von Hunderten von Hektar jagen gehen.

Sie folgt seinem Wagen zwischen den Feldern hindurch und in den Wald hinein. Als er anhält, hält auch sie. Sie wartet, sieht seine Tür aufgehen, sieht seinen starken Körper. Mit sicherem Schritt kommt er langsam auf sie zu und steigt zu ihr in den Wagen. Ihr Körper fängt an Stellen, denen sie sonst keine Beachtung schenkt, plötzlich an zu glühen und zu beben. Sogar ihre Zahnwurzeln kribbeln vor Aufregung.

Sie stehen auf einer kleinen Lichtung zwischen zwei eindrucksvoll aufragenden Waldstücken. Lina sagt, all das erinnere sie an den *Twilight*-Film, an den Pazifischen Nordwesten mit seinen Vampiren, seinem Regen und seiner mysteriösen Schönheit. Sie erzählt ihm ein paar Sachen, die sie in einem Kurs an der Indiana University gelernt hat. Dass die Bäume in der Mitte eines Waldes höher wachsen und eine breitere Krone haben als die am Rand, weil die in der Mitte sich zur Sonne durchkämpfen müssen.

Er mag es, wenn sie über Dinge redet, die nichts damit zu tun haben, dass sie ihn braucht. Er sagt: »Hast du schon mal den Schrei von einem Rotluchs gehört?« Sie verneint, und er erzählt, als er das letzte Mal zum Jagen hergekommen sei, habe er einen gehört, und es habe geklungen, als würde ein kleines Mädchen ermordet. Er erschaudert, weil er selbst zwei kleine Mädchen hat, und dann legt sie ihre Hand auf seine, und sie sitzen zusammen da und schauen in den Wald. Ein perfekter Moment. Von so viel Zärtlichkeit umgeben, zittert sie, denn sie kennt die Wahrheit, auch wenn sie sie zu verdrängen versucht: Er behandelt sie furchtbar. Er ist nicht gemein zu ihr, aber fast nie nimmt er Rücksicht auf ihr Herz. Er lebt sein Leben, voll mit Schaukel-Sets und Bauabsperrungen und Verantwortung für seine Frau. Während Lina seine Rotluchsfrau im Wald ist: Wenn du sie hörst, wirst du traurig, aber später setzt du dich an den Esstisch, hältst dein Kind auf dem Arm, pulst ein Stück Fleisch zwischen den Zähnen hervor, siehst dir später ein Spiel an. Vergisst, auf eine SMS zu antworten. Schläfst ein.

Sie sind beide eine Zeit lang still, und dann ergreift Aidan wieder das Wort, was merkwürdig ist. Er sagt: »Wusstest du, dass ich mich heute mit Kel getroffen habe?«

Er meint seinen Freund Kel Thomas, der Lina letzte Nacht gesimst und ihr angeboten hat, ihr im Hotel Gesellschaft zu leisten. Lina schart ein paar Männer wie Kel um sich, damit Aidan eifersüchtig wird. Oder weil sie sich versichern will, dass sie nicht den Rest ihres Lebens allein bleiben wird.

»Nein, das wusste ich nicht«, antwortet Lina.

»Hm.«

»Aidan, er wollte Sex mit mir. Ich aber nicht mit ihm. Das würde ich nie tun. Er hat allerdings gesagt, dass er mal mit mir ausgehen würde. Einfach nur als zwei Erwachsene, die sich einen schönen Abend machen wollen.«

»Man kann nie wissen, vielleicht magst du ihn. Könnte doch sein, dass es funkt.«

»Stört dich das?«

»Es ist dein Leben, Kid.«

»Nein, also ich meine ... da funkt nichts. Er ist dein bester Freund. Außerdem ist er ein bisschen unheimlich!«

Aidan lacht! Er lacht wirklich!

Sie schweigen wieder, und dann sagt Aidan: »Was hast du denn nun mitgebracht?«

Jetzt hat Lina das Kommando, oder zumindest fühlt es sich so an. Sie sagt: »Leg dich in den Kofferraum, und zieh dir die Hose und die Schuhe aus.«

Er klettert in den Kofferraum des Suburban, und Lina folgt ihm. Sie zieht sich aus, lässt aber noch nicht zu, dass er sie berührt. Sie fasst in eine der Taschen ihrer Hose, die auf dem Boden des Wagens liegt, und nimmt ein Cadbury Creme Egg heraus, ein gefülltes Schokoladenei.

»Du hast vorhin so lange gebraucht«, sagt sie. »Da hätt ich's fast gegessen.«

Sie zwinkert ihm zu, und Aidan wirft einen fragenden Blick auf das Ei. Sie hält es schräg über ihren Kopf, nähert sich langsam, ganz langsam seinem Gesicht, und dann küsst sie ihn. O Mann, ist das gut! Wie immer mit ihm. Seine Zunge. Ihre Zunge, die sich für ihn nicht anfühlt wie eine kratzige Decke, die zu berühren einer Beleidigung gleicht. Dann reißt sie sich von ihm los, wickelt das Ei aus, zerbricht es an der Naht in zwei Hälften. Eine Hälfte legt sie auf den Boden des Kofferraums, um mit dem Zeige- und Mittelfinger die Füllung aus der anderen zu löffeln, reibt seinen Penis ein, bis hinunter zu den Hoden, und achtet darauf, besonders viel auf der Eichel zu verteilen.

Anschließend lutscht sie ihn, verschmiert die süße klebrige Creme mit der Zunge, leckt sie zugleich auf. Ein erster Lusttropfen, und sie hebt den Kopf und sagt: »Mmh, salzig und süß, fantastisch.«

Und dann küsst sie ihn mit Creme auf der Zunge. Küsst ihn auf den Mund, lutscht an seinem Penis. Alles schmeckt so gut.

Mit seinen starken Armen zieht er sie nach oben über sein Gesicht, bis er ihren Arsch hält. Lässt sie dann ein Stück absinken und saugt an ihr. Es fühlt sich an, als würde ein Tiger sie fressen. Er stöhnt in ihre Scheide hinein. Immer wieder sagt er: »Ich liebe es, dich auf diese Art zu vernaschen.« Genau genommen sagt er auch das in ihre Scheide hinein, als wären sie miteinander vertraut, als hätten sie ihre eigene Beziehung und Lina würde ihnen nur von oben zusehen.

Mehr als zehn Minuten saugt er sich zwischen ihren Schenkeln fest. Manchmal fühlt es sich so gut an, dass es einfach zu viel ist und sie von ihm heruntersteigen will, aber er lässt sie nicht, hat sie fest im Griff. Er murmelt in sie hinein, hält ihre Klitoris umschlossen wie die Kugel im Sockel eines Joysticks.

Als er sich schließlich von ihr löst und sie über seinem Penis absenken will, sagt sie: »Halt! Ich will das Zeug nicht in mir haben!«

Sie meint die Creme, und zum Glück hat sie Feuchttücher in der Mittelkonsole, mit denen sie ihn abwischt und sich dann über ihm absenkt, in der Hocke auf dem Boden ihres Kofferraums.

Als er in sie hineingleitet, ist jedes ihrer Bedürfnisse gestillt. Als wäre sie eine Maschine, die genau mit dem Brennstoff gefüllt wird, der sie am Laufen hält. Sie reitet ihn, jede Bewegung fühlt sich an wie die erste. Als sie müde wird, übernimmt er die Führung; er packt ihre Hüften, hält sie fest und stößt immer wieder in sie hinein. Dann bewegt auch sie sich wieder, und sie verschmelzen, als wären sie füreinander gemacht. Er rollt sich auf sie, bewegt sich rhythmisch in ihr, und als er immer schneller wird, lässt sie los, erlebt mit jedem Stoß einen winzigen Orgasmus. Dieses Mal küssen sie sich fast die ganze Zeit, ihr Kopf steht in Flammen. Wieder und wieder verspürt sie dieses herrliche Kribbeln. Als er kurz davor ist zu kommen, zieht er sich aus ihr zurück und fragt, ob sie gekommen ist, und sie sagt Ja. Da dringt er wieder in sie ein, stößt zu, schneller und schneller, zieht ihn dann raus und kommt auf ihrem Bauch. Erschöpft sinken sie zu Boden und halten einander fest, und in ihr setzt die Angst ein, denn gleich wird er gehen, der Countdown läuft.

»Halt mal, Mister«, sagt sie, als sie spürt, wie sein Körper gleichgültig wird. »Mach's mir noch mit den Fingern.«

»Ich dachte, du bist schon gekommen.«

»Nicht so ganz.«

Er schiebt einen Finger in sie hinein und gleitet langsam raus und rein. Dann nimmt er einen zweiten hinzu, und sie stöhnt auf.

So geht es minutenlang, und sie ist immer wieder kurz davor, kann aber nicht kommen, weil sie weiß: Sobald sie es tut, steht er auf und geht. Als die Franzosen den Orgasmus *la petite mort* nannten, meinten sie einen glücklichen kleinen Tod, einen zufriedenen Tod; doch bei ihr ist er das nicht. Bei ihr ist es ein angstvoller Tod. Jedes Mal könnte das letzte Mal sein, dass sie sich so fühlt.

»Baby, ich kann gleich nicht mehr!«

Sie weiß, er ist unruhig, fühlt sich in der Enge ihres Wagens plötzlich eingesperrt. Sie sagt: »Na los, geh. Ich mach allein weiter. Raus mit dir.«

»Warte kurz, ich muss pinkeln«, antwortet er, steigt aus und pinkelt auf die Lichtung. Dann ruft er jemanden an, und sie hört durch das beschlagene Fenster des Suburban, dass er mit einem Mann telefoniert, nicht mit einer Frau – Gott sei Dank, aber dennoch … Sie versucht noch, es sich selbst mit den Fingern zu machen, fühlt sich jedoch albern dabei, so allein im Wagen. Er sieht ihr nicht mal durchs Fenster dabei zu. Also zieht sie sich wieder an, steigt aus und setzt sich mit einer American Spirit aus der Schachtel, die sie für ihn gekauft hat, auf die Motorhaube.

Nachdem er das Gespräch beendet hat, kommt er zu ihr, legt ihr beide Hände auf die Knie und sagt: »Hey, Kid, ich ruf dich an.«

»Ja, ich weiß«, gibt sie zurück und schaut hinüber zu den Baumkronen am Rand der Lichtung.

Er will sich gerade von ihr losmachen, als sie sagt: »Hey, warte. Willst du die Kippen? Die sind mir sowieso zu stark.«

»Klar, danke, Kid.«

»Macht sechs Mäuse.«

Er zieht sein Portemonnaie aus der Gesäßtasche und nimmt einen Fünfer und einen Einer raus.

»War nur Spaß!«

»Nein, Kid, nimm«, beharrt er.

»Will ich aber nicht.«

Er klemmt ihr die Scheine unter den Oberschenkel.

»Bleibst du noch hier?«

»Ja, nur kurz«, sagt sie. »Die Sonne fühlt sich gut an. Schöner Tag heute.«

»Na dann, Kid.«

Er zieht seine Hände weg, diesmal endgültig, und für sie geht die Welt unter. Als er zurück zu seinem Wagen geht, schaut sie nicht hin, aber sie hört, wie der Motor anspringt. Auf Höhe des Suburban hält er noch mal kurz und winkt ihr durch das halb geöffnete Fenster zu. »Nicht traurig sein, Kid.«

Sie springt von ihrer Motorhaube, um den Fünfer und den Einer durch den offenen Fensterspalt zu quetschen. Noch denkt sie nicht daran, wie schwer es wird, die klebrige Creme vom Boden abzukratzen. Sie denkt nicht daran, dass ein Teil davon in ihren Haaren klebt. Sie versucht nur, die Scheine durch den Spalt zu quetschen, aber bevor es ihr gelingt, fährt er schon weiter, und sie behält die Scheine in der Hand.

»Jedenfalls bin ich dann noch eine halbe Stunde geblieben«, erzählt sie den Frauen später an dem Konferenztisch ihres Hormonarztes, »habe einfach in den Wald gestarrt, bis es dunkel wurde, und mich viel zu spät auf den Weg gemacht.«

Die sechs Dollar ließ sie auf der Erde liegen. Einen Fünfer und einen Einer, knittrig und grün, wie Blätter, die auf dem Höhepunkt ihrer Pracht abgestorben waren.

»Ich hätte einen Stein oder irgendwas auf die Scheine legen sollen, sodass er, wenn er mal wieder dort ist, gesehen hätte, dass ich sie nicht genommen habe«, sagt sie. »Aber das habe ich nicht. Ich habe das Geld einfach liegen lassen, und der Wind hat es weggeweht.«

# Sloane

Es gibt einen sehr guten Markt auf der Insel, wo man Kopfsalat und Braunen Senf und Baby Kale von den Farmen der Umgebung kaufen kann. Cremigen Hummersalat mit Scherenfleischstückchen so groß wie Fäuste.

Und genau dort, in dem großen, kühlen Bereich, wo Obst und Gemüse angeboten werden, sah Sloane auf einmal eine Frau, die ihr das Gefühl gab, Abschaum zu sein. Sie hatte diese Frau lange nicht gesehen, hatte keinen Kontakt zu ihr gehabt seit der SMS vor einem Jahr, die sie auf dem Weg zu just diesem Markt erreicht hatte, weshalb es sich anfühlte, als läge ein Fluch auf diesen Gängen.

Jenny hatte eine Jeans und einen Wickelcardigan unter ihrer Winterjacke an. Sie war eine Frau, die ihr Baby mühelos in einem Tuch herumtrug, die sich ein Kind auf den Rücken binden und ein anderes stillen konnte, während sie Haferflocken-Cookies backte. Mit ihrer Schönheit schien sie perfekt nach Newport zu passen, denn wenn man sie sah, dachte man an Yoga im Sonnenschein und an vegane Milch.

Beide Frauen schoben einen Einkaufswagen vor sich her. Sloane fühlte sich lächerlich mit ihren Beuteln voll gefrorenem Grünkohl und Mandelbutter.

»Können wir uns unterhalten?«, fragte Jenny so laut, als fragte sie schon zum zweiten Mal. Vielleicht war Sloane zu sehr in Gedanken vertieft gewesen und hatte sie beim ersten Mal nicht gehört. Aus dem Ballon in Sloanes Brust entwich ein wenig Luft.

»Ja«, sagte sie. »Möchtest du mit zu mir kommen?«

Jenny nickte.

Bevor sie sich auf den Weg machten, kauften beide Frauen noch zu Ende ein. Sloane griff zu mehreren Kleinigkeiten, die sie gar nicht brauchte: mit Schokolade überzogene Macadamianüsse. Glutenfreie Feigenriegel. Danach folgte Jenny Sloane zu ihrem Haus. Sie stellten die Autos ab, und Sloane ging gerade auf die Eingangstür zu, als Jenny sagte: »Warte, ich will nicht zu dir ins Haus.«

Sloane stand zitternd auf der Treppenstufe. Ihr wurde klar, dass das Haus für Jenny genauso mit einem Fluch belegt sein musste wie der Markt für sie. Wenn auch auf andere Weise.

»Wollen wir uns in meinen Wagen setzen?«, fragte Sloane.

Jenny war einverstanden, und so stiegen sie in den SUV. Sloane machte die Heizung an und stellte das Gebläse so ein, dass ihnen die warme Luft um die Beine blies, nicht ins Gesicht.

Beide schwiegen sie eine Zeit lang. Sloane lauschte dem Geräusch des Heizungsgebläses, ihrem eigenen und Jennys Atem. Seit ein paar Wochen machte sie sich Sorgen um das Sehvermögen ihrer Tochter. Ihre Jüngste war bei der Geburt mit B-Streptokokken infiziert worden. Das Kind hatte unter der Spätform einer Neugeborenensepsis gelitten, die eine Woche nach der Geburt zu einer Hirnhautentzündung geführt hatte. Damals hatten die Ärzte Sloane erklärt, dass diese Babys oft Gefahr liefen, ihr Gehör oder ihr Augenlicht zu verlieren, dass sie später häufig Lernbehinderungen und neurologische Probleme entwickelten. Zum Glück hatten sie das Kind mit intravenösen Antibiotika behandelt, und zum Glück war die Kleine stark genug gewesen, um sich dem Schicksal zu widersetzen. In den vergangenen Wochen aber hatte sie darüber geklagt, dass die Welt vor ihren Augen verschwimme.

»Warum?«, fragte Jenny und durchbrach damit die Stille.

Sloane schüttelte den Kopf, als hätte sie gewusst, dass das die erste Frage sein würde. Jenny hatte sich ihr zugewandt, um sie ansehen, ja anstarren zu können.

»Es war mir bis zum Schluss nicht klar«, antwortete ihr Sloane. »Ich wusste nicht, dass du nicht Bescheid wusstest.«

Jenny lachte. »Verschon mich mit dem Scheiß«, sagte sie. »Du hast dir doch keine Sekunde Gedanken über mich gemacht.«

»Das stimmt nicht!«

Jenny lachte wieder. Sloane spürte, wie sie eine gewaltige Dunkelheit erfasste, eine richtige Schlammlawine. Sie spürte den Hass dieser Frau. Noch nie war ihr der Hass einer anderen Person so nahe gekommen.

»Ich müsste nicht hier sein«, sagte Sloane leise. »Aber ich bin hier. Und ob du es mir nun glaubst oder nicht: Ich habe erst zum Schluss kapiert, dass du von nichts wusstest. Und ...«

Den Rest konnte Sloane nicht sagen. Wie schrecklich es zum Ende hin war. Wie sie es vielleicht noch zwei oder drei Mal getan, mit dem Partner dieser Frau gefickt hatte, obwohl sie schon wusste, dass Jenny wohl von nichts eine Ahnung hatte. Sie konnte ihr nicht erzählen, wie sie Wes gefragt hatte, ob sie Jenny nicht dazuholen wollten, und wie er ihre Frage durch sein Schweigen übergangen hatte. Er hatte sie mit Küssen und Streicheleien beantwortet. Diesen Teil konnte sie ihr nicht sagen. Sie wusste, es war besser für diese Frau, sie und nicht den Vater ihrer Kinder zu hassen.

»Warum«, fragte Jenny, »bist du nicht vorbeigekommen, verdammt noch mal? Wenn du dich so schlecht gefühlt hast, warum, verdammt, bist du dann nicht vorbeigekommen und hast mit mir geredet?«

Sloane erinnerte sich noch an den Rat ihrer Freundin Ingrid: »Richard muss mit ihr reden. Sag ihm, er muss zu ihr gehen und die Sache in Ordnung bringen. Sag ihm, er soll ihr sagen, dass es seine Idee war. Was ja stimmt. Das hast du verdient. Das hat diese andere Frau verdient. Er ist dafür verantwortlich. Er und Wes. Nicht du.«

Doch hier und jetzt sagte Sloane zu Jenny: »Das hätte ich tun sollen. Du hast recht. Es tut mir so leid, dass ich es nicht getan habe. Wahrscheinlich hatte ich das Gefühl, es wäre am leichtesten für alle, wenn wir Gras über die Sache wachsen ließen.«

»Deine SMS waren so kryptisch! Du hast gar nicht so getan, als hätte ich dich erwischt, du hast so getan, als wäre ich verrückt!«

»Es tut mir leid«, sagte Sloane. »Ich wusste nicht, was du wusstest. Ich wollte dir nicht noch mehr wehtun.«

»Du hast Wes geschützt. Und dich selbst.«

»Ich schwöre, ich wollte dich schützen!«

Jenny schüttelte den Kopf. »Du hast den Vater meiner Kinder gefickt. Und davor wolltest du mich beschützen? Denkst du das wirklich? Na los, sag schon, denkst du das? Ich will es aus deinem Mund hören.«

Sloane spürte, wie ihre Lippen bebten. Sie wusste, es

würde lächerlich klingen, wenn sie sagte, sie habe geglaubt, das Richtige zu tun.

»Du findest dich gut, was? Du kannst dich jeden Morgen im Spiegel ansehen. Du findest gut, wie du aussiehst.«

Da merkte Sloane plötzlich, wie sie gegen ihren Willen grinste. Darüber, wie absurd das alles war. Sie erinnerte sich daran, wie sie vor ein paar Monaten mit dem Pick-up nach Providence gefahren war, um ein paar Besorgungen zu machen und das Restaurantzelt in die Reinigung zu bringen. Danach hatte sie etwas Zeit totschlagen müssen und deswegen bei einer Patisserie angehalten. Und da lag dieses Mandelcroissant, das aussah wie das allerschönste Gebäck der Welt. Es hatte die Form eines perfekten Ellbogens. Die Mandelblättchen waren hauchdünn und schimmerten im Sonnenlicht.

Sie hasste sich dafür, das Croissant zu wollen, und dann hasste sie sich dafür, dass sie sich hasste. Sie wusste, es gab Frauen da draußen, genau wie diese Frau in ihrem Wagen, mit schrecklichen Schmerzen, schrecklichem Untergewicht, und darum hatte sie immer das Gefühl gehabt, in der Verantwortung zu stehen und erfolgreich sein zu müssen, ihre Chancen nicht zu verspielen. Vor ihrem dreizehnten Geburtstag war sie eine gute Reiterin, Schlittschuhläuferin, Skifahrerin und Sängerin, ja sogar ein gutes Model gewesen. Sie hatte Feldhockey gespielt und war Sprint gelaufen. Ihren Abschluss hatte sie an einer der besten Privatschulen des Landes gemacht. Aber selbst innerhalb des Spektrums dieser relativen Leichtigkeit hatte sie ständig neu überdenken müssen, was für eine Art von Frau sie war. Was die richtige Art war. Wie sexy, wie stark parfümiert. Nicht zu viel von sich aufgebend, nicht zu wenig. Immer das richtige Maß, denn sonst würde sie vielleicht unsichtbar, fett, lästig werden.

Sloane wünschte sich nichts sehnlicher, als sich selbst zu mögen. Sie wollte an diesem Tag in der Patisserie sitzen und nicht zu viel über ein Croissant nachdenken. Sie wollte es einfach essen. Und nicht davon absorbiert werden, sich jede einzelne Minute des Tages zu hassen. Sie hatte immer ein Gefühl der Unzulänglichkeit empfunden, wenn sie nicht jede einzelne Sache perfekt hinbekam. Sie war zweiundvierzig, und ihre Hormone spielten wieder verrückt – allein schon das Wort *Hormon* klang wie eine Windel für Inkontinente. Sie wollte Botox, aber sie wollte nicht, dass sie es wollte, zugleich würde sie diese Furchen für den Rest ihres Lebens hassen, diesen Verfall. Hätte sie doch einen Hochschulabschluss gemacht. Wie viele Einheiten, fragte sie sich, würde sie für die Augenpartie brauchen?

»Du irrst dich, Jenny«, sagte Sloane und schöpfte die Kraft dazu aus ihrem eigenen Elend. »Ich schwöre, du bist mir nicht egal. Es nimmt mich total mit, wie du dich fühlst und was ich getan habe.«

»Warum er?«

Sloane wusste nicht, was sie darauf antworten sollte. Sie hätte am liebsten geschrien: *Was willst du denn hören, verdammt! Wie wunderbar Wes ist? Wie wahnsinnig toll sein Körper ist, wie großartig er im Bett ist und wie umwerfend in jeder anderen Hinsicht, freundlich und charmant und hilfsbereit? Dass er sogar einmal, als wir im Bett fertig waren, einen tropfenden Wasserhahn repariert hat? Soll ich dir wirklich sagen, was du verdammt noch mal alles selber weißt?*

»Wolltest du mir absichtlich wehtun?«, fragte Jenny weiter. »Du solltest dich mal sehen. Du bist ganz still. Du tust nur so, als würdest du nicht sehen, was absolut naheliegend ist.«

Sloane wusste, wovon Jenny sprach. Im ersten Jahr des Restaurants, als Jenny eine Zeit lang Kellnerin bei ihnen gewesen war, hatte sie etwas getan, das Sloane verletzt hatte. Ein paar Monate nach der Restauranteröffnung hatten Sloane und Richard das Schichtvergabesystem geändert, sodass die begehrten Schichten, die an den Wochenenden zum Brunch und zum Dinner, nicht mehr automatisch an die erfahreneren Kellner gingen, sondern per Losverfahren vergeben wurden. Jeder wurde mit viel Vorlauf über die Änderung in Kenntnis gesetzt. Aber nach der ersten großen Party des Sommers versammelte Jenny alle Kellner und trieb Sloane in die Ecke. Sie sagten: »Das ist doch unfair, wir möchten die alte Regelung zurück. Wir waren schon vor dir hier.« Sloane war damals fünfundzwanzig Jahre alt. Sie fühlte sich wie ein Raubtier, hatte sich aber geschworen, dass nichts sie aus der Fassung bringen werde. Sie stand sehr aufrecht, als sie ihnen für das Feedback dankte und sie wissen ließ, dass sie mit Richard darüber sprechen werde. Am Ende machten sie die Änderung nicht rückgängig. Sloane war wütend auf Jenny gewesen, wütend darüber, wie unprofessionell sie mit ihrer Enttäuschung umgegangen war. Vielleicht war sie wütender gewesen, als ihr bewusst gewesen war.

»Warum Wes?«, fragte Jenny noch einmal, diesmal fast flehend.

Die Wahrheit lag ihr auf der Zunge. *Weil er heiß ist und weil mein Mann mich gebeten hat, es mit ihm zu treiben, okay? Vielleicht auch, weil du mich dieses eine Mal verletzt hast, ich mich angegriffen und klein gefühlt habe. Aber der Sex hat vor allem damit zu tun, dass mein Mann es sich von mir gewünscht hat.* Sloane wusste, sie würde sie nicht aussprechen. Sie wusste, sie musste Wes beschützen und Richard. Warum, konnte sie nicht genau sagen, doch es fühlte sich so an.

»Ich versteh dich nicht, Jenny.«

»Was bitte gibt es denn da nicht zu verstehen? Warum tust du immer so, als würdest du nicht verstehen? Gefällst du dir als Roboterlady?«

In gewisser Weise war Sloane beeindruckt davon, wie cool diese Frau war, wie echt. Wahrscheinlich hätte sie in ihrer Situation Spielchen gespielt. Jenny dagegen war Herrin über ihren Schmerz, über ihre Fragen. Sie war stark und klar.

»Du könntest wenigstens ehrlich sagen, was Phase ist«, sagte Jenny schließlich. »Das wäre das Mindeste.«

Sloane sah, dass es Jenny ernst war. Dass sie jedes Detail hören wollte. Doch Sloane wusste, dass sie einer Frau nicht sagen konnte, in welcher Form sie selbst die Wirklichkeit gewordene Fantasie ihres Mannes war. Sie war außerdem klar genug im Kopf, um zu wissen, wie glücklich sie sich schätzen konnte – dass sie die Wirklichkeit gewordene Fantasie ihres eigenen Mannes war, während andere Frauen oft nicht das waren, woran ihre Männer dachten, wenn sie in der Dusche onanierten. Richard sagte ihr ständig, sie sei die Frau seiner Träume. Ihre Haare, haselnussbraun und lang; ihre Augen, strahlend und verrucht; ihre vollen Lippen; ihre hochgewachsene Statur. Sie wusste, dass Richard sogar ihrem Alter eine gewisse Eleganz zumaß und es ihn erregte, wie ihre Haut sich an ihre Formen schmiegte.

»Hör zu«, sagte Sloane, »ich weiß, wie das alles aussieht. Ich weiß, wenn mir jemand diese Geschichte aus deiner Perspektive erzählen würde, dann würde ich denken, dass ich ein absolutes Monster bin. Ich versuche nicht, mich aus der Verantwortung zu stehlen, aber ich möchte, dass du weißt, wie leid es mir tut. Mich hat die ganze Sache furchtbar mitgenommen. Ich hätte mich damals sofort bei dir melden sollen, als mir mehr oder weniger klar wurde, dass es nicht okay für dich ist.«

»Hast du aber nicht!«

»Ich habe euch einmal auf der Fähre gesehen – ihr habt alle gelacht. Ihr saht so glücklich aus. Und da dachte ich, ihr hättet das hinter euch gelassen. Ich wollte nicht diesen ganzen Scheiß wieder ausgraben ...«

»Hinter uns gelassen? *Hinter uns?* Du hast uns zerstört! Es vergeht keine Minute, in der es mir nicht das Herz bricht. Immer wenn ich ihn ansehe, sehe ich deinen Körper.«

»Jenny, du bist mir alles andere als egal.«

»Erzähl mir nicht – erzähl du mir ja nicht, ich wäre dir nicht egal!«

Sloane wich zurück, als hätte Jenny ihr eine Ohrfeige verpasst. Sie nickte. Danach war es lange gespenstisch still.

»Ich glaube dir«, sagte Jenny schließlich. »Ich glaube dir, dass ich dir nicht egal bin, dass du dich schlecht fühlst für das, was du getan hast. Weißt du was? Das ist das erste Mal seit einem Jahr, dass ich dich nicht im Schlaf töten will. Ich habe mir ständig ausgemalt, wie ich dir im Schlaf die Kehle durchschneide. Und gerade habe ich zum ersten Mal nicht dieses Gefühl.«

Sloane dachte an ihre Kinder, die in der Schule waren. Sie stellte sich vor, dass diese Frau sie direkt hier im Wagen töten könnte. Stellte sich vor, sie würde sich vielleicht nicht so sehr wehren, wie sie könnte, weil sie es verdiente.

»Warum?« Jenny weinte plötzlich. Ihr Gesicht war völlig verzerrt. Sie stützte sich auf dem Armaturenbrett ab, um nicht völlig zusammenzusacken. »Scheiße, Sloane, was stimmt mit dir nicht?«

Sloane fror, obwohl die Heizung lief. Sie hörte, wie Jenny noch ein paar andere Dinge über Sisterhood sagte, darüber, dass man das nicht mache, einer anderen Frau etwas so Schreckliches anzutun. Sloane konnte nicht behaupten, dass sie es nicht initiiert hatte. Dass es immer Richard und Wes gewesen waren. Dass es nicht auch ihr Wunsch gewesen war, sondern der Wunsch der beiden, den sie erfüllt hatte.

Sie dachte an ihre eigenen Fantasien. Sie wünschte, sie hätte sich Jenny anvertrauen können, wusste aber, das konnte sie nicht. Eine von Sloanes Fantasien sieht so aus: Sie steht an der Küchenspüle und trägt eine cremefarbene Schürze. Ihre Haare sind zu einem Pferdeschwanz zusammengebunden. Die Kinder sitzen am Tisch und spielen leise. Das Licht ist warm und gedämpft. Es hat gerade gegrilltes Hähnchen zum Abendessen gegeben. Die Haut des Tiers war knusprig, das Fleisch darunter saftig. Als Beilage haben sie Frühkartoffeln und Babymöhren von der Farm die Straße runter gegessen. Das Restaurant wirft Geld ab. Es gibt nichts, was ihnen Sorgen machen müsste, nichts, was noch abzuzahlen wäre. In der Küche herrscht Chaos, genau die Art, die ein gutes Abendessen hinterlässt. Ihr Mann sieht sie von der anderen Seite des Zimmers an. Der Ausdruck auf seinem Gesicht ist aufrichtig, einfach umwerfend. Ein ihm ganz eigener Ausdruck. Er erhebt sich und durchquert mit mehreren Tellern das Zimmer. Eine Andeutung seines Körpers reicht, schon macht sie ihm an der Spüle Platz. Er mustert sie von oben bis unten und lächelt dabei. Dann dreht er das Wasser an und spült das Geschirr. Ohne dass sie ihn darum gebeten hätte.

Sloane konnte Jenny nicht sagen, dass sie ihre Blowjob-technik so perfektioniert hat, als wäre es eine olympische Sportart, dass sie den Atem eines Mannes lesen, ihren Mund und ihre Bewegungen an seine Bedürfnisse anpassen kann. Sie weiß, was sie zu jeder Art von Abendessen anziehen muss, ein Kleid, das alles auf einmal ist: eindrucksvoll, feminin, fließend und körperbetont, denn es gibt eine ganz bestimmte Art, sich zu kleiden, durch die man kriegt, was man will. Es geht nicht darum, sexy zu sein. Es geht darum, alles zu sein, bevor der Mann auch nur darüber nachdenkt, was er will.

Sie konnte Jenny nicht sagen, wie sehr ihr eigener Mann sie wollte, denn was konnte grausamer sein, als einer anderen Frau zu erzählen, dass du auf dieser Welt einfach mehr geliebt wirst? Sie konnte nicht sagen, dass sie jeden Morgen, wenn sie nach dem Aufwachen ans Waschbecken geht, um sich die Zähne zu putzen, in den Spiegel schaut. Und dass über ihren Tag entscheidet, was sie dann sieht. Wenn sie das Gefühl hat, sie sieht furchtbar aus, wirft sie sich vor, den Abend zuvor getrunken zu haben. Du bist nicht mehr jung genug, sagt sie dann zu ihrem Gesicht, um damit davonzukommen. Das ist der Preis dafür, wenn man in deinem Alter dünn ist – dunkle, tief liegende Augen. Hättest du dich nicht all die Jahre halb zu Tode gehungert, hättest du noch Wangen, du oberflächliche Idiotin.

Meist taucht dann Richard hinter ihr auf, der genau weiß, was sie da macht, und ihren Selbsthass unterbricht. Wenn sie ein graues Haar in der Hand hält, fährt er mit dem Finger über die Strähne und sagt: »Grau ist sexy.« Und meint das auch so. Am Nachmittag trägt er dann die Schuhe, die ihr so an ihm gefallen, und stellt sie vor ihr zur Schau, weil sie zu dieser Tageszeit eher Lust auf Sex hat als am Vormittag oder Abend. Er leckt sie dann eine halbe Stunde lang, weil sie nur so einen Orgasmus kriegen kann. Sein Schwanz ist dann hart genug, um sie zu ficken, während sie noch dabei ist zu kommen. Ja, er wird wollen, dass sie beschreibt, wie sie es mit einem anderen treibt, während er sie fickt, was nicht ihr Ding ist, aber sie denkt: Egal, was ist schon dabei?

Sie konnte Jenny nicht sagen, dass Richard manchmal ein Arschloch sein kann, aber nie die unverzeihliche Art von Arschloch. Nie die Art, wo er nicht zugibt, wo er war. Sie konnte Jenny nicht sagen, dass seine Fantasien nicht von irgendwelchen Freundinnen handeln oder vielleicht sogar von Pornostars, sondern immer von ihr, immer. Vielleicht stellt er sich Sloane zusammen mit Pornostars vor, aber sie ist immer Teil der Fantasie. Sie konnte Jenny nicht sagen, dass sie nie auf genau die Art Angst um ihren Mann haben muss, wie Jenny es mit ihrem vorgeführt bekommen hat.

Vor allem aber konnte sie Jenny nicht von ihrem Schmerz erzählen, denn er war kleiner als Jennys Schmerz, und Jenny war nicht für Sloanes Schmerz verantwortlich, so wie Sloane für Jennys Schmerz verantwortlich war. Sie konnte Jenny nicht erzählen, dass sie oft morgens am Küchenfenster steht und hinausschaut und sich die ganzen Aufgaben des Tages wie ein Fotofilm vor ihr entrollen und sie denkt: Okay, Zeckenspray und Klamottenwechsel und Eislaufunterricht und Toilettenpapier auffüllen, dann Milch, Zwiebeln, Zitronen besorgen und neues Druckerpapier bestellen und in Wagen eins Öl wechseln lassen und für den Hund Futter kaufen und Bikinizone wachsen und Pasta mit Butternusskürbis und Ricotta machen und, halt mal, haben wir überhaupt einen Hund, verdammt, und 60-Watt-Glühbirnen für die Bar besorgen und Grey Goose nachkaufen und die Wäsche aus dem Trockner holen und das einzelne schwarze Haar am Kinn entfernen und Wagen zwei sauber machen, bevor die erweiterte Familie nach Hause kommt, dann die Mülltonnen reinholen und einen neuen Pömpel kaufen und mit meinem Mann ficken und mit dem Hund spazieren gehen, falls wir einen haben.

Sie konnte Jenny nicht sagen, dass sie ihrem Mann in gewisser Weise nicht trauen kann. Sie könnte ihn fragen, ob er die Hälfte ihrer Punkte übernimmt. Er ist sein eigener Chef, sein Tag beginnt immer erst später, und natürlich hat er seine eigene To-do-Liste, aber seine ist nicht so lang wie die von Sloane und existiert nicht in Form von Sodbrennen. Sie steht nicht in Flammen wie ihre.

Sagen wir mal, sie gibt ihm vierzig Prozent ihrer Aufgaben ab – nein, dreißig Prozent, dann kommt er damit klar. Und von den dreißig Prozent wird er genau die Hälfte vergeigen. Vielleicht kauft er das falsche Hundefutter. Vielleicht vergisst er, die Kinder mit Zeckenspray einzusprühen. Er wird die normale Milch kaufen, nicht die Mandelmilch. Sagen wir also, er arbeitet die Liste ab und vergeigt die Hälfte der dreißig Prozent, ist aber trotzdem stolz auf sich, und wenn Sloane sagt: »Hör mal, danke, dass du Hundefutter gekauft hast, aber es ist das falsche, und außerdem haben wir gar keinen Hund«, dann wird er sauer, und etwas in seiner Harnröhre wird gefrieren, wird sich in einen kleinen Eiszapfen verwandeln, sein Urin und sein Sperma da, und er wird sich schlecht fühlen. Also kann sie das nicht sagen. Sie kann überhaupt nichts sagen. Sie könnte sich bedanken, aber selbst das ist falsch, denn danke heißt, dass sie annimmt, er hätte es andernfalls nicht getan, und auch wenn er nie etwas von alleine tut, denkt er, dass er es tut.

Natürlich würde er irgendwann etwas übernehmen. Wenn sie tot wäre, dann ja.

Außerdem will Sloane keine Nervensäge sein. Es gibt Frauen, die darin brillieren, aber Sloane hasst, wie ihre Stimme klingt, wenn sie eine Bitte formuliert. Was also ist ihre Fantasie? Nichts weiter, um genau zu sein. Nur dass er die Sachen macht, von denen sie gar nicht wusste, dass sie sie brauchte, dass er die von ihm stammenden bernsteinfarbenen Tropfen vom Toilettenrand wischt, dass er den Kindern ihre Sachen für den nächsten Tag raussucht, dass er die Schere an ihren festen Platz zurücklegt. In ihrer Fantasie erledigt er alle möglichen Dinge, bevor sie Sloane überhaupt in den Sinn kommen. Dieses Dienen im Verborgenen, die Art, die sie sich im Restaurant von ihren Kellnern wünscht. In ihrer Fantasie hat er in ihrem Kopf Raum geschaffen, sodass in diesem freigeräumten weiten Feld da oben vielleicht wieder Platz für sexuelle Lust ist, weil die To-dos nicht mehr in einem fort durchrattern, sondern hinter jeder zu erledigenden Aufgabe schon ein Häkchen gesetzt ist, oder weil diese übervolle Liste gar nicht erst geschrieben werden muss, schließlich hat er alles schon erledigt, ehe sie überhaupt daran denken konnte. In ihrer Fantasie ist er sogar mit dem Hund Gassi gegangen. Ha, denkt sie. Ach komm schon. Das ist verrückt. Wir haben schließlich gar keinen Scheißhund.

Vor allem aber wusste Sloane, sie konnte Jenny nicht sagen, dass sie sich mehr noch als alles andere wünschte, Richard würde Jenny sagen, dass es seine Schuld gewesen war. Dass Sloane keine herumhurende Hexe war. Dass es ihn anmachte, wenn er sah, wie ein anderer Sloane fickte. Dass er selbst Wes ausgesucht hatte, aus verschiedenen Gründen, unter denen vielleicht gar nicht vorkam, was

Sloane gefiel oder wollte oder brauchte. Doch diese Frau, begriff Sloane plötzlich, verstand nichts von alledem. Sie dachte, Sloane habe so entschieden. Sie dachte …

»Ich meine, ganz im Ernst, was bitte stimmt mit dir nicht?«, wiederholte Jenny.

Sloane kehrte aus ihren Gedanken zurück und sah Jenny an, sah die Art, wie Jenny sie anschaute. Sie begriff auf einmal, dass diese Frau sie besser durchschaute, mehr von ihr verstand, als sie gedacht hätte.

»Du bist die Frau«, fauchte Jenny sie an. »Und du lässt das zu.«

Sloane fühlte, wie sich der Boden unter ihr auftat.

»Du bist die Frau«, wiederholte Jenny. »Weißt du denn gar nicht, dass eigentlich du die Macht hast?«

Im letzten Jahr, bevor die Sache mit Jenny und Wes sich zugespitzt hatte, hatte Sloane ihre Mutter nach einem Besuch zum Flughafen gebracht. Es war ein guter Besuch gewesen. Das war vor dem Tag auf dem Golfplatz, als ihre Nichte sie nach dem Unfall gefragt hatte. Ihre Mutter und sie unterhielten sich darüber, was für eine schöne Zeit sie zusammen gehabt hätten, als es Dyan auf einmal die Stimme verschlug.

»Mom?«, sagte Sloane. »Alles okay mit dir?«

»Der Mann da«, antwortete Dyan und zeigte auf einen Mann in der Schlange vor ihnen, der gerade sein Gepäck abgab.

»Wer ist das?«

»Niemand«, sagte Dyan. »Er erinnert mich nur an jemanden.«

»An wen?«

»An den Vater des Mädchens, mit dem ich nach dem Unfall zusammengewohnt habe. Er hat beim Tennis immer betrogen. Wir haben bei ihm im Club zusammen Tennis gespielt, er und ich. Wenn der Ball kurz hinter der Linie aufkam, hat er immer zu seinen Gunsten gezählt. Ich war siebzehn, ich wusste nicht, was ich tun sollte, dabei war mir klar, dass er betrogen hat.«

»Du hast nie erzählt, dass du nach dem Unfall bei anderen Leuten gewohnt hast«, sagte Sloane.

Dyan nickte. Sie redete weiter und erklärte zum ersten Mal, dass ihr Vater es nicht mehr habe ertragen können, sie zu sehen, und sie deshalb bei einem Freund untergebracht hatte. Dyan beschrieb die Situation sehr nüchtern, als würde sie über jemand anderen sprechen. Sloane fing an zu weinen. Sie nahm ihre Mutter in den Arm, die sich anfühlte wie ein Eisklotz.

»Das ist einer der Gründe«, sagte Dyan und löste sich aus der Umarmung, »weshalb ich Tennis nicht mag.«

Sloane hielt ihre Mutter weiter an den Armen, auch wenn sie sich nicht sicher war, ob das helfen würde. Wie eine große Stütze kam sie sich nicht gerade vor. Sie dachte an alles, was ihre Mutter je für sie getan hatte. An all die Dinge, die dafür gesorgt hatten, dass ihr im Leben alle Türen offenstanden. Sie dachte an die vielen Male, in denen ihre Mutter etwas Leckeres gekocht hatte. Die vielen Male, die sie in einer kalten Eishalle oder einem heißen Tanzstudio gewartet hatte. Die vielen großzügigen Dinge, die sie für ihre Enkel getan hatte, die teuren Sachen, das sorgfältig ausgewählte Spielzeug. Daran, wie oft sie Sloane gesagt hatte, sie sei wunderschön, ihr in die Augen gesehen und das Aussehen des Kindes gutgeheißen hatte, wie das nur eine Mutter kann.

Aber dann gab es Zeiten wie diese, wenn es den Anschein machte, ihre Mutter habe viele Dinge so stark verdrängt, dass Sloane nicht an sie herankam. Und Sloane wusste, genau das galt auch für ihr eigenes Arrangement mit ihrem Mann. Die Regeln und Linien waren an einem Strand in den Sand gemalt worden, wo man sie kaum noch erkennen konnte. Wo Ebbe und Flut sie im Verlauf eines Abends wegwaschen konnten, sodass sie am nächsten Morgen verschwunden waren.

Als sie das letzte Mal sehr betrunken gewesen war, hatte sie mit angesehen, wie ihr Mann in einer anderen Frau war, und sich gefühlt, als würde sie sich auflösen. Sie war aus dem Zimmer gegangen. Hinausgestürmt, wie jemand wie sie eben hinausstürmen kann. Jemand, der es gewohnt ist, eine ruhige, liebenswerte, einsame Oberfläche darzustellen. Oder vielleicht war sie gar nicht hinausgestürmt. Vielleicht hatte das nur ihr Innerstes getan.

Wie seltsam es doch ist, dachte Sloane, wie die Erinnerungen in unserem Hirn ihr Eigenleben führen. Es ist seltsam, wer was an- und abstellt. Man muss entscheiden, wer richtig für einen ist. Wenn Richard ihr nie gesagt hätte, es sei falsch gewesen, dass niemand »o Gott sei Dank, du lebst« gesagt habe, nachdem sie sich mit dem Auto ihres Bruders überschlagen hatte, dann wäre dieser Abend in ihrem Hirn für immer als der Abend abgespeichert, an dem sie den Wagen ihres Bruders geschrottet hatte. Dann wäre es ihre Schuld, dass sie und ihr Bruder sich nicht mehr nahestanden. Und sie hätte sich vielleicht nie daran erinnert, dass die tolle Beziehung zwischen ihr und Gabe nicht so zu Ende gegangen war, wie sie gedacht hatte, nicht wegen des Typen, mit dem sie zusammen gewesen war, oder weil sie sich mit seinem Wagen überschlagen hatte. Dass sie in Wirklichkeit einen ganz anderen Tod gestorben war, viel früher, als sie acht oder neun gewesen und Gabe in ihr Zimmer gekommen war und zu seiner kleinen Schwester gesagt hatte: »Willst du mit mir rummachen?«

An dem Tag in der Patisserie bestellte sich Sloane das Croissant und grinste in sich hinein, weil alles daran so absurd war. Sie biss ab, schmeckte die Butter und die süßen Mandeln und dachte: Halleluja, ich esse ein Mandelcroissant.

Du bist die Frau, du solltest die Macht haben.

Sloane wollte Jenny in den Arm nehmen und ihr von dem Abend erzählen, an dem sie ihren eigenen Mann in dieser anderen Frau gesehen hatte, und davon, dass Richard Wes für sie ausgesucht hatte. Sie wollte Jenny von dem Unfall ihrer Mutter erzählen und wie diese danach zu anderen Leuten geschickt worden war. Wie das geprägt hatte, was für eine Mutter sie für sie hatte sein können. Sie wollte von ihrem eigenen Unfall erzählen und davon, wie schrecklich sie sich damals gefühlt hatte, wie schrecklich sie sich ständig für Dinge fühlte, die sie nur beinahe oder gar nicht getan hatte. Sie wollte Jenny erzählen, wie ihr Bruder sie gefragt hatte, ob sie mit ihm rummachen wolle, als sie noch ein kleines Mädchen gewesen war. Sie wollte ihr erzählen, dass sie damals ein Himmelbett und einen stillgelegten Kamin in ihrem großen, schönen, rosa Zimmer gehabt hatte. Sie wollte sagen, von außen hätte alles absolut perfekt ausgesehen.

# Maggie

Maggie und ihre zwei Brüder protestieren. Sie stellen sich mit selbst gemalten Schildern vor die West Fargo High. Maggie trägt eine orangefarbene Beanie, die langen Haare fallen ihr über die Schultern. Auf den Schildern steht:

WIE VIELE OPFER NOCH?

und

AARON COSBY?

Maggie und ihre Brüder werden aus den vorbeifahrenden Autos angeschrien, meistens von Mädchen, die jünger sind als Maggie. Sie hupen und schreien aus dem Fenster, sagen Sachen, die ihr das Gefühl geben, zartbesaitet zu sein – Dinge, die man nicht wiederholen kann, denn falls die Person, der man es erzählt, das noch nicht von einem gedacht hat, weiß sie in diesem Moment, dass es andere Menschen sehr wohl denken.

»Du hässliche Fotze!«

»Du bist die hässlichste Schlampe *ever*, darum schreist du hier wegen Vergewaltigung rum!«

»Nimm das Schild runter, oder ich tret dir in den Arsch!«

Ein Wagen voller junger, hipper Mädchen kommt ein

zweites Mal vorbei, und Maggie fotografiert sie mit dem Handy.

»Na, du Schlampe, rufst du die Bullen?«

Maggie sagt: »Gut geraten, genau das!«

Noch am selben Tag findet eine Gegendemo statt: »West Fargo für Aaron Knodel«. Maggie sieht sich die Bilder im Fernsehen an. Die Demo wird von acht seiner aktuellen Schüler angeführt, die meisten von ihnen sind weiblich. Sie machen Sport, und auf ihren Facebook-Profilfotos sehen sie selbstbewusst und zungenfertig aus. Sie tragen superknappe Shorts und haben gebräunte Beine. Sie halten Schilder hoch, auf denen steht:

BESTER LEHRER ÜBERHAUPT

#WF4KNODEL

NICHT SCHULDIG #WF4KNODEL

Vorbeikommende Autofahrer werden langsamer und hupen oder beschleunigen und schreien. Jubel und Sonnenschein. Irgendwann fährt auch der Familien-SUV der Knodels vorbei. Jemand schießt ein Foto. Marie sitzt auf dem Beifahrersitz, die Haare wie eine Mum nach oben gezwirbelt, ihre Gesichtsfarbe sehr viel gesünder als an dem Tag im Gerichtssaal, der Mund offen, als würde sie »Yeah!« schreien. Ein Junge sitzt auf der Rückbank hinter ihr, hält eine Hand aus dem Fenster und reckt den Daumen in die Höhe, ein kleinerer sitzt neben ihm, sichtlich verwirrt. Aaron selbst auf dem Fahrersitz mit einem kleinen weißen, zwischen Brustkorb und Lenkrad eingequetschten Hund. Auf seinem Gesicht lässt sich ein wenig Verlegenheit erahnen, aber es strahlt auch vor Stolz, als würde die Sonne über der Beerdigung eines Feindes am Himmel stehen.

Eine lokale Reporterin, die sich während der Berichterstattung zum Gerichtsprozess neutral verhalten hat, sagt: »Falls Sie es noch nicht wussten, wissen Sie es jetzt. Während der Demonstration ist er hin- und hergefahren, den Hund auf dem Schoß, die Kinder und die Frau im Wagen und dieses selbstgefällige Lächeln im Gesicht. Er hat buchstäblich alle getäuscht.«

An einem strahlenden Septembernachmittag spielen die NDSU Bisons gegen die Fighting Hawks der University of North Dakota. Am selben Tag findet auch das West Fest statt, ein Umzug durch West Fargo, bei dem von lokalen Unternehmen gesponserte Festwagen die Straße entlangrollen und den am Straßenrand stehenden Kindern Süßigkeiten zuwerfen.

Die Umzugswagen werben mit blauen Bändern gegen die Konkurrenz. Kauf meine Versicherung. Hol dir dein Abendessen bei mir. Die Mitglieder der Veteranenorganisation American Legion treten gegen die Mitglieder der Veterans of Foreign Wars an. Lauritsen Financial lässt kleine Mädchen Wassereis verteilen. Sie werfen das Eis anderen Kindern zu, aber oft genug landet es auch auf der Straße, sodass sich jedes Mal ein chaotisch herumwuselnder Tross in Bewegung setzt. Die Mädchen des Softballteams feuern ein paar State-Champion-2015-Bälle mit Autogrammen aller Spielerinnen des Gewinnerteams auf die Menschen ab.

Ein kleiner Junge schreit auf, er hat einen der Softbälle abgekriegt. Seine Mutter, dünne blonde Haare und einen Kaffeebecher in der Hand, sagt: »Tut bald nicht mehr weh, mein Schatz, versprochen.« Dann schaut sie gedankenverloren in die Menge.

Eine andere Mutter mit drei Kindern im Schlepptau sagt zu dem mittleren Kind: »Weil du nie hören kannst. Warum zum Teufel kannst du nie hören!«

Da kommt ein Football-Umzugswagen der West Fargo Packers – darauf Kunstrasen mit Ballons und Jungen in Trikots, die sich gegenseitig Footballs zuwerfen. Cheerleader in dunklen Leggins und grün-weißen Packer-Shirts laufen hinter dem Wagen her und wedeln mit grünen Pompons. Man sieht Maskottchen und kleine schwarze Mädchen mit 25-Dollar-Gutscheinen für das Küchen- und Elektrogeschäft Aaron's in den Händen. Es folgen Boy Scouts, die eine Flagge tragen, als wäre sie ein Sarg; überschwängliche Mädchen mit Sonnenbrillen in Weintrauben- und Bananenkostümen; schnittige Sportwagen, die im Schritttempo mit dem Umzug mitfahren. Überall auf den Bürgersteigen sind Zuschauer, Klappstühle, Glatzen mit so viel Sonnencreme, dass sie an Spiegeleier erinnern, kleine Mädchen mit duschfeuchten Haaren, Halbwüchsige an ihren Handys. Man sieht Bier trinkende und Wasser trinkende Eltern in Pullis mit dem Logo der West Fargo High oder der NDSU, die den Winkenden auf den Umzugswagen zurückwinken – man sieht genau die Art von Stadt, die so klein ist, dass jeder jeden kennt, aber so groß, dass man keine Scheu hat, heimlich über die anderen zu lästern.

Eine lokale Nachrichtensprecherin erzählt ihrem Kameramann, Aaron Knodel fahre angeblich auf dem Umzugswagen der öffentlichen Schulen von West Fargo mit. Angesichts der aktuellen Ereignisse weist niemand extra darauf hin, aber natürlich habe er ein Anrecht, auf diesem

Wagen zu sein – als Lehrer des Jahres. Wie bei der stillen Post macht die Nachricht die Runde.

Maggie ist nicht bei dem Umzug. Sie kellnert im *Perkins*. Sie kellnert seit der Highschool, wobei sie während ihrer Highschool-Zeit noch bei *Buffalo Wild Wings* gearbeitet und Teller mit knusprig heißen, orange glänzenden Hähnchenflügeln durch den Laden manövriert hat. Auch wenn der Geruch an einem haften blieb, war er besser als der Geruch des *Perkins*, der älter und schaler und beißender ist. Im *Perkins* riecht es wie in einer Cafeteria. Das Rührei ist fest und blass. Ins *Buffalo Wild Wings* war Aaron einmal gekommen, um was zum Mitnehmen zu bestellen, aber im *Perkins* ist Maggie ihm noch nie begegnet.

In der Ferne sieht man eine Güterzugtrasse. Manchmal geht sie an einem ihrer Tische ans Fenster und beobachtet die vorbeifahrenden Züge. Wie an jedem Tag hat sie ihre langen Haare schön zurechtgemacht. Sie wirkt fehl am Platz, wenn sie grantigen Gästen taubengraue Eier bringt. Eine spindeldürre Kellnerin mit Narben im Gesicht redet über ihr Kind, erklärt, dass es keinen Zentimeter gewachsen sei und kein Gramm zugenommen habe, seit es sechs Monate sei. Inzwischen sei es fünfzehn Monate alt. Das sei merkwürdig, das wisse sie. Nicht ein Gramm. Der Arzt habe gesagt: »Ach du Schreck, wie kann denn das sein?«

Maggie hört einen Zug und tritt ans Fenster. Sie will hier raus. Es wäre die einzige Möglichkeit, endlich zu vergessen. Über Aaron spricht sie noch immer, als wären sie gerade erst zusammen gewesen, dabei ist es sechs Jahre her. Immer wieder hat sie gedacht: Was, wenn ich ihm unrecht tue? Was, wenn er noch dieselben Gefühle hat und nur nicht weiß, was er tun soll? Sie fühlt sich albern und dumm, weil sie glaubt, er habe sie geliebt. Ihre Einsamkeit geht tiefer als die der meisten Dreiundzwanzigjährigen. Sie ist bei Tinder, aber immer, wenn sich ein Match ergibt, wollen sich die Typen sofort mit ihr treffen. Wenn Typen ihren Namen herausfinden, schreiben sie: »Oh, wusste gar nicht, dass du so eine abgefuckte Schlampe bist.« Sie vertraut keinem, läuft aber dennoch Gefahr, dass sie zu sehr vertraut. Sie hat keinen Vater mehr. Und Frauen, die keinen Vater mehr haben, schauen unter jeden Gullydeckel. Erst vor Kurzem hat sie zu einer Freundin gesagt, sie wünsche sich so sehr, dass Aaron eine Nacht im Gefängnis verbringen müsste, nur eine Nacht, in der er der Buhmann wäre und sie das Opfer, eine Nacht, in der er für das bezahlen müsste, was er in ihrem Leben angerichtet habe.

»Würde es reichen«, fragte ihre Freundin, »wenn seine Frau ihn verlassen würde? Wenn seine Welt in sich zusammenfallen würde, wäre das eine Genugtuung, würde es reichen?«

Maggie dachte eine Weile darüber nach. Die Reaktion ihrer Freundin war nicht falsch, aber die Welt, die sie kannte, war derart blind dafür, wie sich der Schmerz einer Frau über die Jahre entwickelt, dass sie sie wohl nie verstanden hätte, ohne sie niederzumachen. Selbst Frauen würde es schwerfallen. Vielleicht sogar am schwersten.

»Ja«, sagte sie, »ich denke schon.«

Unterdessen hat Arlene Wilken bei Maggie zu Hause die meisten Sachen ihres verstorbenen Mannes aussortiert. Es ist über ein Jahr her, aber Maggie hält noch immer an ihnen fest. Arlene riecht gern an seinem Parfüm. Zuerst hatte sie alle seine Hosen weggegeben, weil Hosen weniger bedeuten als Hemden, aber in den vergangenen Tagen hat sie auch die Hemden weggegeben.

An ihrer Schlafzimmertür hängen zwei Hemden, die er

in den Tagen vor seinem Selbstmord dort hingehängt hatte und die sie nicht antastet. Es ist bemerkenswert, dass sein Geruch noch immer an allem haftet, und es bestärkt Arlene in dem Gedanken, dass er noch nicht bereit war zu gehen. Sie weiß, sie kann die letzten zwei Hemden da hängen lassen, weil die Tür immer offen steht und die Hemden zur Wand zeigen, sodass keiner außer ihr sie je bemerkt.

»Und was für eine Beilage hätten Sie gern?«, sagt Maggie zu einem Mann mit Käppi und einer Frau mit einer riesigen selbst gestickten Katze hinten auf dem Pulli.

Der Mann klingt mürrisch. »Für mich den gemischten Salat mit gehackten Zwiebeln«, gibt er zurück.

Am Tisch gegenüber stößt ein Baby, das in einem ziemlich teuren Kinderwagen liegt, einen markerschütternden Schrei aus.

»Und welches Dressing?«, fragt Maggie den Mann mit dem Käppi.

»Vinaigrette«, sagt er, als wäre das ja wohl klar. Er fügt steif hinzu: »Mit gehackten Zwiebeln!«

»Gehackte Zwiebeln«, bestätigt Maggie und zieht dabei einen scharfen Strich unter die Bestellung.

Beim West-Fest-Umzug sitzt Aaron Knodel auf dem Festwagen und winkt wie ein König. Es gibt zwei Highschools in der Stadt, genauso wie es zwei Amerikas gibt. Es gibt Männer, und es gibt Frauen, und in bestimmten Ecken des Landes regieren die einen, in Momenten, die nie im Fernsehen zu sehen sein werden, noch immer die anderen. Selbst wenn Frauen zurückschlagen, müssen sie es auf die richtige Art tun. Sie müssen in den richtigen Dosen weinen und hübsch aussehen, hübsch, aber auf keinen Fall heiß.

Im *Perkins* fällt der spindeldürren Kellnerin nur wenige Zentimeter neben dem Rad des teuren Kinderwagens ein

Buttermesser aus der Hand. Maggie hebt das Messer auf und lässt es schnell in der beigen Schüssel für das schmutzige Geschirr verschwinden.

Der Mann mit dem Käppi und die Frau mit der Katze auf dem Pullover tuscheln miteinander und starren zu Maggie hinüber. Ihre Gesichter verraten, dass sie keine Nettigkeiten austauschen. Wenn Leute Maggie anstarren, weiß sie nie, ob sie sie im Fernsehen gesehen haben und wiedererkennen oder einfach nur ein Mädchen mit vollen Haaren und perfektem Make-up beobachten, das wahrscheinlich glaubt, es sei sich zu schade für diesen Job. In der Ferne kommt ein weiterer Zug angerollt. Diese Züge können sehr schnell sein, altmodisch und geheimnisvoll. Maggie liebt, wie sie aussehen, wie sie sich anhören und wie sie einen in Windeseile von einem Ort an einen anderen bringen. Sie denkt sich Geschichten über ihr Ziel aus. In ihrer Fantasie fährt sie in einem der schickeren, hat roten Lippenstift aufgetragen und einen schönen Koffer dabei.

Später an diesem Abend wird Maggie bei Facebook posten: »Auf Nimmerwiedersehen, *Perkins* ... Das war so irreal!«

Sie wird sich heftig mit einem Gast gestritten haben, und der Rest des Tages wird düster und grau verlaufen sein. Bis sie ihrem Manager sagt, dass sie gehen und nie mehr wiederkommen werde. Sie weiß, sie braucht das Geld, aber sie findet auch woanders einen Job. Irgendwo anders. Sie will eine Ausbildung zur Sozialarbeiterin machen. Bestimmt wird sich eine Lösung finden. Irgendeine Lösung findet sich immer. Es ist schließlich nicht so, dass die Welt eine weitere Kellnerin des Jahres bräuchte.

Später wird sie eine Blackbox posten, in der in weißen Buchstaben steht: »Mein Dad fehlt mir sehr.«

Zu wenige Leute werden Maggies ersten Post liken oder sie nach ihrem zweiten trösten.

Doch noch ist nicht aller Tage Abend. Noch ist Maggie im *Perkins*. Noch hat sie nicht gekündigt. Oder hingeschmissen. Es ist noch alles offen. Und der Rest ihres Lebens liegt vor ihr.

Der Zug verschwindet aus ihrem Blickfeld, die letzten Waggons gleiten wie ein Schwert in den Wald. Maggie richtet sich auf, versucht, die Stimmen auszublenden, und schaut aus dem Fenster, wo alles so schnell an ihr vorbeizieht.

# Epilog

Im Krankenhaus war meine Mutter mehr als konfus. Mir fällt nicht viel ein, was schlimmer wäre als konfus, zumal wenn jemand sein ganzes Leben lang so klar wie Wodka gewesen ist.

An manchen Tagen aber war sie doch noch sie selbst, und dann nutzte ich die Gunst der Stunde. Ich wollte reden und zuhören, aber vor allem wollte ich von ihr hören, wonach sie sich sehnte. Ich bettelte richtig. »Möchtest du nach Rimini?«, fragte ich. Das vertraute Strandstädtchen, das sie so geliebt hatte, als ich mir wünschte, sie würde das Tyrrhenische Meer oder den Comer See mögen. Als ich sie um ihre letzten Wünsche und Träume anflehte, irgendwelche Spinnereien, die ich ihr mitbringen könne, sagte sie nur: »Chicken Wings«. Und ich wusste, dass sie keine Keulen wollte, sondern nur die Flügel, knallorange, aus dem Restaurant im Ort, wo ich einmal gejobbt und eine Strumpfhose unter einer gestärkten schwarzen Hose getragen hatte. Beschwingt verließ ich das Krankenhaus. Beim Bestellen war ich so übermütig, wie jemand in meiner Lage nur sein konnte. Ich nahm die weiße Styroporbox in der braunen Tüte entgegen. Obwohl Frühling war, drehte ich die Autoheizung voll auf und hielt die Tüte vor den Schlitz, um die Chicken Wings warm zu halten. Kaltes Essen konnte meine Mutter nicht ausstehen. Sie verbrannte sich gern die Zunge.

Siegesgewiss betrat ich ihr Zimmer. Sie war kurz zuvor auf die Onkologiestation verlegt worden, und das neue Zimmer war richtig schön im Vergleich zu den ersten schwierigen Tagen auf der Entbindungsstation. Bei ihrer Aufnahme war nur noch dort ein Bett frei gewesen, und meine Mutter hatte, als Einzige still und aschgrau, zwischen all den knallroten, schwitzenden und frohlockenden Frauen gelegen.

»Ich hab sie«, sagte ich. »Deine Lieblingssorte.«

Sie sah hoch. Ich hatte ihre Exemplare der *People* und *Gente,* der italienischen Parallelausgabe, neben dem Bett gestapelt. Die Fernbedienung hatte ich so hingelegt, dass sie ohne Probleme rankam. Aber sie hatte nichts angefasst. Sie hatte einfach nur dagelegen und die gelbe Wand angestarrt.

»Oh«, sagte sie.

»Wieso *oh?*«

»Ich hab keinen großen Hunger.«

»Probier einfach mal«, sagte ich. »Ich schneide sie dir klein.«

»Nein«, antwortete sie. »Du weißt doch, dass ich sie am liebsten vom Knochen abnage.«

Aber sie konnte nicht. Um etwas vom Knochen abzunagen, muss man echten Appetit mitbringen. Sie nahm sich einen Flügel und ließ ihn wieder sinken.

Ich war sauer. Weil sie nicht wollte. Ich war sauer, weil sie nicht mal zu wollen versuchte.

»Möchtest du mir irgendetwas sagen?«

»Du weißt, wo alles ist«, sagte sie. Sie meinte die Hausurkunde und all die anderen Kleinigkeiten, die sie vor Einbrechern und schnüffelnden Angehörigen versteckt hatte.

»Ja. Das meine ich nicht.«

»Ich liebe dich.«

»Toll«, sagte ich. Und sie verstand meine Wut. Sie wusste, dass sie meiner Meinung nach schuld an allem war, nicht unbedingt daran, dass sie krank geworden war, aber zumindest daran, dass ihre Krankheit ihr egal war.

»Du möchtest noch was anderes wissen?«, fragte sie. »Na gut.« Ihr Akzent war nicht mehr so ausgeprägt wie früher. Vom Morphium fängt man an zu nuscheln, und sie klang dadurch wie der Rest der Welt.

Die netteste Krankenschwester kam herein und sagte: »Hm, Chicken Wings! Glück muss der Mensch haben!« Und anders als mir spielte meine Mutter ihr etwas vor. »Ich habe eben eine gute Tochter«, entgegnete sie und streichelte mir den Arm.

Als die nette Schwester wieder weg war, sah meine Mutter mich an. Ihr Gesicht war so unendlich grau. Nachts wurde sie mit dem Blut anderer Leute vollgepumpt; nur dann wirkte ihre Haut rosiger, und sie sah der Frau ähnlich, die ich mal gekannt hatte. Die ununterbrochen das Haus geputzt, allwöchentlich die Kupferkannen poliert und im Kino geräuschvoll und stur ihre Sonnenblumenkerne geknackt hatte.

»Bist du bereit?«, fragte sie mich.

»Ja«, sagte ich. Ich beugte mich zu ihr und legte meine Wange an ihre. Sie war noch warm, und ich wusste, dass sie es nicht mehr lange sein würde.

»Lass sie nicht merken, wenn du glücklich bist«, flüsterte sie.

»Wen?«

»Alle«, sagte sie überdrüssig, als hätte ich das Wesentliche mal wieder nicht kapiert. »Vor allem andere Frauen«, fügte sie hinzu.

»Ich denk, es ist genau andersrum«, widersprach ich. »Lass dich von den Ärschen nicht runterziehen.«

»Das ist falsch. Die sehen, wenn du am Boden bist. Die *sollen* es sehen. Wenn sie sehen, dass du glücklich bist, wollen sie dich fertigmachen.«

»Aber wer?«, fragte ich wieder. »Und was meinst du überhaupt? Du hörst dich wirr an.«

Ich war noch jung und hatte erst seit ein paar Jahren keinen Vater mehr. Ich war noch nicht allein in die Welt hinausgezogen und gebissen worden. Und obendrein wusste ich nie, wem ich glauben sollte. Mein Vater hatte immer gesagt, die ganze Welt stehe mir offen. Ich sei das Einzige, was zähle. Meine Mutter brachte mir bei, dass wir alle Fliegen seien. Wir säßen im Wartezimmer eines überfüllten Krankenhauses und würden x-beliebigen Stationen zugeteilt, die gerade ein Bett frei hätten.

Ihre Augen schlossen sich. Die Lider zuckten. Es war theatralischer als nötig. Selbst in diesem Augenblick, als sie nur noch ein Klappergestell war, sollte ich wissen, welches Gewicht ihr Leben hatte.

An einem heißen Abend im Juli 2018 macht sich Arlene Wilken bettfertig. Sie schaltet die Abendnachrichten ein und deckt sich halb zu. Die andere Bettseite ist leer.

Im Fernsehen lässt sich der Moderator über den jüngsten Skandal zwischen einem Lehrer und seiner Schülerin in North Dakota aus. Es gibt so viele, das reinste Treibhaus, das hört überhaupt nicht auf. Arlene dreht die Lautstärke auf.

Mike Morken, der Moderator, ist keiner von denen, die Arlene nicht mehr hören kann, weil sie ihre Tochter während des Gerichtsverfahrens als das Mädchen abgestempelt haben, das den Lehrer des Jahres und seine heile Familie ruinieren wollte. Morken fällte keine vorschnellen Urteile wie alle anderen Quadratschädel in diesem kalten Spießerstaat.

Jetzt hört Arlene ihn sagen, dass man in North Dakota das Recht auf Einsicht in jede beliebige Lehrerakte habe. Für Arlene ist es eine neue und schockierende Information. Sie hat das Gefühl, Gott spricht durch Mike Morken und gibt ihr Anweisungen. Am nächsten Tag geht sie sofort zur Schulbehörde von West Fargo und fordert die Lehrerakte von Aaron Knodel an. Sie bekommt ein dickes Paket, das sich schon ganz abgegriffen anfühlt. Auf jeder Seite hört sie, wie die Stimme des Lehrers ihre minderjährige Tochter auffordert, fünf Jahre auf ihn zu warten. Dass er sich nichts sehnlicher wünsche, als ihren ganzen Körper mit seinen Küssen zu bedecken.

Dann macht Arlene eine Entdeckung, die sie eher verblüfft als aufwühlt: mehrere Handschriftenproben, die im Gerichtsverfahren nicht zur Sprache gekommen sind. Sie sieht Aaron Knodels Bewerbung, alles handschriftlich, ganze Seiten seiner eigenwilligen Schnörkel, mit denen die Gerichtsgraphologin vielleicht zu einer etwas entschiedeneren Einschätzung gefunden hätte, statt bloß *Anhaltspunkte* zu sehen – Indizien, dass Knodel die Zettel geschrieben haben könnte, dass die Beweislage jedoch keine eindeutige Beurteilung erlaube.

Arlene weiß nicht, was sie mit ihrer Entdeckung machen soll. Sie überlegt, Jon Byers Bescheid zu sagen, doch der hat ihre Anrufe schon so oft ignoriert. Am Ende des Verfahrens war Arlene am Boden zerstört, hatte ihm aber dennoch per Handschlag danken wollen und gemerkt, dass er so tat, als sähe er das nicht. Wahrscheinlich nahm er es ihr bis zuletzt übel, dass sie ihn gefragt hatte, warum es so lange dauere, Anklage zu erheben. »Wen genau beschützen Sie eigentlich?«, hatte Arlene gefragt. Sie wusste damals nicht, und sie weiß bis heute nicht, wer eigentlich auf ihrer Seite steht.

Was ihr bleibt, ist der unerschütterliche Glauben an die Darstellung ihrer Tochter. Die geht ihr durch den Kopf wie ein Newsticker. Jede Zeugenaussage, jedes Beweisstück. Eine dampfende Mülldeponie an Informationen, und die schrecklichen Gedanken, die ihr angesichts dessen durch den Kopf gingen, sind das Sickerwasser. Auf wie viele verschiedene Arten hatte das System beispielsweise mit ihnen umspringen können, weil sie Marks Tod betrauerten, als sie sich auf das Verfahren hätten konzentrieren sollen? Sie wirft einen Blick auf die leere Bettseite und bittet um Rat.

Würde *das* die Leute endlich davon überzeugen, dass Knodel ihrer Tochter geschrieben hatte: »Ich kann es gar nicht erwarten, dass du achtzehn wirst ...?«

Sie möchte jemanden anrufen. Möchte der Welt zurufen: Schaut doch her! Schaut euch an, wie unsere Familie instrumentalisiert und ignoriert worden ist. Schaut euch an, was die alles unter Verschluss gehalten haben! Sie greift zum Telefon. Dann legt sie es wieder weg. Es gibt niemanden, den sie anrufen kann. Der Verständnis aufbringt. Sie fühlt etwas anderes als Enttäuschung. Enttäuschung würde heißen, man weiß, dass die Dinge wenigstens manchmal so laufen, wie man sich das wünscht. Jahrelang hat sie versucht, ihre Tochter, ihren Mann und sich selbst zu entlasten. In der Öffentlichkeit, ja, aber hauptsächlich als Vorsitz bei den Privatverhören, allein in ihrem Schlafzimmer, wenn sie in endlosen, grauenhaften Stunden jeden einzelnen

Schritt noch einmal durchging, den sie als Familie unternommen hatten, jedes Essen, jede Reise und jeden Drink.

Als Maggie am nächsten Abend nach der Arbeit vorbeikommt, erzählt Arlene ihr von den neuen Schriftproben. Sie möchte wissen, was sie unternehmen sollen. Ob Maggie die Sache verfolgen möchte. Maggie zuckt mit den Schultern.

»Wozu, Mom? Denkst du wirklich, sie würden mir diesmal glauben?«

Arlene nickt. Sie will in die Küche gehen. Sie kann Pasta kochen oder ihnen eine Suppe warm machen, oder sie lassen sich was kommen. »Was möchtest du, Maggie?« Maggie meint, sie habe keinen Hunger. Sie sei müde. Sie hat einen vollen Arbeitstag als Verhaltenspsychologin hinter sich. Hat eine Gruppe von Kindern zu zähmen versucht, die noch mehr Pech gehabt haben als sie selbst.

»Maggie, wir könnten auch essen gehen, nur wir beide.«

Seit dem Verfahren, seit dem Tod ihres Vaters, hat Maggie keine Wünsche mehr wie früher. Schlimmer als ein Elternteil, dem man keine Freude machen kann, ist nur ein enttäuschtes Kind, das gar nicht mehr will, dass man sich bemüht. Dann reicht auch die Verzweiflung einer Mutter nicht, erkennt Arlene.

Selbst wenn Frauen Gehör finden, müssen es die richtigen Frauen sein, damit man ihnen zuhört. Weiße Frauen. Reiche Frauen. Schöne Frauen. Junge Frauen. Am besten all das in einem.

Manche Frauen, und so auch meine Mutter, haben Angst davor, etwas zu sagen. Eine der ersten Frauen, die ich traf, knickte ein, weil sie sich verliebte und Angst hatte, wenn sie darüber spräche, würde die Liebe verschwinden. Ihre

Mutter hatte ihr eingebläut, über die Liebe zu sprechen sei die schnellste Methode, sie zu beenden. Sie hieß Mallory, war groß, hatte lange Haare und stammte von Dominica, einer Insel mit tiefschwarzen Stränden, Armut und Toiletten, die einfach so auf dem Sand stehen. Bevor sie sich verliebte, hatte Mallory gern mit schwarzen Frauen und weißen Männern geschlafen. Mit schwarzen Frauen wie ihr selbst, weil sie sich bei ihnen schön und sicher fühlte. Mit weißen Männern, am liebsten aus New England und in Baumwoll-Piqué-Hemden, Männern, die im Bett zugleich langweilig und verstört waren. Denn Mallory machte der Gedanke daran geil, dass die schwarzen Frauen sie dafür verurteilten, mit Männern zu schlafen, die ihrer Meinung nach Rassisten waren. Es machte sie geil, mit weißen Männern zu vögeln, die von weißen Frauen begehrt wurden. Denselben weißen Frauen, die in ihrer Kindheit auf ihrer Insel Urlaub gemacht und bunte Röcke bei ihrer Mutter gekauft hatten, die damals einen Stand auf dem dunklen Sand betrieb. Mallory wollte haben, was diese Frauen hatten.

Dabei sollte man doch meinen, wir hätten viele der Ängste, die mit unserem Begehren verbunden sind, längst hinter uns gelassen. Wir dürfen sagen: Wir wollen vögeln, wen wir wollen. Wir dürfen aber nicht sagen: Und wir glauben, dass uns das glücklich macht.

An den Abenden in Indiana, an denen ich einem ganzen Raum voller Frauen zuhörte, habe ich viel Zusammenhalt erlebt, viel stille Anteilnahme. Doch immer dann, wenn Lina freudestrahlend den Raum betrat, vor Glück platzend, weil sie gerade von einem Treffen mit Aidan kam, trommelten die anderen Frauen plötzlich nervös mit den Fingern und versuchten mit allen Mitteln, ihre Euphorie zu bremsen.

Manche Frauen waren frustriert, weil Lina ein Zuhause hatte, einen Mann, der für sie sorgte, und gesunde Kinder. Alles war sauber, alles funktionierte. Diese Frauen waren sauer, weil sie mehr wollte.

Linas Kindheit war von einer kontrollsüchtigen Mutter beherrscht worden. Sie hatte Linas Make-up ausgesucht und die Farbe ihrer Kleidung bestimmt. Sie kaufte ihr Unmengen an rosa Sachen, dabei hasste Lina Rosa. Ihrer Mutter war das egal. Sie kaufte, was sie mochte. Und Linas Vater hatte nie Zeit für sie. Sie erinnerte sich an ganze Jahre, in denen sie ihn Abend für Abend angefleht hatte, ihr zu zeigen, wie man einen Reifen wechselt.

Lina versuchte, der Frauengruppe zu erklären, dass Ed genau wie ihr Vater sei, ein makelloser Mann, der nichts von dem aufgriff, was sie wollte oder sagte. Sie wollte einen *Partner*. Niemandem unter ihren Bekannten schien das Wort etwas zu bedeuten. Sie suchte jemanden, den sie ficken und lieben konnte, mit dem sie Autos reparieren und Schotterpisten langrasen konnte, in Cabrios oder Jeeps, scheißegal, solange sie nur zusammen waren. Keinen Partner zu haben war etwas anderes, als keine brandneue Waschmaschine zu haben.

Für Lina bedeutete es ein langes, stilles Sterben. Vielleicht würde Aidan nichts davon mit ihr unternehmen, vielleicht würde er seine Frau nie verlassen. Vielleicht hatte er es gar nicht verdient, dass Lina ihn auf einen so hohen Sockel hob. Aber mit Aidan fühlte sie sich wieder wie eine Frau, nicht wie ein Einrichtungsgegenstand. Endlich sah sie nicht mehr nur das Ende ihres Lebens vor sich, malte sich nicht länger das trostlose Grau der Erde aus, in der sie einmal begraben liegen, und auch nicht die Straße, die der Leichenwagen dann entlangfahren würde. Und das war so viel mehr Leben, als sie in all den Jahren zu fassen bekommen hatte.

Am Labor-Day-Wochenende streiten sich Sloane und Richard wegen des Unternehmens. Sie haben seit Tagen nicht mehr gevögelt, und Sloane weiß, dass Richard durchdreht, wenn sie nicht jeden Tag Sex haben. Sechsunddreißig Stunden ist zu lang, manchmal hält er es nicht einmal vierundzwanzig Stunden aus. An diesem Tag aber ist er wirklich wütend; er will gar nicht auf sie eingehen. Ausnahmsweise ist er mal derjenige, der warten will. Währenddessen streichen Männer die Zedernholzverschalung ihres Hauses. Aus Minze wird Grau.

Sloane macht einen Termin fürs Waxing aus und geht dann baden. Als sie in der Wanne liegt, kommt die SMS eines ihrer Sexpartner. Sie sieht sie auf dem Display aufblinken, greift nach ihrem Handy auf dem Sims und ruft Richard an.

»Ich weiß, dass du keine Lust auf Sex hast«, sagt sie, »aber ich brauch das jetzt.«

Richard sagt Nein, er sagt immer wieder Nein, aber Sloane bettelt weiter und weiter, bis er endlich einlenkt und meint, er komme nach Hause. Im Schlafzimmer taucht er zwischen ihre Beine ab, doch sie bittet ihn hochzukommen, ihren ganzen Körper zu spüren und in sie einzudringen. Er hat keine Lust, ist emotional noch nicht wieder bereit dazu. Es ist leichter für ihn, sie mit dem Mund zum Orgasmus zu bringen, ihr so zu geben, wonach ihre Lust verlangt, ohne in ihr zu sein.

Sie trägt Spitze und sonst nichts und macht mit ihrem Körper, was sie nur kann, damit er doch in sie eindringt. Er verweigert sich ihr, und sie besteht darauf. Endlich gibt er nach, und sie ficken, intensiv und klar und schnell; es spritzt ihr fast aus der Nase, als er endlich in ihrem Mund kommt.

Hinterher liegt Sloane da und spürt keinen *petite mort,* sondern das genaue Gegenteil – eine richtige Fülle. Sie weiß, es gibt für sie im Endeffekt nichts Wichtigeres – von der Gesundheit ihrer Familie und ihrer engsten Freunde einmal abgesehen – als die Sicherheit, dass sie ihren Mann mehr als alles andere will und dass er sie mehr als alles andere will. Weiß, dass sie sich trotz aller Härten, aus denen sie stammt, und der Tausenden von Kleinigkeiten, deretwegen sie sich Tag für Tag schlecht fühlt, auf der ganzen Welt nichts Besseres vorstellen kann als diese Gemeinschaft.

Natürlich sind da neidische Menschen, die hinter ihrem Rücken Gemeinheiten sagen, so wie auch Maggie Wilken beschimpft wurde, als sie den Mund aufmachte, und so wie Lina Parrish an der Highschool beschimpft wurde, nachdem sie von drei Jungen vergewaltigt worden war. Sloane weiß, dass sie sich den Luxus leisten kann, nichts auf das zu geben, was die Leute sagen. Sie ist weiß, attraktiv und hat ein Unternehmen. Sie hat Geld hinter sich. Sie weiß, dass die Welt in vielerlei Hinsicht zu ihren Gunsten tickt. Sie kennt auch all die Kniffe, mit denen die Welt versuchen wird, sie zu Fall zu bringen. Doch sobald sie mit ihrem Mann zusammen ist, zählen nur sie beide – selbst wenn sie nicht zu zweit sind.

Meine Mutter starb dann. Irgendwann sterben alle Mütter und hinterlassen Spuren ihrer Weisheit, ihrer Ängste und Leidenschaften. Manchmal sind sie ganz offensichtlich, dem Zugriff aller ausgesetzt. In meinem Fall war eine Schwarzlichtlampe nötig.

Es lag eine gewisse Schönheit darin, wie wenig meine

Mutter wollte. Nichts ist sicherer, als nichts zu wollen. Diese Sicherheit, habe ich am eigenen Leib erfahren, härtet aber nicht gegen Krankheit, Schmerz und Tod ab. Manchmal wahrt man damit nur das Gesicht.

Als der Herbst beginnt, denkt Arlene Wilken immer noch über die neuen Handschriftenproben nach. Sie ist überzeugt davon, dass es damit vorangehen kann, dass sich alles noch zum Guten wenden kann. Sie erzählt Maggie, dass sie neue Hoffnung schöpft. Maggie sieht die Dinge jedoch anders als ihre Mutter.

Sie ist frustriert, ja zornig darüber, dass manche Leute die Beweise irgendwelcher Experten brauchen, um auch nur die Möglichkeit in Betracht zu ziehen, dass sie sich das alles nicht ausgedacht hat.

Während des Verfahrens und danach haben sie Maggie und ihre Familie immer mehr zum Klischee gemacht. Haben Zwischentöne zugunsten des Begriffs *problembeladen* zurückgestellt. Als Maggie noch klein war, holte Mark Wilken im Winter seine Schneefräse heraus und baute seinen Kindern im Garten einen riesigen Rodelberg. Er brauchte Stunden, doch er wusste, wie sehr sie das liebten. Arlene Wilken wurde drei Monate vor dem Tod ihres Mannes trocken und ist es heute noch. Maggies Eltern tranken, waren aber funktionsfähige Alkoholiker, und vor allem waren sie liebevoll. Diese Liebe kehrten die Leute unter den Teppich. Aaron Knodels Verdienste dagegen wurden in den Medien, in der Schule und auf der Straße aufgebauscht.

Als Maggie an einem der letzten Tage des Verfahrens das Gerichtsgebäude verließ, kam ein stämmiger grauhaariger Mann in den Fünfzigern auf sie zugeschlurft und sagte: »Ich persönlich habe Ihnen von Anfang an geglaubt. Vom ersten Tag an habe ich Ihnen geglaubt.«

Er hatte liebenswürdige Augen, und auch wenn es Maggie zunehmend schwerfiel, Männern zu vertrauen, die sie nicht kannte, war sie doch dankbar, einen Fremden an ihrer Seite zu wissen. Außer ihrer Familie und ein paar engen Freunden war er der Einzige. Der einzige Mensch, der ihr glaubte. Oder zumindest der einzige, der die Kühnheit besaß, das zuzugeben.

Aaron Knodel hingegen wurde, unausgesprochen oder explizit, von den anderen Lehrern unterstützt, von Schülern, Reportern, Tankwarten und Kassierern im Supermarkt. Von Leuten, die weder ihn noch Maggie je kennengelernt hatten. Alle stimmten für Aaron Knodel, bevor das Gerichtsverfahren auch nur eröffnet worden war.

»Die Welt hat sich schlichtweg an den Glauben geklammert, dass so ein netter Mann das einfach nicht getan haben kann«, sagt Arlene. »Sie fühlten sich sicher, solange sie ihn verteidigten.«

Und tatsächlich ist es ebendiese Welt, die nur denen etwas geben will, denen schon gegeben worden ist, die die Geschichte schon akzeptiert hat. Für mich war es verstörend, die Reaktionen vieler Menschen auf Maggies Aussagen zu sehen. Selbst wenn sie Maggies Version der Ereignisse glaubten, befanden sie sie für mitschuldig. Was hatte Aaron Knodel denn schon getan? Aaron Knodel ist kein Vergewaltiger, sagten sie. Er ist ein großartiger Lehrer, er hat Familie. Er hat es nicht verdient, dass man ihm wegen *so was* das Leben ruiniert.

Dabei kann das, was Aaron Knodel vorgeworfen wurde, ein Kind genauso beschädigen wie nicht konsensueller Geschlechtsverkehr. Die Gesellschaft behandelt Mädchen, wie Maggie eines war, als Erwachsene, sie spricht ihnen die Fähigkeit zu, ihre eigenen Entscheidungen zu treffen. Mag-

gie war ein hellwaches Kind mit gewissen Nöten. Ein überragender Lehrer wie Aaron Knodel hätte der Katalysator
werden können, mit dessen Hilfe sie zu einem Leben in
Würde und Zuversicht gefunden hätte. Stattdessen wurde
er zum Gegenteil.

Von vielen Leuten, Männern und Frauen gleichermaßen,
die Maggies Wahrheit im Großen und Ganzen akzeptierten,
bekam ich zu hören: »Na, sie hat das doch gewollt. Sie hat
das doch provoziert.« Meiner Meinung nach hat Maggie
Wilken es nicht provoziert. Sie hat es angenommen, wie
ein Kind eine Auszeichnung oder ein Geschenk annimmt.
Frauen verfügen über Handlungsmacht, Kinder nicht. Maggies Verlangen nach Liebe, nach jemandem, der ihr sagte,
dass ihr Leben für die Welt einen Wert hat, geriet letztlich
unter Beschuss und wurde zur Unverschämtheit erklärt.

Dieselbe Dynamik konnte ich beobachten, wenn ich mit
anderen über Sloane und Lina sprach – besonders bei denen, die den beiden am nächsten standen, ihren Freunden
und Nachbarn. Ich hatte das Gefühl, niemand gönne einem
anderen sein Verlangen, und schon gar nicht einer Frau.
Ehe war okay. Die Ehe ist schon für sich genommen ein
Gefängnis, eine Hypothek. Hier kannst du deinen Kopf
hinbetten, hier hast du einen Fressnapf für den Hund.
Wenn du herumvögelst, wenn du versuchst, ein Dampfbad
zu bauen, kann alles passieren, wovor du Angst hast. Die
letzte Lektion meiner Mutter – »lass sie nicht merken,
wenn du glücklich bist« – hatte ich in Wahrheit schon als
Kind verinnerlicht. Mein Vater hatte mir eine nicht autorisierte Meerjungfrau gekauft, die für verwöhnte Mädchen
in der Badewanne die Farbe wechselte. Er schärfte mir nie
ein, meiner Mutter nichts davon zu sagen. Das kapierte ich
schon selbst.

Bis auf Weiteres hat Arlene Wilken das Gefühl, ihr sei eine Gnadenfrist gewährt worden. Sie würde ihrem Mann gern sagen, dass es vielleicht einen Ausweg gibt. Sie würde ihre Tochter gern überzeugen. Aber Maggie bleibt ruhig, distanziert und zurückhaltend. Sie hat gelernt, niemandem mehr zu viel von sich anzuvertrauen. Alles, was sie sagt, kann und wird gegen sie verwendet werden.

Darüber hinaus ist das Timing falsch. Man kann nachvollziehen, dass sie nicht gleich in Jubel ausbricht. Denn kurz vor Entdeckung der Handschriftenproben hat Maggie Wilken herausgefunden, dass Aaron Knodel als Assistenztrainer der Sheyenne-Golfmannschaft engagiert wurde. Auf der Website der Schule lächelt er in die Kamera, die Arme hinter dem Rücken verschränkt. Er wirkt schwerer, massiver als während des Verfahrens. Er ist nicht mehr so blass. Er sieht gesund aus und scheint sich zu freuen, wie er da neben den fünfzehn Mädchen steht, manche unter ihnen Brünette, manche Blondinen. Ein oder zwei Rothaarige.

# Anmerkung der Autorin

Der Inhalt des vorliegenden Werkes ist nicht frei erfunden. Über acht Jahre hinweg habe ich Tausende Stunden mit den Frauen dieses Buches verbracht – in Form von persönlichen Begegnungen, Telefonaten, SMS und E-Mails. Ich bin in die Städte gezogen, in denen sie wohnten, und habe mich eine Zeit lang dort niedergelassen, um mir ein besseres Bild von ihrem täglichen Leben zu machen. In manchen Fällen war ich dabei, als sich die Ereignisse abspielten, die ich in dieses Buch aufgenommen habe. Was Ereignisse in der Vergangenheit oder in meiner Abwesenheit betrifft, war ich auf die Erinnerungen, Tagebucheinträge und Brief-, E-Mail- oder SMS-Wechsel der Frauen angewiesen. Ich habe Menschen aus ihrem Freundes-, Bekannten- und Familienkreis interviewt und auch die von ihnen genutzten Social-Media-Kanäle verfolgt. In erster Linie habe ich mich jedoch an die Sichtweisen der drei Frauen gehalten.

Ich habe Gerichtsunterlagen und Artikel aus Lokalzeitungen als Quelle herangezogen und mit Journalisten, Richtern, Anwälten und Ermittlern gesprochen, um mir die Richtigkeit der Ereignisse und chronologischen Abläufe bestätigen zu lassen. Die verwendeten Zitate stammen aus offiziellen Dokumenten, E-Mails, Briefen, Tonaufnahmen und Interviews mit den drei Frauen und anderen Personen, die in diesem Buch auftauchen. Eine wichtige Ausnahme bildet der Fall, in dem sämtliche SMS und Briefe und auch einige E-Mails nicht mehr verfügbar waren. Die Wiedergabe des Inhalts basiert deshalb auf zahlreichen Nacherzählungen der betreffenden Person, die von ihrem Korrespondenzpartner jedoch bestritten wurden.

Ich habe mich bei der Auswahl dieser drei Frauen danach gerichtet, wie gut sich ihre Geschichten nachempfinden lassen, wie intensiv sie sind und inwieweit die Ereignisse, falls sie sich in der Vergangenheit zugetragen haben, die drei Frauen zum Zeitpunkt unserer Begegnung noch belasteten. Dabei konnte ich natürlich nur mit Frauen sprechen, die bereit waren, sich mir zu öffnen und mir ihre Geschichten mit der Erlaubnis zur Veröffentlichung zu erzählen, ohne wichtige Aspekte zurückzuhalten. Im Laufe meiner Recherchen trafen mehrere Frauen die Entscheidung, sich doch nicht derart exponieren zu wollen. Aber vor allem habe ich bei der Auswahl darauf geachtet, ob die Frauen meiner Meinung nach sich selbst gegenüber ehrlich waren und dazu bereit, ihre Geschichte so zu erzählen, dass ihr Begehren darin offen zutage trat. Andere haben keine eigene Stimme in diesem Buch, weil die Geschichten diesen drei Frauen gehören. Ich habe mich jedoch entschieden, all jene zu schützen, die nicht selbst zu Wort kommen, indem ich in den beiden Geschichten, die nicht ohnehin Gegenstand des öffentlichen Interesses waren, so gut wie alle Namen und zur Identifikation geeigneten Details geändert habe. In der dritten Darstellung habe ich die Namen all jener Personen geändert, die während der besagten Zeit noch minderjährig waren.

Ich bin überzeugt davon, dass sich in diesen Geschichten grundlegende Wahrheiten über Frauen und ihr Begehren ausdrücken. Letztlich hatten es aber diese drei ganz